HARLAN COBEN zdobył uznanie w kręgu
miłośników literatury sensacyjnej trzecią książ-
ką BEZ SKRUPUŁÓW, opublikowaną w 1995.
Jako jedyny współczesny autor otrzymał trzy
najbardziej prestiżowe nagrody literackie przy-
znawane w kategorii powieści kryminalnej,
w tym najważniejszą – Edgar Poe Award.
Światowa popularność pisarza zaczęła się
od thrillera NIE MÓW NIKOMU (2001) – best-
sellera w USA i Europie (zekranizowanego
w 2006 przez Guillaume Caneta). Kolejne powieści za które otrzymał wielomilionowe za-
liczki od wydawców – BEZ POŻEGNANIA
(2002), JEDYNA SZANSA (2003), TYLKO
JEDNO SPOJRZENIE (2004), NIEWINNY
(2005), OBIECAJ MI (2006), W GŁĘBI LASU
(2007), ZACHOWAJ SPOKÓJ (2008) oraz
ZAGINIONA (2009) – uczyniły go megagwiaz-
dą gatunku i jednym z najchętniej czytanych
autorów, także w Polsce. W 2010 ukazał się
jego nowy thriller *Caught*.

Tego autora

NIE MÓW NIKOMU
BEZ POŻEGNANIA
JEDYNA SZANSA
TYLKO JEDNO SPOJRZENIE
NIEWINNY
W GŁĘBI LASU
ZACHOWAJ SPOKÓJ
MISTYFIKACJA

oraz

AŻ ŚMIERĆ NAS ROZŁĄCZY
(współautor)

Z Myronem Bolitarem

BEZ SKRUPUŁÓW
KRÓTKA PIŁKA
BEZ ŚLADU
BŁĘKITNA KREW
JEDEN FAŁSZYWY RUCH
OSTATNI SZCZEGÓŁ
NAJCZARNIEJSZY STRACH
OBIECAJ MI
ZAGINIONA

Wkrótce

NA GORĄCYM UCZYNKU
KLINIKA ŚMIERCI
POD NAPIĘCIEM

———————

Oficjalna strona internetowa Harlana Cobena
www.harlancoben.com

Harlan
COBEN

Jedyna szansa

Z angielskiego przełożył
ZBIGNIEW A. KRÓLICKI

Wydawnictwo
A. Kuryłowicz

891.85

Tytuł oryginału:
NO SECOND CHANCE

Copyright © Harlan Coben 2003
All rights reserved

Polish edition copyright © by Wydawnictwo Albatros A. Kuryłowicz 2003

Polish translation copyright © Zbigniew A. Królicki 2003

Redakcja: Barbara Syczewska-Olszewska

Ilustracja na okładce: Jacek Kopalski

Projekt graficzny okładki i serii: Andrzej Kuryłowicz

Skład: Laguna

ISBN 978-83-7359-491-3

Dystrybucja
Firma Księgarska Jacek Olesiejuk
Poznańska 91, 05-850 Ożarów Maz.
t./f. 022-535-0557, 022-721-3011/7007/7009
www.olesiejuk.pl

Sprzedaż wysyłkowa – księgarnie internetowe
www.empik.com
www.merlin.pl
www.ksiazki.wp.pl
www.amazonka.pl

WYDAWNICTWO ALBATROS
ANDRZEJ KURYŁOWICZ
Wiktorii Wiedeńskiej 7/24, 02-954 Warszawa

2010. Wydanie XII
Druk: WZDZ – Drukarnia Lega, Opole

Pamięci mojej ukochanej teściowej
Nancy Armstrong

i dla uczczenia jej wnuków:

Thomasa, Katharine, McCalluma, Reilly'ego, Charlotte,
Dovey'ego, Benjamina, Willa, Any, Eve, Mary,
Sam, Caleba i Annie

1

Kiedy trafiła mnie pierwsza kula, pomyślałem o swojej córce. A przynajmniej tak mi się wydaje. Bardzo szybko straciłem przytomność. I jeśli mam wyrażać się ściśle, to nawet nie pamiętam, że zostałem postrzelony. Wiem, że straciłem dużo krwi. Wiem też, że druga kula otarła się o czaszkę, chociaż w tym momencie zapewne byłem już nieprzytomny. Wiem również i to, że moje serce przestało bić. Mimo to chciałbym wierzyć, że umierając, myślałem o Tarze. Nie widziałem jasnego światła ani tunelu. Albo widziałem, ale tego nie pamiętam.

Tara, moja córka, ma dopiero sześć miesięcy. Leżała w kołysce. Zastanawiam się, czy te strzały ją przestraszyły. Na pewno tak. Prawdopodobnie zaczęła płakać. Rozważałem, czy te znajome i głośne dźwięki zdołały jakoś przedrzeć się przez spowijający mnie opar, czy zarejestrowałem je jakąś cząstką świadomości. Jednak tego też nie zapamiętałem.

Natomiast dobrze pamiętam chwilę, gdy Tara przyszła na świat. Pamiętam, jak Monica — matka Tary — zebrała siły, żeby znów zacząć przeć. Pamiętam pojawiającą się główkę. Ja pierwszy ujrzałem córkę. Wiemy, że niektóre chwile w życiu są przełomowe. Wszyscy słyszeliśmy o nowych drogach i szansach, cyklach życiowych, zmianach pór roku. Jednak chwila, w której rodzi się twoje dziecko... tego nie da się opisać. Jakbyś przeszedł przez bramę między światami, przeniósł się za pomocą przekaźnika materii niczym w serialu *Star Trek*. Wszystko jest inne. Ty jesteś inny, jak pierwiastek, który pod wpływem działania doskonałego katalizatora przekształcił się w niezwykle złożony związek. Twój świat odchodzi w przeszłość, kurczy się do ciała o masie — przynajmniej w tym wypadku — dwóch kilogramów i osiemdziesięciu deko.

Dziwnie czuję się jako ojciec. Owszem, wiem że z zaledwie sześciomiesięcznym stażem jestem amatorem. Mój najlepszy przyjaciel, Lenny, ma czworo dzieci. Dziewczynkę i trzech chłopców. Marianne jest najstarsza z nich — ma dziesięć lat, a najmłodszy synek dopiero rok. Ze swym permanentnym uśmiechem znękanego, lecz szczęśliwego tatusia i przyschniętymi do podłogi szeregowego domku resztkami jedzenia na wynos, Lenny przypomina mi, że jeszcze nic nie wiem. Przyznaję mu rację. Jednak kiedy się boję lub gubię w trudnej sztuce wychowywania dziecka, spoglądam na tę bezbronną istotkę, a ona na mnie, i wtedy dochodzę do wniosku, że zrobiłbym wszystko, żeby ją ochronić. Bez wahania poświęciłbym własne życie. I prawdę mówiąc, gdybym musiał, poświęciłbym i wasze.

Dlatego chcę wierzyć w to, że gdy trafiły mnie dwie kule, kiedy runąłem na pokrytą linoleum podłogę kuchni, ściskając w dłoni niedojedzony batonik z muesli, kiedy leżałem nieruchomo w powiększającej się kałuży własnej krwi, a nawet wtedy, gdy moje serce przestawało bić, wciąż próbowałem coś zrobić, żeby obronić córkę.

Ocknąłem się w ciemnościach.

Z początku nie miałem pojęcia, gdzie jestem, lecz potem usłyszałem popiskiwanie, dochodzące z prawej. Znajomy dźwięk. Nie poruszyłem się. Tylko słuchałem pisków. Miałem wrażenie, że mój mózg został zamarynowany w melasie. Pierwszy impuls, jaki zdołał się przez nią przebić, był zupełnie prymitywny: pragnienie. Chciało mi się pić. Nie wiedziałem, że w gardle może tak zaschnąć. Próbowałem poprosić o wodę, ale język przysechł mi do podniebienia.

Jakaś postać weszła do pokoju. Spróbowałem usiąść i poczułem przeszywający ból, jakby ktoś pchnął mnie nożem w kark. Głowa opadła mi do tyłu. I znów zapadła ciemność.

Kiedy zbudziłem się ponownie, był dzień. Przez żaluzje wdzierały się oślepiające smugi słonecznego światła. Zamrugałem. Chciałem unieść rękę i zasłonić dłonią oczy, lecz nie miałem dość siły. Gardło wciąż było potwornie wyschnięte.

Usłyszałem szelest i nagle stanęła nade mną jakaś kobieta. Spojrzałem na nią i zobaczyłem pielęgniarkę. Widziana z tej perspektywy, tak różnej od tej, do jakiej byłem przyzwyczajony, wyglądała dziwnie. Wszystko było nie tak. To ja powinienem stać i patrzeć na leżącego, a nie odwrotnie. Biały czepek — jeden z tych małych, prawie trójkątnych — tkwił na głowie pielęgniarki, podobny do ptasiego gniazda. Znaczną część mojego życia spędziłem, pracując w rozmaitych szpitalach, ale nie jestem pewien, czy kiedykolwiek widziałem taki czepek w rzeczywistości, nie na ekranie telewizora czy kina. Pielęgniarka była mocno zbudowana i czarnoskóra.

— Doktorze Seidman?

Jej głos był jak ciepły syrop klonowy. Zdołałem nieznacznie skinąć głową.

Pielęgniarka najwidoczniej umiała czytać w myślach, bo w ręce już trzymała kubek z wodą. Wetknęła mi słomkę do ust, a ja zacząłem łapczywie ssać.

— Powoli — napomniała łagodnie.

Miałem zamiar zapytać, gdzie jestem, lecz to wydawało się zupełnie oczywiste. Otworzyłem usta, żeby spytać, co się stało, ale ona znów wyprzedziła mnie o krok.

— Pójdę po lekarza — powiedziała, ruszając do drzwi. —
Niech się pan odpręży.
— Moja rodzina... — wychrypiałem.
— Zaraz wrócę. Proszę się nie martwić.

Powiodłem wzrokiem wokół. Widziałem wszystko jak przez
mgłę lub zasłonę prysznica — typowa reakcja po narkozie.
Pomimo to dostrzegłem wystarczająco dużo, żeby dojść do paru
wniosków. Znajdowałem się w typowym pokoju szpitalnym. To
było oczywiste. Po lewej stał zestaw infuzyjny z pompą dozują-
cą, której rurka biegła do mojego ramienia. Fluorescencyjne
lampy brzęczały niemal, ale nie całkiem, bezgłośnie. Na ścianie
po lewej był umocowany mały telewizor na ruchomym ramieniu.
Przede mną, metr czy dwa od łóżka, znajdowało się duże
okno. Wytężyłem wzrok, ale niczego nie zdołałem przez nie
zobaczyć. Pomimo to zapewne byłem obserwowany. To oznaczało, że leżę na oddziale intensywnej terapii. A zatem mój
stan jest naprawdę ciężki.

Swędział mnie czubek głowy i coś uciskało mi czaszkę. Na
pewno bandaż. Próbowałem sprawdzić, czy jestem cały, ale mózg
odmówił współpracy. Gdzieś z mojego wnętrza rozchodził się
tępy ból, którego nie potrafiłem zlokalizować. Kończyny miałem
niczym z ołowiu, a klatkę piersiową ściśniętą żelazną obręczą.
— Doktorze Seidman?

Zerknąłem w kierunku drzwi. Do pokoju weszła drobna
kobieta w chirurgicznym fartuchu i czepku. Rozwiązane górne
paski maski kołysały jej się po bokach. Mam trzydzieści cztery
lata. Ona wyglądała na tyle samo.
— Jestem doktor Heller — powiedziała, podchodząc bliżej. — Ruth Heller.

Podała mi swoje imię. Niewątpliwie z zawodowej uprzejmości. Ruth Heller obrzuciła mnie badawczym spojrzeniem. Próbowałem skupić wzrok. Mój mózg wciąż reagował opornie, ale
wyczułem, że zaczyna budzić się do życia.

— Znajduje się pan w szpitalu St. Elizabeth — powiedziała należycie poważnym tonem.

Drzwi za jej plecami otworzyły się i do środka wszedł jakiś mężczyzna. Widziałem go jak przez mgłę, ale byłem pewien, że go nie znam. Założył ręce na piersi i z wystudiowaną obojętnością oparł się o ścianę. To nie lekarz, pomyślałem. Jeśli tak długo z nimi pracujesz, rozpoznajesz ich od razu.

Doktor Heller obrzuciła go przelotnym spojrzeniem, a potem znów skupiła całą uwagę na mnie.

— Co się stało? — zapytałem.

— Został pan postrzelony — odparła. A potem dodała: — Dwukrotnie.

Zamilkła na moment. Zerknąłem na mężczyznę pod ścianą. Nie poruszył się. Otworzyłem usta, żeby coś powiedzieć, lecz Ruth Heller nie dopuściła mnie do głosu.

— Jedna kula otarła się o pańską czaszkę. Dosłownie rozorała skórę na czubku głowy, która, jak zapewne pan wie, jest niezwykle dobrze ukrwiona.

Owszem, wiedziałem. Przy rozległych uszkodzeniach skóra okrywająca czaszkę potrafi krwawić równie obficie jak przecięte tętnice. W porządku, pomyślałem, to wyjaśnia swędzenie głowy. Kiedy Ruth Heller zawahała się, zachęciłem:

— A druga kula?

Heller westchnęła.

— To trochę bardziej skomplikowane.

Czekałem.

— Pocisk trafił w pierś i lekko skaleczył worek osierdziowy. To spowodowało obfity krwotok do przestrzeni okołoosierdziowej. Sanitariusze z trudem doszukali się oznak życia. Musieliśmy rozciąć klatkę piersiową i...

— Doktorze? — przerwał jej oparty o ścianę mężczyzna i przez moment wydawało mi się, że mówi do mnie. Ruth Heller zamilkła, wyraźnie zirytowana. Mężczyzna odsunął się od ściany. — Może pani zostawić szczegóły na później? Czas odgrywa tu decydującą rolę.

Gniewnie zmarszczyła brwi, ale bez większego przekonania.

— Jeśli nie ma pan nic przeciwko temu, zostanę tu, żeby obserwować pacjenta — powiedziała.

Doktor Heller cofnęła się, a mężczyzna stanął przy moim łóżku. Wydawało się, że szyja nie utrzyma ciężaru jego dużej głowy. Włosy miał ostrzyżone krótko, z wyjątkiem grzywki, która opadała mu na oczy. Czarny pasek zarostu, szeroki i brzydki, siedział mu na brodzie niczym pijący krew owad. Krótko mówiąc, facet wyglądał jak członek boys bandu, który zabrał się do poważnej roboty. Uśmiechnął się do mnie chłodno.

— Jestem detektyw Bob Regan z wydziału policji w Kasselton — oznajmił. — Wiem, że trudno panu zebrać myśli.

— Moja rodzina... — zacząłem.

— Dojdę do tego — przerwał mi. — Teraz jednak chcę zadać panu kilka pytań, dobrze? Zanim przejdziemy do szczegółów tego, co się stało.

Czekał na moją odpowiedź. Spróbowałem wziąć się w garść i powiedziałem:

— Dobrze.

— Jakie jest pańskie ostatnie wspomnienie?

Przejrzałem banki pamięci. Pamiętałem, że wstałem rano i się ubrałem. Potem zajrzałem do Tary. Przekręciłem gałkę jej czarno-białej grzechotki, prezentu od kolegi, który twierdził, że stymuluje rozwój umysłowy dziecka czy coś tam. Zabawka nie poruszyła się i nie zagrała cichej melodii. Baterie były wyczerpane. Zanotowałem w myślach, żeby włożyć nowe. Potem zszedłem po schodach.

— Jadłem batonik z muesli — powiedziałem.

Regan kiwnął głowa, jakby spodziewał się takiej odpowiedzi.

— Był pan w kuchni?

— Tak. Przy zlewie.

— A potem?

Usiłowałem sobie przypomnieć, ale na próżno. Pokręciłem głową.

— Obudziłem się. W nocy. Myślę, że już tutaj.

— Nic więcej?

Spróbowałem ponownie, bez skutku.

— Nie, nic.

Regan wyjął notes.

— Jak powiedziała pani doktor, został pan postrzelony dwukrotnie. Nie pamięta pan wycelowanej w pana broni, huku wystrzału ani niczego takiego?

— Nie.

— To chyba zrozumiałe. Był pan w kiepskim stanie, Marc. Ci z pogotowia myśleli, że już po panu.

Znów zaschło mi w gardle.

— Gdzie Tara i Monica?

— Skup się, Marc. — Regan spoglądał w notes, nie na mnie. Strach powoli zaczął ściskać żelazną obręczą moją pierś. — Czy słyszał pan brzęk wybijanego okna?

Byłem oszołomiony. Próbowałem odczytać etykietę na pojemniku z płynem infuzyjnym, żeby dowiedzieć się, co mi dają. Nie zdołałem. Na pewno jakiś środek przeciwbólowy. Zapewne pochodna morfiny podawana dożylnie. Usiłowałem zwalczyć senność.

— Nie — odparłem.

— Jest pan pewny? Znaleźliśmy wybite okno na tyłach domu. Może w ten sposób sprawca dostał się do środka.

— Nie pamiętam brzęku rozbijanej szyby — powiedziałem. — Czy wiecie kto...

Regan znów mi przerwał:

— Nie, jeszcze nie. Właśnie dlatego zadaję te pytania. Chcę się dowiedzieć, kto to zrobił. — Oderwał wzrok od notesu. — Czy ma pan wrogów?

Czy on naprawdę zadał to pytanie? Spróbowałem usiąść, chcąc zyskać nad nim choć odrobinę przewagi, lecz okazało się to niewykonalne. Nie podobała mi się rola pacjenta albo — inaczej mówiąc — to że znalazłem się po niewłaściwej stronie. Powiada się, że lekarze są najgorszymi pacjentami. Zapewne z powodu tej nagłej zamiany ról.

— Chcę wiedzieć, jak się ma moja żona i córka.

— Rozumiem to — odparł Regan i coś w tonie jego głosu sprawiło, że zimne palce strachu zacisnęły się na moim sercu. — Jednak nie może się pan teraz rozpraszać, Marc. Jeszcze nie. Przecież chce nam pan pomóc, prawda? Musisz więc się skupić. — Znów wbił wzrok w notes. — Co z tymi wrogami?

Dalsze spieranie się z nim byłoby daremne, a nawet szkodliwe, niechętnie więc ustąpiłem.

— Czy ktoś mógł chcieć mojej śmierci?

— Tak.

— Nie, nikt.

— A pańska żona? — Przywarł do mnie spojrzeniem. Niczym zjawa przed oczami stanął mi ulubiony obraz Moniki: jej rozpromienionej twarzy, gdy po raz pierwszy zobaczyliśmy Raymondkill Falls, jak objęła mnie z udawanym przestrachem, gdy staliśmy w huku wodospadu. — Czy ona miała wrogów?

Spojrzałem na niego.

— Monica?

Ruth Heller podeszła bliżej.

— Myślę, że to na razie wystarczy.

— Co się stało z Monicą? — zapytałem.

Doktor Heller zatrzymała się przy detektywie Reganie, stając z nim ramię w ramię. Oboje patrzyli na mnie. Heller znów chciała zaprotestować, ale jej przerwałem.

— Niech pani da spokój z tymi bzdurami o trosce o dobro pacjenta! — spróbowałem krzyknąć. Strach i gniew zmagały się z lękiem, który zasnuwał gęstą mgłą moje myśli. — Powiedzcie mi, co się stało z żoną.

— Nie żyje — rzekł detektyw Regan.

Tak po prostu. Nie żyje. Moja żona. Monica. Jakbym go nie usłyszał. Jego słowa nie dochodziły do mnie.

— Kiedy policja dostała się do środka, znalazła was oboje. Pana zdołali uratować. Jednak dla pańskiej żony było już za późno. Przykro mi.

Teraz ujrzałem następny obraz: Monica w Martha's Vineyard,

na plaży, w żółtym kostiumie kąpielowym, z rozwianymi czarnymi włosami smagającymi kości policzkowe, posyłająca mi ten zabójczy uśmiech. Zamrugałem, odpędzając tę wizję.

— A Tara?

— Pana córka — zaczął Regan i odkaszlnął. Znów spojrzał w notes, ale nie sądzę, żeby zamierzał coś w nim zapisać. — Tego ranka była w domu, zgadza się? W chwili gdy to się zdarzyło.

— Tak, oczywiście. Gdzie ona jest?

Regan z trzaskiem zamknął notes.

— Nie zastaliśmy jej po przybyciu na miejsce zbrodni.

Zaparło mi dech.

— Nie rozumiem.

— Początkowo mieliśmy nadzieję, że jest pod opieką któregoś z krewnych lub przyjaciół. Może nawet opiekunki, ale...

Zamilkł.

— Chce mi pan powiedzieć, że nie wiecie, gdzie jest Tara?

Tym razem odparł bez wahania:

— Tak, zgadza się.

Miałem wrażenie, że olbrzymia dłoń zaciska się na mojej piersi. Zamknąłem oczy i opadłem na łóżko.

— Jak długo? — zapytałem.

— Pyta pan, kiedy zaginęła?

— Tak.

Doktor Heller wtrąciła pospiesznie:

— Musi pan zrozumieć. Był pan ciężko ranny. Pańskie rokowania nie były pomyślne. Leżał pan podłączony do respiratora. Niewydolność lewego płuca. Ponadto wywiązała się sepsa. Jest pan lekarzem, więc wiem, że nie muszę wyjaśniać, jak poważny był pański stan. Próbowaliśmy zmniejszyć dawkowanie, pomóc panu odzyskać...

— Jak długo? — spytałem ponownie.

Znów wymienili spojrzenia, a potem Heller powiedziała coś, co sprawiło, że znowu zaparło mi dech.

— Był pan nieprzytomny przez dwanaście dni.

2

— Robimy wszystko co w naszej mocy — powiedział Regan zbyt gładko, jakby ćwiczył to zdanie, stojąc przy moim łóżku, kiedy byłem nieprzytomny. — Jak już mówiłem, z początku nie byliśmy pewni, że mamy do czynienia z zaginięciem dziecka. Straciliśmy trochę cennego czasu, ale teraz to nadrabiamy. Zdjęcie Tary zostało rozesłane na wszystkie posterunki policji, lotniska, kasy przy wjazdach na autostrady, dworce autobusowe i kolejowe oraz podobne miejsca w promieniu stu sześćdziesięciu kilometrów. Porównujemy sprawy podobnych porwań, usiłując wytypować ewentualnych sprawców.

— Dwanaście dni — powtórzyłem.

— Założyliśmy podsłuch na pańskie telefony: domowy, służbowy, komórkowy...

— Po co?

— Na wypadek gdyby ktoś zadzwonił z żądaniem okupu — wyjaśnił.

— A dzwonił?

— Nie, jeszcze nie.

Głowa opadła mi z powrotem na poduszkę. Dwanaście dni. Leżałem w tym łóżku dwanaście dni, podczas gdy moja maleńka córeczka... odsunąłem od siebie tę myśl.

Regan podrapał się po brodzie.

— Czy pamięta pan, co Tara miała na sobie tamtego ranka?

Pamiętałem. Jak każdego ranka, obudziłem się wcześnie, podszedłem na palcach do kołyski i spojrzałem na Tarę. Dobrze wiem, że wychowywanie dziecka to nie sama przyjemność. Wiem, że czasem bywa przygnębiająco nużące. W niektóre noce jej krzyki działały mi na nerwy, jakby ktoś drapał mnie drucianą szczotką. Nie zamierzam gloryfikować życia z niemowlęciem. Jednak lubiłem ten nowy poranny zwyczaj. Widok maleńkiej Tary dodawał mi sił. Co więcej, chyba wprawiał mnie w rodzaj ekstazy. Niektórzy ludzie znajdują ją w domu bożym. Ja — jakkolwiek dziwnie by to zabrzmiało — znajdowałem taką ekstazę przy kołysce dziecka.

— Różowy śpioszek w czarne pingwiny — powiedziałem. — Monica kupiła go w Baby Gap.

Zanotował to.

— A Monica?

— Co z nią?

Znów wpatrywał się w notes.

— Co ona miała na sobie?

— Dżinsy — odparłem, przypominając sobie, jak opinały biodra Moniki — i czerwoną bluzkę.

Regan zapisał i to.

— Czy są... czy macie jakieś ślady?

— Nadal sprawdzamy wszystkie tropy.

— Nie o to pytam.

Regan tylko na mnie popatrzył. Jego nieruchome spojrzenie przygnębiło mnie jeszcze bardziej.

Moja córka. Zaginiona. Sama. Od dwunastu dni. Pomyślałem o jej oczach, o tym błysku, który widzą tylko rodzice, i powiedziałem coś niemądrego.

— Ona żyje.

Regan przechylił głowę jak szczeniak, który usłyszał nieznany dźwięk.

— Nie rezygnujcie — poprosiłem.

— Nie zamierzamy.

17

Wciąż patrzył na mnie dziwnie.

— Po prostu... Czy pan ma dzieci, detektywie Regan?

— Dwie dziewczynki — odparł.

— Może to głupie, ale wiedziałbym, gdyby było inaczej. — Tak samo jak w chwili narodzin Tary uświadomiłem sobie, że świat nie będzie już taki sam. — Wiedziałbym — powtórzyłem.

Nie odpowiedział. Zdałem sobie sprawę z tego, że te słowa — szczególnie padające z ust człowieka niewierzącego w UFO, siły nadprzyrodzone i cuda — brzmią śmiesznie. Miałem świadomość, że moje przekonanie bierze się po prostu z chciejstwa. Z gorącej potrzeby, która sprawia, że mózg nie przyjmuje do wiadomości faktów. Mimo to z uporem trzymałem się tego przekonania. Uzasadnione czy nie, wydawało się kołem ratunkowym.

— Będziemy potrzebowali od pana więcej informacji — rzekł Regan. — O panu, pana żonie, przyjaciołach, finansach...

— Później — znów przerwała doktor Heller. Ruszyła naprzód, jakby chciała zasłonić mnie własnym ciałem. Jej głos brzmiał stanowczo. — On musi odpocząć.

— Nie, teraz — powiedziałem do niej, odrobinę bardziej stanowczym tonem. — Musimy znaleźć moją córkę.

Monica została pochowana na rodzinnym cmentarzu Portmanów w posiadłości jej ojca. Oczywiście, nie byłem na pogrzebie. Sam nie wiedziałem, co o tym myśleć, ale muszę przyznać, że nawet w tych rzadkich chwilach, kiedy byłem wobec siebie szczery, nie potrafiłem zanalizować uczuć, jakie budziła we mnie Monica. Była piękna tą urodą uprzywilejowanych, o nieco zbyt wydatnych kościach policzkowych, prostych i kruczoczarnych włosach oraz typową dla członkiń wiejskich klubów, stanowczą linią szczęki, jednocześnie irytującą i pociągającą. Zawarliśmy ślub z przymusu. No dobrze, trochę przesadzam. Monica zaszła w ciążę. Wcześniej wahałem się. Jej ciąża skłoniła mnie do zmiany stanu cywilnego.

Relację z pogrzebu zdał mi Carson Portman, wuj Moniki i jedyny członek jej rodziny, który utrzymywał z nami kontakty. Monica bardzo go kochała. Carson usiadł przy moim szpitalnym łóżku i złożył dłonie na podołku. W swoich okularach o grubych szkłach, wyświechtanej tweedowej marynarce i niesfornej grzywie Alberta Einsteina, uczesanego na Dona Kinga, wyglądał jak powszechnie lubiany profesor college'u. Jednak jego piwne oczy podejrzanie błyszczały, gdy mówił mi smutnym barytonem, że Edgar, ojciec Moniki, postarał się, aby jej pogrzeb stał się „małą, elegancką uroczystością".

Wcale w to nie wątpiłem. Przynajmniej w to, że małą.

W ciągu kilku następnych dni odwiedziło mnie w szpitalu parę osób. Moja matka, nazywana przez wszystkich Honey, każdego ranka wpadała jak wystrzelona z katapulty. Nosiła idealnie białe reeboki oraz niebieski kostium ze złocistymi aplikacjami, jakby była trenerem St. Louis Rams. Włosy, chociaż starannie uczesane, miała osłabione zbyt częstym farbowaniem i roztaczała zapach świeżo wypalonego papierosa. Makijaż nie zdołał ukryć maminej obawy, że może stracić jedyną wnuczkę. Ze zdumiewającą energią przesiadywała całymi dniami przy moim łóżku, wyrzucając z siebie potok histerycznych słów. I dobrze. Chwilami wyobrażałem sobie, że przynajmniej częściowo histeryzuje z mojego powodu i te jej erupcje emocji w dziwny sposób pozwalały mi zachować spokój.

Chociaż w pokoju było gorąco jak w piecu i mimo moich nieustannych protestów, mama nakrywała mnie dodatkowym kocem, kiedy spałem. Pewnego razu obudziłem się, oczywiście spływając potem, i usłyszałem, jak matka opowiada czarnoskórej pielęgniarce w tradycyjnym czepku o moim poprzednim pobycie w szpitalu St. Elizabeth.

— Miał wtedy siedem lat i salmonellozę — wyjaśniła Honey konspiracyjnym szeptem, tylko trochę głośniejszym od okrętowej syreny. — Nigdy nie widziała pani takiej biegunki. Po prostu lało się z niego. Smród dosłownie wsiąkał w tapety.

— Teraz też nie pachnie różami — odparła pielęgniarka.
Obie zaśmiały się.

Drugiego dnia mojej rekonwalescencji obudziłem się i zobaczyłem stojącą przy łóżku matkę.

— Pamiętasz to? — zapytała.

W ręku trzymała wypchanego Oscara z Ulicy Sezamkowej, którego ktoś podarował mi, kiedy leżałem tu z salmonellozą. Zieleń przybladła do seledynu. Matka spojrzała na pielęgniarkę.

— To Oscar Marca — wyjaśniła.

— Mamo — jęknąłem.

Znowu odwróciła się do mnie. Dziś nałożyła nieco za dużo tuszu, który popękał, tworząc nowe zmarszczki.

— Oscar dotrzymywał ci wtedy towarzystwa, pamiętasz? Pomógł ci wyzdrowieć.

Zamknąłem oczy. Coś sobie przypomniałem. Dostałem salmonellozy na skutek jedzenia surowych jajek. Ojciec dodawał je do koktajlów mlecznych, żeby wzbogacić je w proteiny. Pamiętam, jaki byłem przerażony, kiedy dowiedziałem się, że będę musiał zostać w szpitalu na noc. Ojciec, który grając w tenisa, zerwał sobie ścięgno Achillesa, miał gipsowy opatrunek i nieustanne bóle. Jednak dostrzegł mój strach i jak zwykle się poświęcił. W dzień pracował w fabryce, a noce spędzał w fotelu przy moim łóżku. Przeleżałem w St. Elizabeth dziesięć dni. Każdą z tych nocy ojciec przespał w fotelu.

Mama nagle odwróciła się i zrozumiałem, że pomyślała o tym samym. Pielęgniarka pospiesznie przeprosiła, po czym wyszła. Położyłem dłoń na ramieniu matki. Nie odwróciła się, ale poczułem, że zadrżała. Spoglądała na wyblakłego Oscara, którego trzymała w rękach. Powoli wziąłem go od niej.

— Dziękuję — powiedziałem.

Mama otarła łzy. Wiedziałem, że tym razem ojciec nie przyjdzie do szpitala, i choć matka z pewnością powiedziała mu, co się stało, nie wiadomo, czy to do niego dotarło. Dostał pierwszego udaru, mając czterdzieści jeden lat — rok po tym, jak spędzał noce przy moim szpitalnym łóżku. Byłem wtedy ośmioletnim chłopcem.

Mam również młodszą siostrę, Stacy, która jest uzależniona (dla przestrzegających politycznej poprawności), albo ćpunką (dla osób preferujących precyzyjne sformułowania). Czasem oglądam stare zdjęcia z czasów, kiedy ojciec był zdrowy, te ukazujące młodą i ufną, czteroosobową rodzinę z kudłatym psem, starannie skoszonym trawnikiem, obręczą kosza na ścianie domu oraz wyładowanym węglem grillem. Szukam zapowiedzi przyszłości w szczerbatym uśmiechu mojej siostry, jakichś złowróżbnych znaków. Jednak żadnych nie znajduję. Nadal mamy dom, lecz wygląda jak stara filmowa dekoracja. Ojciec wciąż żyje, ale kiedy podupadł na zdrowiu, wszystko się zmieniło. Szczególnie Stacy.

Siostra nie odwiedziła mnie, a nawet nie zadzwoniła, lecz ona już niczym nie zdoła mnie zadziwić.

Matka w końcu odwróciła się twarzą do mnie. Nieco mocniej ścisnąłem Oscara, gdy po raz kolejny uświadomiłem sobie, że zostaliśmy sami. Ojciec praktycznie zmienił się w roślinę. Stacy była stracona. Wyciągnąłem rękę i ująłem dłoń matki, wyczuwając jej ciepło i nowe odciski. Trzymaliśmy się tak przez chwilę, aż otworzyły się drzwi. Do pokoju weszła ta sama pielęgniarka.

Mama wyprostowała się i powiedziała:

— Marc bawił się też lalkami.

— Żołnierzykami — poprawiłem ją pospiesznie. — To były figurki, a nie lalki.

Mój najlepszy przyjaciel, Lenny, oraz jego żona Cheryl, również codziennie zaglądali do szpitala. Lenny Marcus jest wziętym prawnikiem, chociaż pomaga mi także czasem w takich drobnych sprawach, jak mandat za nieprzepisowe parkowanie albo hipoteka naszego domu. Kiedy skończył studia i zaczął pracować w biurze prokuratora okręgowego, przyjaciele i wrogowie szybko przezwali go Buldogiem z powodu agresywnego zachowania na sali sądowej. Później ktoś doszedł do wniosku, że ten przydomek jest dla niego zbyt łagodny, więc teraz nazywają go Cujo. Znam Lenny'ego od szkoły podstawowej.

Jestem ojcem chrzestnym jego Kevina. A Lenny jest chrzestnym mojej Tary.

Nie mogłem spać. Nocami leżałem, patrząc w sufit, licząc piski aparatury, słuchając odgłosów nocnego życia szpitala i bardzo starając się nie myśleć o mojej córeczce oraz rozmaitych ewentualnościach. Nie zawsze mi się to udawało. Umysł, jak się przekonałem, rzeczywiście jest ciemną jaskinią pełną węży.

. Później pojawił się detektyw Regan, który, być może, wpadł na jakiś ślad.

— Niech mi pan opowie o pana siostrze — zaczął.

— Dlaczego? — odparłem bez zastanowienia. Zanim zdążył wyjaśnić, powstrzymałem go, unosząc dłoń. Zrozumiałem. Moja siostra jest narkomanką. A gdzie narkotyki, tam również kręci się element przestępczy. — Czy coś zrabowano? — spytałem.

— Raczej nie. Wydaje się, że niczego nie brakuje, ale ktoś zrobił tam Sajgon.

— Sajgon?

— Narobił bałaganu. Nie domyśla się pan dlaczego?

— Nie.

— Niech więc opowie mi pan o siostrze.

— Macie rejestr Stacy? — zapytałem.

— Mamy.

— Nie wiem, co jeszcze mógłbym dodać.

— Nie utrzymujecie żadnych kontaktów, zgadza się? Żadnych kontaktów. Czy to odnosi się do Stacy i do mnie?

— Kocham ją — powiedziałem powoli.

— A kiedy widział ją pan po raz ostatni?

— Sześć miesięcy temu.

— Kiedy urodziła się Tara?

— Tak.

— Gdzie?

— Gdzie ją widziałem?

— Tak.

— Stacy przyszła do szpitala — odparłem.

— Żeby zobaczyć bratanicę?

— Tak.

— I co zaszło podczas tej wizyty?

— Stacy była na haju. Chciała potrzymać dziecko.

— Odmówił pan?

— Zgadza się.

— Rozzłościła się?

— Prawie nie zareagowała. Siostra obojętnieje na wszystko, kiedy się naćpa.

— I wyrzucił ją pan?

— Powiedziałem jej, że nie może być częścią życia Tary, dopóki nie przestanie brać.

— Rozumiem — rzekł. — Miał pan nadzieję, że w ten sposób skłoni ją pan, żeby wróciła na odwyk?

O mało nie parsknąłem śmiechem.

— Nie, raczej nie.

— Nie jestem pewien, czy rozumiem.

Zastanawiałem się, jak to ująć. Pomyślałem o uśmiechu na zdjęciu rodzinnym, tym szczerbatym.

— Już nieraz groziliśmy Stacy — powiedziałem. — Rzecz w tym, że Stacy nie zamierza przestać brać. Narkotyki są nieodłączną częścią jej życia.

— A zatem nie miał pan nadziei, że wyjdzie z nałogu?

Nie zamierzałem wypowiadać tego na głos.

— Poprzestańmy na tym, że nie powierzyłbym jej mojej córki — odparłem.

Regan podszedł do okna i wyjrzał przez nie.

— Kiedy przeniósł się pan do domu, w którym obecnie pan zamieszkuje?

— Kupiliśmy z Monicą ten dom cztery miesiące temu.

— Niedaleko miejsca, gdzie oboje dorastaliście, tak?

— Zgadza się.

— Czy długo się znaliście?

Te wszystkie pytania zaczynały mnie dziwić.

— Nie.

— Mimo że wychowaliście się w tym samym mieście?
— Obracaliśmy się w różnych kręgach.
— Jeśli więc dobrze zrozumiałem, kupił pan dom cztery miesiące temu i nie widział siostry od sześciu, zgadza się?
— Zgadza.
— A zatem siostra nie odwiedziła pana w obecnym miejscu zamieszkania?
— Nie odwiedziła.
Regan odwrócił się do mnie.
— W pańskim domu znaleźliśmy odciski palców Stacy. Milczałem.
— Nie wygląda pan na zdziwionego, Marc.
— Stacy jest narkomanką. Nie sądzę, żeby mogła postrzelić mnie i porwać moją córeczkę, ale już wcześniej pomyliłem się w ocenie tego, jak nisko potrafi upaść. Czy sprawdziliście jej mieszkanie?
— Nikt nie widział jej od chwili, gdy został pan postrzelony. Zamknąłem oczy.
— Nie sądzimy, żeby pana siostra potrafiła zrobić to sama — ciągnął. — Mogła mieć wspólnika — chłopaka, handlarza narkotyków, kogoś kto wiedział, że pana żona pochodzi z bogatej rodziny. Czy ktoś przychodzi panu na myśl?
— Nie — odparłem. — Zatem uważacie, że w tym wszystkim chodziło o porwanie?
Regan znów zaczął skubać bródkę. Potem nieznacznie wzruszył ramionami.
— Przecież próbowali zabić nas oboje — dodałem. — Jak chcieli odebrać okup od nieżyjących rodziców?
— Mogli być tak naćpani, że popełnili błąd — odrzekł. — A może myśleli, że wymuszą pieniądze od dziadka Tary.
— No, to czemu jeszcze tego nie zrobili?
Regan milczał. Ja jednak znałem odpowiedź. Ryzyko, szczególnie po takiej strzelaninie, było zbyt wielkie dla ćpunów. Narkomani źle znoszą stres. To jedna z przyczyn tego, że się szprycują lub wąchają: żeby uciec, zapomnieć, zniknąć, zapaść

w niebyt. Środki przekazu z pewnością trąbią o sprawie. Policja prowadzi śledztwo. Narkomani nie znoszą takiego napięcia. Uciekliby, rezygnując z łupu. I pozbywając się wszystkich dowodów.

Jednak dwa dni później przyszło żądanie okupu.

Teraz, kiedy odzyskałem świadomość, moje rany postrzałowe goiły się zaskakująco szybko. Może bardzo zależało mi na powrocie do zdrowia, a może w ciągu dwunastu dni, które przeleżałem nieruchomo jak katatonik, mój organizm zmobilizował wszystkie siły. Być może przy cierpieniach psychicznych ból fizyczny wydawał się niczym. Ilekroć pomyślałem o Tarze, strach przed tym, co mogło jej się stać, zapierał mi dech w piersi. Kiedy myślałem o Monice, o tym, że nie żyje, czułem się tak, jakby stalowe szpony rozdzierały mi serce.

Chciałem opuścić szpital.

Wciąż mnie bolało, ale wymusiłem na Ruth Heller, żeby mnie wypisała. Stwierdziwszy, że jestem żywym dowodem na prawdziwość twierdzenia, iż lekarze są najgorszymi pacjentami, niechętnie puściła mnie do domu. Uzgodniliśmy, że fizykoterapeuta będzie odwiedzał mnie codziennie. Pielęgniarka miała zaglądać co jakiś czas, tak na wszelki wypadek.

Tego ranka, kiedy wyszedłem ze szpitala, moja matka była w domu — na miejscu zbrodni — „przygotowując" go na mój powrót, cokolwiek to oznaczało. Dziwne, ale wcale nie bałem się tam wrócić. Dom to zaprawa i cegły. Nie sądziłem, żeby sam jego widok mnie poruszył, ale może po prostu nie chciałem dopuścić tego do świadomości.

Lenny pomógł mi się spakować i ubrać. Jest wysoki i żylasty, o twarzy, która już pięć minut po goleniu ciemnieje od popołudniowego zarostu à la Homer Simpson. Jako dziecko Lenny nosił grube szkła i sztruksy w zbyt szerokie prążki, nawet w lecie. Kręcone włosy zazwyczaj miał za długie, tak że wyglądał jak bezpański pudel. Teraz z nabożnym zapałem ścina

25

je na krótko. Dwa lata temu poddał się zabiegowi laserowej korekcji wzroku i już nie nosi okularów. Jakość jego garniturów plasuje się powyżej średniej.

— Jesteś pewien, że nie chcesz zamieszkać u nas? — zapytał Lenny.

— Masz czworo dzieci — przypomniałem mu.

— Och tak, racja. — Po chwili spytał: — Mogę pomieszkać u ciebie?

Usiłowałem się uśmiechnąć.

— Mówię poważnie — rzekł Lenny. — Nie powinieneś być teraz sam w domu.

— Nic mi nie będzie.

— Cheryl przygotowała ci kilka obiadów. Wstawiła je do zamrażarki.

— To ładnie z jej strony.

— Mimo to jest najgorszą kucharką na świecie — dodał Lenny.

— Nie powiedziałem, że je zjem.

Lenny odwrócił wzrok i zajął się spakowaną już torbą. Obserwowałem go. Znaliśmy się długo, od pierwszej klasy, którą uczyła pani Roberts, pewnie więc nie zaskoczyłem go pytaniem:

— Chcesz mi powiedzieć, co się dzieje?

Czekał na to i szybko skorzystał z zachęty.

— Posłuchaj, jestem twoim prawnikiem, prawda?

— Zgadza się.

— Zatem zamierzam udzielić ci porady prawnej.

— Słucham.

— Powinienem powiedzieć coś wcześniej. Wiedziałem jednak, że nie chciałbyś słuchać. Teraz... cóż, teraz mamy inną sytuację.

— Lenny?

— Tak?

— O czym ty właściwie mówisz?

Chociaż bardzo się zmienił, wciąż widziałem w Lennym

26

chłopca. Dlatego trudno mi było poważnie traktować jego rady. Nie zrozumcie mnie źle. Wiedziałem, że jest bystry. Cieszyłem się razem z nim, kiedy został przyjęty do Princeton, a potem na prawo na Columbia University. Razem zdawaliśmy do szkoły i chodziliśmy na zajęcia fakultatywne z chemii. Jednak wspólnie spędzane piątkowe i sobotnie wieczory przyćmiewały mi ten obraz Lenny'ego. Jeździliśmy staromodnym kombi jego ojca, wkręcając się na prywatki. Zawsze byliśmy wpuszczani, lecz nigdy mile widziani — członkowie tej licznej szkolnej większości, którą nazywałem Wielkimi Niewidzialnymi. Tkwiliśmy w kącie, popijając piwo i podrygując w rytm muzyki, starając się rzucać w oczy. Nigdy nam się to nie udawało. Przeważnie kończyliśmy te wieczory, jedząc smażony ser w Heritage Diner lub na boisku piłki nożnej za szkołą średnią imienia Benjamina Franklina, leżąc na plecach i licząc gwiazdy. Łatwiej było rozmawiać, nawet z najlepszym przyjacielem, kiedy patrzyło się w gwiazdy.

— W porządku — powiedział Lenny, zgodnie ze swym zwyczajem podkreślając to energicznym gestem. — Rzecz w tym, że od tej pory powinieneś rozmawiać z gliniarzami wyłącznie w mojej obecności.

Zmarszczyłem brwi.

— Poważnie?

— Może przesadzam, ale widziałem już takie sprawy. Nie takie jak ta, ale wiesz, o czym mówię. Głównymi podejrzanymi zawsze są członkowie rodziny.

— Mówisz o mojej siostrze.

— Nie, mówię o bliskiej rodzinie. A dokładnie, o najbliższej rodzinie.

— Chcesz powiedzieć, że policja mnie podejrzewa?

— Nie wiem, naprawdę nie wiem. — Zamilkł, ale nie na długo. — No dobrze, zapewne tak.

— Przecież zostałem postrzelony, pamiętasz? Porwano moje dziecko.

— No właśnie, a to tym bardziej cię obciąża.

— Jak to?

— Z upływem czasu będą podejrzewali cię coraz bardziej.

— Dlaczego?

— Nie wiem. Po prostu tak już jest. Posłuchaj, porwaniami zajmuje się FBI. Wiesz o tym, prawda? Jeśli dziecka nie ma dwadzieścia cztery godziny, zakładają, że przewieziono je przez granicę stanu i przejmują sprawę.

— I co?

— I po mniej więcej dziesięciu dniach ściągnęli tu masę agentów. Założyli podsłuch na wszystkie twoje telefony i czekali na żądanie okupu albo coś takiego. Jednak później stracili zapał. Oczywiście, to zupełnie normalne. Nie mogli czekać w nieskończoność, pozostawili więc tylko agenta lub dwóch. Zmieniło się ich podejście do sprawy. Porwanie dla okupu stało się mniej prawdopodobne; zaczęli podejrzewać, że to było zwykłe uprowadzenie. Mimo to sądzę, że wciąż podsłuchują twoje rozmowy. Jeszcze o to nie pytałem, ale zrobię to. Będą twierdzili, że pozostawili podsłuch na wypadek, gdyby jednak ktoś zadzwonił z żądaniem okupu. Jednak robią to w nadziei, że powiesz coś, co cię obciąży.

— I co z tego?

— To, że powinieneś uważać — rzekł Lenny. — Pamiętaj, że twoje telefony: domowy, służbowy, komórkowy zapewne są na podsłuchu.

— Ponownie zapytam: i co z tego? Ja nic nie zrobiłem.

— Nie zrobiłeś...? — Lenny pomachał rękami, jakby chciał wzbić się w powietrze. — Słuchaj, po prostu bądź ostrożny. Może trudno ci w to uwierzyć, ale postaraj się nie paść ze zdziwienia — policja czasem preparuje i podrzuca dowody.

— Zadziwiasz mnie. Chcesz powiedzieć, że podejrzewają mnie tylko dlatego, że jestem ojcem i mężem?

— Tak — odparł Lenny — i nie.

— No tak, dzięki, to wszystko wyjaśnia.

Zadzwonił telefon stojący przy moim łóżku. Znajdowałem się na drugim końcu pokoju.

— Możesz odebrać? — zapytałem.

Lenny podniósł słuchawkę.

— Pokój doktora Seidmana. — Słuchając rozmówcy, spochmurniał. Rzucił do słuchawki „chwileczkę" i oddał mi ją, jakby była brudna. Obrzuciłem go zdziwionym spojrzeniem i powiedziałem:

— Halo?

— Halo, Marc. Tu Edgar Portman.

Ojciec Moniki. To wyjaśniało reakcję Lenny'ego. Głos Edgara, jak zawsze, brzmiał nazbyt formalnie. Niektórzy ludzie starannie dobierają słowa. Nieliczni, tak jak mój teść, ważą każde z nich, zanim je wypowiedzą.

Zaskoczył mnie.

— Cześć, Edgarze — powiedziałem. — Jak się masz?

— Dobrze, dziękuję. Przykro mi, że nie zadzwoniłem do ciebie wcześniej. Carson mówił mi, że powoli dochodzisz do siebie. Uznałem, że nie powinienem ci przeszkadzać.

— Miło z twojej strony — odparłem nieco sarkastycznie.

— No cóż, podobno dziś wychodzisz ze szpitala.

— Zgadza się.

Edgar odchrząknął, co zupełnie nie było w jego stylu.

— Zastanawiałem się, czy nie mógłbyś wpaść do domu.

„Do domu". Miał na myśli swój.

— Dzisiaj?

— Tak, jak najszybciej. I sam, proszę.

Zapadła cisza. Lenny obrzucił mnie zdziwionym spojrzeniem.

— Czy coś się stało, Edgarze? — zapytałem.

— Na dole czeka samochód, Marc. Porozmawiamy, kiedy tu przyjedziesz.

A potem, zanim zdążyłem powiedzieć coś więcej, rozłączył się.

Samochód, czarny lincoln, istotnie na mnie czekał.

Lenny wywiózł mnie na wózku. Oczywiście, znałem tę okolicę. Wychowałem się niedaleko szpitala St. Elizabeth.

29

Kiedy miałem pięć lat, ojciec przywiózł mnie tu na pogotowie (dwanaście szwów), a kiedy miałem siedem... No cóż, wiecie już aż za dużo o mojej salmonellozie. Potem poszedłem na medycynę i odrobiłem staż w nowojorskim szpitalu, który wówczas nazywano Columbia Presbyterian, ale wróciłem do St. Elizabeth robić specjalizację z okulistyki w zakresie chirurgii plastycznej.

Owszem, jestem chirurgiem plastycznym, ale nie takim jak myślicie. Czasem wykonuję korekty nosów, lecz nie zakładam silikonowych implantów ani niczego podobnego. Nie dlatego, żebym to potępiał. Po prostu to mnie nie interesuje.

Skupiłem się na pediatrycznej chirurgii plastycznej wraz z moją koleżanką ze studiów, błyskotliwą uciekinierką z Bronksu, niejaką Zią Leroux. Pracujemy dla organizacji zwanej One World WrapAid Together. Prawdę mówiąc, sami ją założyliśmy, Zia i ja. Zajmujemy się dziećmi, głównie z Trzeciego Świata, które zostały zdeformowane w wyniku porodu, ubóstwa lub działań wojennych. Wiele podróżujemy. Operowałem zmasakrowane twarze w Sierra Leone, rozszczepione podniebienia w Mongolii, ofiary choroby Crouzona w Kambodży i oparzeń w Bronksie. Jak większość moich kolegów po fachu, mam za sobą liczne szkolenia. Specjalizuję się w rekonstrukcji uszu, nosa i krtani oraz — jak już wspomniałem — okulistyce. Zia podobnie, chociaż bardziej interesuje ją chirurgia twarzowo-szczękowa.

Może wzięliście nas za zadeklarowanych naprawiaczy świata. W takim razie jesteście w błędzie. Miałem wybór. Mogłem powiększać cycki albo wygładzać zmarszczki tym, którzy i tak są zbyt urodziwi lub pomagać nieszczęśliwym, biednym dzieciom. Wybrałem to drugie nie tyle z chęci ulżenia doli biedakom, ale ponieważ u nich występują najbardziej interesujące przypadki. Większość chirurgów plastycznych w głębi serca uwielbia łamigłówki. Jesteśmy dziwakami. Podniecają nas okropne deformacje wywołane przez wady wrodzone i zmiany nowotworowe. Znacie te podręczniki medycyny ze zdjęciami ukazującymi ohydnie zniekształcone twarze, których widoku nie mogliście znieść? Zia i ja uwielbiamy takie rzeczy. Rajcuje nas naprawianie ich — łatanie zniszczonych tkanek, żeby wyglądały jak nowe, a nawet lepiej.

Świeże powietrze drażniło mi płuca. Słońce świeciło tak, jakby to był pierwszy dzień wiosny, drwiąc z mojego ponurego nastroju. Obróciłem twarz do słońca i pozwoliłem, aby mnie ukoiło. Monica lubiła to robić. Mówiła, że to ją „odstresowuje". Zmarszczki na jej czole znikały, jakby słoneczne promienie były palcami masażysty. Nie otwierałem oczu. Lenny czekał w milczeniu.

Zawsze uważałem się za nazbyt wrażliwego. Zbyt łatwo wzruszam się na głupich filmach. Łatwo manipulować moimi uczuciami. Jednak po wylewie ojca nawet nie zapłakałem. A teraz, kiedy spadł na mnie ten straszny cios, nie czułem... sam nie wiem, nie miałem sił rozpaczać. Zapewne była to typowa reakcja obronna. Musiałem zrobić swoje. Pod tym względem sytuacja ta przypominała to, czym zajmuję się zawodowo. Kiedy pojawia się pęknięcie, zaszywam je, zanim zmieni się w głęboką ranę.

Lenny wciąż był spieniony po telefonie Edgara.

— Domyślasz się, czego chce ten stary drań?

— Nie mam pojęcia.

Milczał chwilę. Wiedziałem, o czym myśli. Lenny obwiniał Edgara o śmierć swojego ojca. Jego stary był pracownikiem średniego szczebla w ProNess Fodds, jednym z przedsiębiorstw Edgara. Harował dla firmy przez dwadzieścia sześć lat i właśnie skończył pięćdziesiąt dwa lata, kiedy Edgar przeprowadził gruntowną reorganizację. Ojciec Lenny'ego stracił pracę. Pamiętam pana Marcusa zgarbionego za kuchennym stołem, przy którym starannie zaklejał koperty ze swoim listem motywacyjnym. Nie zdołał znaleźć żadnej pracy i dwa lata później umarł na atak serca. Nikt nie potrafiłby przekonać Lenny'ego, że te dwa wydarzenia nie łączyły się ze sobą.

— Na pewno nie chcesz, żebym u ciebie został? — zapytał.

— Nie, nic mi nie będzie.

— Masz komórkę?

Pokazałem mu telefon.

— Zadzwoń do mnie, gdybyś czegoś potrzebował.

Podziękowałem mu i pozwoliłem odejść. Kierowca otworzył drzwi. Krzywiąc się, wsiadłem. Nie jechaliśmy daleko. Do Kasselton w stanie New Jersey. Moje rodzinne miasteczko. Minęliśmy szeregowe domki z lat sześćdziesiątych, rozległe ogrody z lat siedemdziesiątych i aluminiowe sidingi z osiemdziesiątych, a także stylizowane rezydencje z dziewięćdziesiątych. W końcu drzewa zaczęły gęstnieć. Te domy stały dalej od drogi, chronione przez zieleń przed motłochem, który mógłby tędy przejeżdżać. Teraz zbliżaliśmy się do niedostępnej krainy starych pieniędzy, która zawsze pachniała jesienią i dymem palonego drewna.

Rodzina Portmanów osiedliła się w tym gąszczu zaraz po wojnie secesyjnej. Jak większość podmiejskich terenów Jersey, wtedy była to ziemia uprawna. Prapradziadek Portman powoli wyprzedawał parcele, zbijając na tym fortunę. Wciąż mieli szesnaście akrów, co było jednym z największych terenów budowlanych w tej okolicy. Kiedy jechaliśmy w kierunku domu, spojrzałem w lewo — w kierunku rodzinnego cmentarza.

Dostrzegłem świeży kopczyk ziemi.

— Zatrzymaj samochód — powiedziałem.

— Przykro mi, doktorze Seidman — odparł kierowca — ale kazano mi przywieźć pana prosto pod główny budynek.

Chciałem zaprotestować, ale się rozmyśliłem. Zaczekałem, aż samochód stanie przed frontowymi drzwiami. Usłyszałem, jak szofer mówi: „Doktorze Seidman?". Nie zwróciłem na to uwagi, ruszyłem przed siebie. Zawołał ponownie. Zignorowałem go. Chociaż nie padało, zieleń trawy miała odcień spotykany zazwyczaj tylko w lasach tropikalnych. Róże w ogrodzie kwitły w najlepsze — eksplozja barw.

Usiłowałem przyspieszyć kroku, ale wciąż miałem wrażenie, że zaraz popęka mi skóra. Zwolniłem. To była dopiero moja trzecia wizyta w posiadłości Portmanów, którą jako chłopak mnóstwo razy widziałem z zewnątrz, a pierwsza na ich rodzinnym cmentarzu. Prawdę mówiąc, jak większość normalnych ludzi, wolałbym jej uniknąć. Myśl o chowaniu bliskich na podwórku, jakby byli domowymi zwierzętami... to była jedna z tych rzeczy, które robią bogaci, a których my, zwyczajni ludzie, nie możemy zrozumieć. I wcale nie chcemy.

Płotek otaczający cmentarz był wysoki na jakieś pół metra i oślepiająco biały. Zastanawiałem się, czy z tej okazji świeżo go pomalowano. Przeszedłem przez okazałą bramę i obok skromnych nagrobków, nie odrywając oczu od świeżego kopczyka ziemi. Kiedy do niego dotarłem, przeszedł mnie dreszcz. Spojrzałem.

Tak, świeżo zasypany grób. Jeszcze bez kamiennej płyty. Wykaligrafowane jak na zaproszeniach na ślub litery układały się w zwięzły napis: NASZA MONICA.

Stałem tam, z oczami pełnymi łez. Monica. Moja dzikooka piękność. Nasz związek był burzliwy — klasyczny przypadek nadmiaru uczuć z początku i niedostatku na końcu. Nie wiem, dlaczego tak się stało. Monica była inna, to nie ulegało wątpliwości. Z początku to pęknięcie było podniecające i pociągające. Później jej gwałtowne zmiany nastroju zaczęły mnie nużyć. Nie miałem cierpliwości zgłębiać ich przyczyny.

Kiedy patrzyłem na kopczyk ziemi, przyszło bolesne wspomnienie. Dwie noce przed napadem Monica płakała, co zauważyłem, gdy wszedłem do sypialni. Nie po raz pierwszy. W żadnym razie. Odgrywając moją rolę w sztuce, jaką było nasze życie, zapytałem ją, co się stało, ale bez przekonania. Kiedyś okazałbym jej więcej troski. Monica nie odpowiedziała. Spróbowałem ją objąć. Zesztywniała. Po chwili stało się to męczące jak wielokrotnie odgrywana scena, która w końcu rodzi zobojętnienie. Tak już bywa z osobami cierpiącymi na ataki depresji. Nie jesteś w stanie wciąż się nimi przejmować. W końcu zaczynają cię drażnić.

A przynajmniej tak sobie wmawiałem.

Jednak tym razem było inaczej. W końcu Monica odpowiedziała na moje pytanie. Było to tylko jedno zdanie: „Nie kochasz mnie". Tylko tyle. W jej głosie nie było żalu. „Nie kochasz mnie". I chociaż zdołałem wydobyć z siebie niezbędne zaprzeczenia, zastanawiałem się, czy nie ma racji.

Zamknąłem oczy i pozwoliłem, by to wszystko odpłynęło. Było źle, lecz przynajmniej przez sześć ostatnich miesięcy mogliśmy przed tym uciec w spokój i ciepło otaczające naszą córeczkę. Teraz spojrzałem w niebo, zamrugałem, by powstrzymać łzy, a potem popatrzyłem na kopczyk ziemi, pod którym spoczywała moja nieobliczalna małżonka.

— Monico — powiedziałem głośno. A potem złożyłem mojej żonie ostatnią obietnicę.

Przysiągłem na jej grobie, że odnajdę Tarę.

Służący, lokaj, asystent czy jak tam obecnie go nazywano poprowadził mnie korytarzem do biblioteki. Była urządzona z nierzucającym się w oczy przepychem: ciemne deski podłogi nakryte orientalnymi dywanami, stare amerykańskie meble, raczej solidne niż ozdobne. Pomimo majątku Edgar nie zwykł chełpić się bogactwem. Słowo „nuworysz" było dla niego niewymownie obraźliwe.

Ubrany w niebieski kaszmirowy blezer, podniósł się zza ogromnego dębowego biurka, na którym stał kałamarz z gęsim piórem — używanym przez jego pradziadka, jeśli dobrze pamiętam — oraz dwa popiersia z brązu, jedno Waszyngtona, a drugie Jeffersona. Ze zdziwieniem zobaczyłem siedzącego opodal Carsona. Kiedy odwiedził mnie w szpitalu, byłem zbyt słaby, żeby mnie uściskać. Nadrobił to teraz. Chwycił mnie w objęcia. W milczeniu go objąłem. On również pachniał jesienią i spalonym drewnem.

W pokoju nie było fotografii — zdjęć z rodzinnych wakacji, szkolnych portretów, ujęć pana i pani domu na dobroczynnym raucie. Prawdę mówiąc, nie przypominam sobie, żebym w tym domu widział jakąkolwiek fotografię.

— Jak się czujesz, Marc? — zapytał Carson.

Odparłem, że tak dobrze, jak można oczekiwać w tych okolicznościach i odwróciłem się do mojego teścia. Edgar nie wyszedł zza biurka. Nie objęliśmy się. Nawet nie uścisnęliśmy sobie dłoni. Wskazał mi fotel stojący przed biurkiem.

Niezbyt dobrze znałem Edgara. Spotkaliśmy się zaledwie trzy razy. Nie wiem, ile ma pieniędzy, lecz nawet poza tą rezydencją, nawet na ulicy lub dworcu autobusowym, do licha, nawet gdyby był nagi, wyglądałby na bogacza. Monica również miała tę cechę, wrodzoną od pokoleń, która, być może, jest przekazywana w genach. To, że postanowiła zamieszkać w naszym stosunkowo skromnym domku, zapewne było formą buntu.

Nienawidziła ojca.

Ja również nie byłem jego wielkim fanem pewnie dlatego, że spotykałem już takich jak on. Edgar uważa się za człowieka sukcesu, chociaż zdobył fortunę w najbardziej tradycyjny sposób: odziedziczył ją. Nie znam wielu bardzo bogatych ludzi, ale zauważyłem, że im więcej podano komuś na srebrnej tacy, tym bardziej ten ktoś narzeka na zasiłki dla niepracujących matek i opiekę socjalną. To niesamowite. Edgar należy do tej nielicznej kasty uprzywilejowanych, którzy wmówili sobie, że ciężko zapracowali na swój status. Oczywiście, wszyscy jakoś usprawiedliwiamy własne postępowanie, a jeśli nigdy nie musiałeś czyścić sobie butów, jeżeli żyjesz w luksusie, na jaki niczym nie zasłużyłeś, to zapewne musisz robić to ze zdwojoną energią. Mimo wszystko nie powinieneś być takim nadętym ważniakiem.

Usiadłem. Edgar poszedł za moim przykładem. Carson nadal stał. Spojrzałem na Edgara. Był tęgi jak dobrze odżywiający się człowiek. Miał nalaną twarz. Zwykle pokrywający jego policzki rumieniec, bynajmniej nie wywołany częstym przebywaniem na świeżym powietrzu, teraz zniknął. Edgar złożył dłonie na brzuchu i splótł palce. Z lekkim zdziwieniem zauważyłem, że wyglądał na zdruzgotanego i stłamszonego.

Mówię, że mnie to zdziwiło, gdyż uważałem Edgara za potwornego egocentryka, dla którego własne cierpienia i przyjemności są najważniejsze na świecie. Ludzi ze swego otoczenia traktował jak narzędzia służące jego własnym celom. Teraz stracił drugie dziecko. Jego syn, Eddie Czwarty, zginął przed dziesięcioma laty, prowadząc po pijanemu. Według Moniki, Eddie celowo przejechał podwójną ciągłą linię i zderzył się z furgonetką. Z jakiegoś powodu winiła o to ojca. Obwiniała go o wiele rzeczy.

Jest też matka Moniki. Spotkałem ją tylko dwa razy. Ona przeważnie „odpoczywa". Przebywa na „długich wakacjach". Krótko mówiąc, prawie cały czas się leczy. Podczas obu naszych spotkań moja teściowa była wyszykowana na jakąś imprezę, dobrze ubrana i umalowana, śliczna i zbyt blada, o nieobecnym spojrzeniu, lekko plączącym się języku i nogach.

Poza wujkiem Carsonem Monica nie utrzymywała kontaktów ze swoją rodziną. Jak się domyślacie, nie miałem jej tego za złe.

— Chciałeś się ze mną widzieć? — zapytałem.

— Tak, Marc. Tak, chciałem.

Czekałem. Edgar położył dłonie na biurku.

— Czy kochałeś moją córkę?

Zaskoczył mnie, ale mimo to zdołałem bez wahania odpowiedzieć:

— Bardzo.

Chyba przejrzał to kłamstwo. Starałem się nie odwracać wzroku.

— Mimo to nie była szczęśliwa, jak wiesz.

— Nie wiem, czy możesz mnie o to winić — odparłem.

Powoli pokiwał głową.

— Słusznie.

Moja celna riposta nie trafiła mi do przekonania. Słowa Edgara spadły na mnie jak nowy cios. Znów wróciło poczucie winy.

— Czy wiedziałeś, że chodziła do psychiatry? — zapytał Edgar.

Najpierw spojrzałem na Carsona, a potem na Edgara.

— Nie.

— Nie chciała, żeby ktokolwiek o tym wiedział.

— Jak się dowiedziałeś?

Edgar milczał. Spoglądał na swoje ręce. Po dłuższej chwili rzekł:

— Chcę ci coś pokazać.

Zerknąłem na wuja Carsona. Zaciskał usta. Wydawało mi się, że lekko zadrżał. Znów spojrzałem na Edgara.

— Dobrze.

Edgar otworzył szufladę biurka, sięgnął do niej i wyjął plastikowy woreczek. Pokazał mi go, trzymając za róg kciukiem i wskazującym palcem. Trwało to chwilę, lecz kiedy zrozumiałem, na co patrzę, szeroko otworzyłem oczy. Edgar zauważył moją reakcję.

— A więc poznajesz to?

W pierwszej chwili oniemiałem. Popatrzyłem na Carsona. Miał zaczerwienione oczy. Ponownie zwróciłem wzrok na Edgara i skinąłem głową. W plastikowym woreczku był kawałek materiału, może dziesięć centymetrów na dziesięć. Wzór widziałem dwa tygodnie temu, na chwilę przed tym, zanim zostałem postrzelony.

Czarne pingwiny na różowym tle.

Z trudem wykrztusiłem:

— Skąd to masz?

Edgar wręczył mi brązową kopertę, taką z plastikową wyściółką w środku. Ona również była w ochronnym woreczku. Odwróciłem ją w palcach. Na białej etykiecie widniało nazwisko i adres Edgara. Nie było adresu nadawcy. Pieczątka wskazywała, że list wysłano z Nowego Jorku.

— Przyszedł z dzisiejszą pocztą — wyjaśnił Edgar. Wskazał na kawałek materiału. — Czy to Tary?

Chyba odpowiedziałem, że tak.

— To nie wszystko — rzekł Edgar. Znowu sięgnął do szuflady. — Pozwoliłem sobie zapakować te rzeczy do plastikowych woreczków na wypadek, gdyby władze chciały to zbadać.

Znów podał mi coś, co wyglądało na hermetycznie zamykaną foliową kopertę. Tym razem mniejszą. W tej były włosy. Krótki kosmyk. Z rosnącą zgrozą uświadomiłem sobie, na co patrzę. Zaparło mi dech.

Włoski niemowlęcia.

Jak z oddali usłyszałem glos Edgara:

— Czy to jej?

Zamknąłem oczy i usiłowałem sobie wyobrazić Tarę w kołysce. Z przerażeniem zrozumiałem, że wizerunek córki już zaczął blaknąć w mej pamięci. Jak to możliwe? Nie potrafiłem orzec, czy naprawdę widzę ją, czy też obraz, którym wyobraźnia zastąpiła to, co już zacząłem zapominać. Niech to szlag. Łzy nabiegły mi do oczu. Usiłowałem przypomnieć sobie miękkość włosków córeczki, kiedy gładziłem ją po główce.

— Marc?

— Być może — powiedziałem, otwierając oczy. — Nie jestem pewien.

— Jest coś jeszcze — rzekł Edgar.

Wręczył mi następny plastikowy woreczek. Ostrożnie odłożyłem na biurko ten z włosami. W tym znajdowała się biała kartka papieru. List wydrukowany na drukarce laserowej.

Jeżeli zawiadomicie policję, znikniemy. Nigdy się nie dowiecie, co się z nią stało. Będziemy obserwować. Dowiemy się. Mamy swojego informatora. Wasze rozmowy są podsłuchiwane. Nie rozmawiajcie o tym przez telefon. Wiemy, że ty, dziadku, jesteś bogaty. Chcemy dwa miliony dolarów. Chcemy, żebyś ty, ojciec, dostarczył okup. Ty, dziadku, przygotujesz pieniądze. Załączamy telefon komórkowy. Nie da się wytropić jego pochodzenia. Jeśli jednak spróbujecie to zrobić lub wykorzystać w jakikolwiek sposób, dowiemy się. Znikniemy i już nigdy nie zobaczycie dziecka. Przygotuj pieniądze. Daj je ojcu dziecka. Ty, ojciec, masz mieć przy sobie pieniądze i telefon. Jedź do domu i czekaj. Zadzwonimy i powiemy ci, co masz robić. Jeśli nie usłuchasz, już nigdy nie ujrzysz córki. Nie będzie drugiej szansy.

Łagodnie mówiąc, nieco dziwaczny styl. Przeczytałem list trzy razy, a potem spojrzałem na Edgara i Carsona. To zabawne, ale nagle się uspokoiłem. Owszem, tekst był przerażający, ale także... przynosił ulgę. Wreszcie coś się zdarzyło. Mogliśmy działać. Mogliśmy odzyskać Tarę. Pojawiła się nadzieja.

Edgar wstał i przeszedł przez pokój. Otworzył drzwi szafki i wyjął turystyczną torbę z logo Nike'a. Bez żadnych wstępów oznajmił:

— Wszystko jest tutaj.

Upuścił torbę na moje kolana. Wytrzeszczyłem oczy.

— Dwa miliony dolarów?

— Banknoty z różnych serii, ale na wszelki wypadek spisaliśmy numery.

Spojrzałem na Carsona, a potem znów na Edgara.

— Sądzicie, że nie powinniśmy zawiadomić FBI?

— Nie, raczej nie. — Edgar oparł się o krawędź biurka, zakładając ręce na piersi. Roztaczał zapach dobrej wody kolońskiej, lecz pod tym zapachem wyczułem inną, kwaśną woń strachu. Z bliska zauważyłem cienie pod oczami. — Decyzja należy do ciebie, Marc. Ty jesteś ojcem. Uszanujemy ją. Jednak jak wiesz, miałem już do czynienia z federalnymi. Być może moja ocena sytuacji wypływa z przekonania o ich niekompetencji, a może jestem rozczarowany tym, w jak wielkim stopniu kierują się osobistymi pobudkami. Gdyby chodziło o moją córkę, prędzej zawierzyłbym własnej ocenie sytuacji.

Nie wiedziałem, co powiedzieć. Edgar mnie wyręczył. Klasnął w dłonie i wskazał mi drzwi.

— W liście napisano, żebyś pojechał do domu i czekał. Myślę, że najlepiej będzie, jeśli to zrobisz.

3

Ten sam szofer czekał przed domem. Zająłem tylne siedzenie, przyciskając do piersi torbę z emblematem Nike'a. Targał mną gniew, zmieszany z odrobiną uniesienia. Mogłem odzyskać córkę. Mogłem ją uratować.

Jednak po kolei. Czy powinienem zawiadomić policję?

Starałem się uspokoić, spojrzeć na to chłodnym okiem, z dystansu, zważyć wszelkie za i przeciw. Oczywiście, to było niemożliwe. Jestem lekarzem. Już nieraz podejmowałem decyzje mające wpływ na czyjeś życie. Wiem, że najlepiej wtedy uwolnić się od zbędnego balastu emocji, niepotrzebnych wahań, subiektywnych ocen. Teraz jednak stawką było życie mojej córki. Moja córka. Jak echo wróciło to, co powiedziałem na początku: mój cały świat.

Zakupiony przeze mnie i Monicę dom znajduje się za rogiem ulicy, przy której stoi domek wciąż należący do moich rodziców. Mam w tej kwestii mieszane uczucia. Nie chciałem mieszkać tak blisko rodziców, ale jeszcze bardziej nie podobał mi pomysł wyjazdu. Poszedłem na kompromis: osiedliłem się blisko i często wyjeżdżałem.

Lenny i Cheryl mieszkali cztery przecznice dalej, w pobliżu Kasselton Mall, w domu, w którym wychowała się Cheryl. Przed sześcioma laty jej rodzice przeprowadzili się na Florydę.

Mieli apartament w sąsiednim Roseland, co pozwalało im odwiedzać wnuki i unikać gorących jak lawa letnich sezonów Słonecznego Stanu.

Nieszczególnie lubię mieszkać w Kasselton. Miasto niewiele się zmieniło przez ostatnie trzydzieści lat. Kiedy byliśmy młodzi, mieliśmy za złe naszym rodzicom ich materializm i pozornie bezsensowny system wartości. Teraz się do nich upodobniliśmy. Po prostu zastąpiliśmy ich, wypychając mamusię i tatusia do domu starców, który zechciał ich przyjąć. A nasze dzieci zajęły nasze miejsce. Jednak bar Maury'ego nadal znajduje się przy Kasselton Avenue. Straż pożarna składa się głównie z ochotników. Na boisku Northland wciąż odbywają się mecze juniorów. Przewody wysokiego napięcia przebiegają za blisko mojej dawnej szkoły podstawowej. Dzieciaki niezmiennie przesiadują i palą papierosy w lasku za domem Brennersów przy Rockmont Terrace. Liceum i teraz ma pięciu do ośmiu laureatów olimpiad ogólnokrajowych rocznie; za moich czasów na tej liście znajdowali się głównie Żydzi, dziś ich miejsce zajęli przedstawiciele azjatyckiej mniejszości.

Skręciliśmy w prawo, w Monroe Avenue i przejechaliśmy obok szeregowego domku, w którym się wychowałem. Ze swymi białymi ścianami i czarnymi okiennicami, kuchnią, salonem i jadalnią trzy stopnie w górę po lewej, a przyziemiem i bramą garażu dwa kroki w dół po prawej, nasz dom, choć nieco bardziej surowy od innych, nie różnił się od pozostałych stojących przy tej ulicy. Jedynie podjazd dla wózka inwalidzkiego był charakterystyczny dla naszego domu. Zrobiliśmy go po trzecim wylewie ojca, kiedy miałem dwanaście lat. Ja i moi koledzy lubiliśmy zjeżdżać po nim na deskorolkach. Ze sklejki i drewnianych klocków zrobiliśmy skocznię, którą ustawiliśmy na końcu.

Na podjeździe stał samochód pielęgniarki. Przyjeżdża na dzień. Nie mamy nikogo, kto opiekowałby się ojcem przez całą dobę. Ojciec jest już od dwudziestu lat przykuty do wózka inwalidzkiego. Nie może mówić. Lewy kącik ust ma paskudnie wygięty ku dołowi. Połowa ciała jest sparaliżowana, a druga połowa w niewiele lepszym stanie.

Kiedy kierowca skręcił w Darby Terrace, zobaczyłem, że mój dom — nasz dom — wygląda tak samo jak przed kilkoma tygodniami. Sam nie wiem, czego oczekiwałem. Może żółtej taśmy ogradzającej miejsce zbrodni. Lub wielkiej plamy krwi. Nic jednak nie przypominało o tym, co wydarzyło się tu dwa tygodnie wcześniej.

Kiedy kupiłem ten dom, był zajęty za długi. Przez trzydzieści sześć lat mieszkała w nim rodzina Levinskych, ale w gruncie rzeczy nikt ich nie znał. Pani Levinsky wydawała się miłą kobietą z lekkim tikiem mięśni twarzy. Pan Levinsky był potworem, który wciąż wrzeszczał na nią na trawniku przed domem. Baliśmy się go. Pewnego razu widzieliśmy panią Levinsky uciekającą w nocnej koszuli z domu i pana Levinsky'ego goniącego za nią z łopatą. Dzieciaki, które skracały sobie drogę przez niemal każdy ogród, omijały ich trawnik. Kiedy skończyłem college, zaczęły krążyć plotki o tym, że molestował swoją córkę Dinę, smutnooką i długowłosą chudzinę, z którą chodziłem do szkoły od pierwszej klasy. Patrząc wstecz, uprzytamniam sobie, że często miałem wspólne zajęcia z Diną Levinsky i nie pamiętam, by kiedykolwiek mówiła inaczej niż szeptem, a i to tylko zmuszona przez szczególnie wytrwałych nauczycieli. Nigdy nie próbowałem się z nią zaprzyjaźnić. Nie wiedziałem, jak mógłbym jej pomóc, a mimo to żałuję, że nie usiłowałem.

Mniej więcej w tym czasie, gdy zaczęły krążyć plotki o molestowaniu Diny, rodzina Levinskych zwinęła manatki i się wyprowadziła. Nikt nie wiedział dokąd. Bank przejął dom i zaczął go wynajmować. Złożyliśmy z Monicą ofertę kupna kilka tygodni przed narodzinami Tary.

Kiedy zamieszkaliśmy w tym domu, z początku nie spałem po nocach, nasłuchując sam nie wiem czego: jakichś dźwięków lub odgłosów świadczących o jego przeszłości i dramacie poprzednich mieszkańców. Usiłowałem odgadnąć, która sypialnia należała do Diny, i wyobrazić sobie, co wtedy przeżywała, lecz nie zdołałem. Jak już powiedziałem, dom to tylko zaprawa i cegły. Nic więcej.

Na podjeździe były zaparkowane dwa nie znane mi samochody. Matka stała przy frontowych drzwiach. Kiedy wysiadłem, podbiegła do mnie jak na tych migawkach o powracających jeńcach wojennych. Mocno mnie uścisnęła i poczułem zbyt silny zapach perfum. Wciąż trzymałem torbę Nike'a z pieniędzmi, trudno więc mi było odwzajemnić uścisk.

Patrząc jej przez ramię, ujrzałem detektywa Boba Regana, który wyszedł z mojego domu. Obok niego pojawił się wysoki czarnoskóry mężczyzna o wygolonej głowie i w czarnych okularach. Matka szepnęła:

— Czekali na ciebie.

Skinąłem głową i ruszyłem ku nim. Regan osłonił dłonią oczy, ale tylko na pokaz. Słońce nie świeciło tak silnie. Czarnoskóry pozostał nieruchomy jak kamień.

— Gdzie pan był? — zapytał Regan. A kiedy nie odpowiedziałem od razu, dodał: — Opuścił pan szpital ponad godzinę temu.

Pomyślałem o telefonie komórkowym, który miałem w kieszeni. I o torbie z pieniędzmi, którą trzymałem w ręku. Na razie poprzestałem na półprawdzie:

— Byłem na grobie żony.

— Musimy porozmawiać, Marc.

— Chodźmy do środka.

Wszyscy weszliśmy do domu. Przystanąłem w przedpokoju. Ciało Moniki znaleziono zaledwie trzy kroki od miejsca, gdzie teraz się zatrzymałem. Nadal stojąc w progu, obrzuciłem wzrokiem ściany, szukając śladów przemocy. Był tylko jeden. Znalazłem go szybko. Dziura po kuli nad litografią Behrensa, wiszącą obok schodów, pozostawiona przez jedyny pocisk, który nie trafił Moniki ani mnie, została zagipsowana. Biała plama odcinała się od ściany. Trzeba będzie ją zamalować.

Zapatrzyłem się na plamę. Usłyszałem dyskretne kaszlnięcie.

To wyrwało mnie z transu. Matka poklepała mnie po plecach, a potem ruszyła do kuchni. Wprowadziłem Regana i jego kolegę do salonu. Usiedli na fotelach. Ja zająłem kanapę. Jeszcze nie urządziliśmy się tu z Monicą. Fotele pochodziły z czasów, kiedy mieszkałem w akademiku, i było to po nich widać. Kanapa została wzięta z apartamentu Moniki — zbyt elegancki mebel wyglądający na ukradziony z Wersalu. Była ciężka i niewygodna i nawet w swoich najlepszych latach miała zbyt cienkie obicie.

— To jest agent specjalny Lloyd Tickner — rzekł Regan, wskazując na czarnoskórego — z FBI.

Tickner skinął głową. Odpowiedziałem mu tym samym. Regan spróbował się do mnie uśmiechnąć.

— Dobrze widzieć, że lepiej się pan czuje — zauważył.

— Wcale nie — odparłem.

Wyglądał na zdumionego.

— Nie poczuję się lepiej, dopóki nie odzyskam córki.

— No tak, słusznie. Zatem przejdę do rzeczy. Chcemy zadać jeszcze kilka pytań, jeśli nie ma pan nic przeciwko temu.

Powiedziałem im, że nie mam.

Regan zakaszlał, zasłaniając pięścią usta. Grał na czas.

— Musimy zadać te pytania. Choćby niezbyt nam się to podobało. Panu z pewnością również się to nie spodoba, ale musimy je zadać. Pojmuje pan?

Nie rozumiałem, ale nie była to odpowiednia chwila, żeby domagać się obszernych wyjaśnień.

— Proszę pytać.

— Co może nam pan powiedzieć o pańskim małżeństwie?

W moim mózgu zapaliło się czerwone światełko.

— A co ma do rzeczy moje małżeństwo?

Regan wzruszył ramionami, Tickner pozostał nieruchomy.

— My tylko próbujemy poskładać kawałki łamigłówki, to wszystko.

— Moje małżeństwo nie ma z tym nic wspólnego.

— Jestem pewien, że tak jest, ale niech pan posłucha, Marc.

Rzecz w tym, że ślad szybko stygnie. Każdy mijający dzień działa na naszą niekorzyść. Musimy zbadać wszystkie tropy.

— Jedyny trop, jaki mnie interesuje, to ten, który doprowadzi do córki.

— Rozumiemy to. Na tym też skupia się główny kierunek śledztwa. Na próbach ustalenia, co przydarzyło się pana córce. A także panu. Nie zapominajmy, że ktoś usiłował pana zabić, mam rację?

— Pewnie tak.

— Jednak nie możemy ignorować również innych aspektów tej sprawy. Chyba pan to rozumie?

— Jakich aspektów?

— Na przykład pańskiego małżeństwa.

— Konkretnie czego?

— Kiedy się pobraliście, Monica była w ciąży, prawda?

— A co to ma...?

Urwałem. Już chciałem wypalić z obu luf, gdy nagle przypomniały mi się słowa Lenny'ego. Miałem rozmawiać z glinami tylko w jego obecności. Powinienem go wezwać. Zdawałem sobie z tego sprawę. Jednak ich ton i zachowanie... gdybym teraz zamilkł i powiedział, że chcę wezwać adwokata, wyglądałbym na winnego. Nie miałem niczego do ukrycia. Po co podsycać ich podejrzenia? To tylko skierowałoby ich na fałszywy trop. Oczywiście, wiedziałem, że właśnie tak działają, że to typowa policyjna zagrywka, ale jestem lekarzem. Gorzej, chirurgiem. A my często się mylimy, uważając, że jesteśmy mądrzejsi od innych.

Odpowiedziałem szczerze:

— Tak, była w ciąży. I co z tego?

— Jest pan chirurgiem plastycznym, zgadza się?

Ta zmiana tematu zaskoczyła mnie.

— Owszem.

— Pan i pana partnerka wyjeżdżacie za granicę i operujecie rozszczepione podniebienia, poważne uszkodzenia twarzy, oparzenia i tym podobne przypadki?

— Mniej więcej.

— Zatem często pan podróżuje?

— Dość często — odparłem.

— Tak więc — rzekł Regan — czy można by rzec, iż w ciągu dwóch lat przed ślubem więcej przebywał pan za granicą niż w kraju?

— Całkiem możliwe. — Usiadłem wygodniej na twardej kanapie. — Może mi pan wyjaśnić, jakie to wszystko ma znaczenie?

Regan posłał mi rozbrajający uśmiech.

— My tylko usiłujemy uzyskać pełny obraz sytuacji.

— Obraz czego?

— Pańską wspólniczką jest... — Zerknął do notesu. — Pani Zia Leroux.

— Doktor Leroux — poprawiłem.

— Doktor Leroux, tak, dziękuję. Gdzie przebywa teraz?

— W Kambodży.

— Wykonuje tam operacje plastyczne na zdeformowanych dzieciach?

— Tak.

Regan przechylił głowę na bok, udając zaskoczenie.

— Czy to nie pan miał tam pojechać?

— Już dawno zrezygnowałem z tego wyjazdu.

— Jak dawno?

— Nie jestem pewien, czy pana rozumiem.

— Jak dawno temu zrezygnował pan z wyjazdu?

— Nie wiem — odparłem. — Chyba osiem lub dziewięć miesięcy temu.

— I doktor Leroux pojechała za pana.

— Tak, zgadza się. Chodzi panu o...?

Nie chwycił przynęty.

— Lubi pan swoją pracę, prawda, Marc?

— Tak.

— Lubi pan jeździć za granicę? Wykonywać pożyteczną pracę?

— Oczywiście.

Regan teatralnym gestem podrapał się po głowie, wyraźnie udając zdumionego.

— Jeśli więc lubi pan podróżować, to dlaczego zrezygnował pan i pozwolił, żeby doktor Leroux pojechała za pana?

Teraz zrozumiałem, do czego zmierza.

— Zacząłem się ograniczać.

— Mówi pan o wyjazdach?

— Tak.

— Dlaczego?

— Ponieważ miałem inne zobowiązania.

— Mówi pan o zobowiązaniach wobec żony i córki, tak?

Wyprostowałem się i spojrzałem mu w oczy.

— Sens — powiedziałem. — Jaki jest sens tych wszystkich pytań?

Regan wyciągnął się w fotelu. Tickner zrobił to samo.

— Usiłujemy uzyskać pełny obraz sytuacji, to wszystko.

— Już pan to mówił.

— Tak, proszę poczekać, niech mi pan da chwilkę. — Regan przewrócił kilka kartek notesu. — Dżinsy i czerwona bluzka.

— Co takiego?

— Pańskiej żony. — Pokazał mi notes. — Powiedział pan, że tamtego ranka miała na sobie dżinsy i czerwoną bluzkę.

Przed oczami znów zaczęły przelatywać mi obrazy Moniki. Usiłowałem je odpędzić.

— I co?

— Kiedy znaleźliśmy jej ciało — rzekł Regan — była naga.

Drżenie zaczęło się w moim sercu i przeszło przez ramiona aż do czubków palców.

— Nie wiedział pan?

Przełknąłem ślinę.

— Czy została...?

Głos zamarł mi w gardle.

— Nie — odparł Regan. — Na jej ciele nie znaleźliśmy żadnych śladów oprócz ran postrzałowych. — Ponownie prze-

47

chylił głowę na bok, udając zaskoczenie. — Znaleźliśmy ją martwą w tym pokoju. Czy często paradowała nago po domu?

— Mówiłem wam. — Nadmiar danych. Usiłowałem je przetworzyć i nadążyć za nim. — Miała na sobie dżinsy i czerwoną bluzkę.

— A zatem była już ubrana?

Przypomniałem sobie szum prysznica. Pamiętałem, jak wyszła z łazienki, odchylając głowę, jak położyła się na łóżku, wciągając dżinsy.

— Tak.

— Zdecydowanie?

— Zdecydowanie.

— Przeszukaliśmy cały dom. Nie znaleźliśmy czerwonej bluzki. Dżinsy, owszem. Miała ich kilka par. Jednak żadnej czerwonej bluzki. Nie uważa pan, że to dziwne?

— Chwileczkę. Jej ubranie nie leżało w pobliżu ciała?

— Nie.

To nie miało sensu.

— Zajrzę do jej szafy — powiedziałem.

— Już to zrobiliśmy, ale jasne, niech pan to zrobi. Oczywiście, nawet gdyby je pan tam znalazł, chciałbym wiedzieć, jak po jej śmierci wróciło do szafy, no nie?

Na to nie znalazłem żadnej odpowiedzi.

— Czy posiada pan broń, doktorze Seidman?

Kolejna zmiana tematu. Usiłowałem nadążać, ale kręciło mi się w głowie.

— Tak.

— Jakiego rodzaju?

— Trzydziestkę ósemkę Smith & Wesson. Należała do mojego ojca.

— Gdzie ją pan trzyma?

— Na najwyższej półce w szafie stojącej w sypialni. Jest zamknięta w metalowej kasetce.

Regan sięgnął za fotel i pokazał mi metalowe pudełko.

— W tej?

— Tak.

— Niech ją pan otworzy.

Rzucił mi kasetkę. Złapałem ją. Szarobłękitny metal był zimny. Co więcej, pudełko było zaskakująco lekkie. Ustawiłem pokrętłami właściwą kombinację i otworzyłem kasetkę. Odgarnąłem dokumenty — rachunek za samochód, akt własności domu i inne papiery — lecz zrobiłem to machinalnie. Od razu wiedziałem, że rewolwer zniknął.

— Do pana i pańskiej żony strzelano z trzydziestki ósemki — rzekł Regan. — A ta, którą pan miał, znikła.

Nie odrywałem oczu od kasetki, jakbym oczekiwał, że broń nagle zmaterializuje się w jej wnętrzu. Usiłowałem poskładać te fakty w jakąś logiczną całość, ale bezskutecznie.

— Nie domyśla się pan, gdzie może być ta broń?

Przecząco pokręciłem głową.

— Jest jeszcze coś, co nas dziwi — dodał Regan.

Spojrzałem na niego.

— Do pana i Moniki strzelano z różnych trzydziestek ósemek.

— Słucham?

Kiwnął głową.

— Tak, mnie też trudno było w to uwierzyć. Kazałem powtórzyć ekspertyzę balistyczną. Do pana i pańskiej żony strzelano z dwóch różnych egzemplarzy broni — obu kalibru trzydzieści osiem — a pana rewolwer gdzieś zniknął. — Regan dramatycznie wzruszył ramionami. — Niech mi pan pomoże to zrozumieć, Marc.

Przyjrzałem się im. Nie spodobało mi się to, co wyczytałem z ich twarzy. Ponownie przypomniało mi się ostrzeżenie Lenny'ego, tym razem ze zdwojoną siłą.

— Chcę wezwać adwokata — powiedziałem.

— Jest pan tego pewien?

— Tak.

— No to proszę.

Matka stała w drzwiach do kuchni. Jak wiele usłyszała?

Sądząc po wyrazie jej twarzy, za dużo. Spojrzała na mnie pytająco. Kiwnąłem głową, a ona poszła zadzwonić po Lenny'ego. Założyłem ręce na piersi, ale w tej pozie czułem się nieswojo. Postukałem czubkiem buta w podłogę. Tickner zdjął okulary przeciwsłoneczne. Spojrzał mi w oczy i odezwał się po raz pierwszy.

— Co jest w tej torbie? — zapytał.

Patrzyłem na niego bez słowa.

— W tej torbie turystycznej, którą pan tak ściska. — Głos Ticknera, niepasujący do jego pozy twardziela, brzmiał nieco piskliwie, jak u pierwszoroczniaka, który niedawno przeszedł mutację. — Co w niej jest?

Wszystko szło nie tak. Powinienem był posłuchać Lenny'ego i od razu do niego zadzwonić. Teraz nie wiedziałem, jak zareagować. Z przedpokoju dolatywał głos mojej matki, wzywającej Lenny'ego. Bezskutecznie przesiewałem w myślach różne odpowiedzi, szukając jakiejś dostatecznie bliskiej prawdy, chcąc zyskać na czasie, gdy moją uwagę przykuł nowy dźwięk.

Zadzwonił telefon komórkowy — ten, który mojemu teściowi przysłali porywacze.

4

Tickner i Regan czekali na moją odpowiedź.
Przeprosiłem i wstałem, zanim zdążyli zareagować. Wyjmując z kieszeni telefon, pospiesznie wyszedłem na zewnątrz. Oślepiło mnie słońce. Zamrugałem i spojrzałem na klawiaturę aparatu. Przycisk włącznika znajdował się w innym miejscu niż w mojej komórce. Po drugiej stronie ulicy dwie dziewczynki w jaskrawych hełmach jechały na równie krzykliwie pomalowanych rowerach. Z kierownicy jednego z nich zwisała kaskada różowych wstążek.

Kiedy byłem mały, w pobliżu mieszkało ponad tuzin dzieciaków w moim wieku. Zwykle spotykaliśmy się po szkole. Nie pamiętam, w co się bawiliśmy — nigdy nie zorganizowaliśmy się dostatecznie, żeby pograć, na przykład, w baseball — ale wszystkie nasze zabawy polegały na chowaniu się i szukaniu oraz różnych formach udawanej (lub niemal prawdziwej) przemocy. Dzieciństwo na przedmieściach uważa się za czas niewinności, lecz często zabawy kończyły się płaczem. Kłóciliśmy się, zawieraliśmy i zrywaliśmy przymierza, wypowiadaliśmy przyjaźnie i wojny, żeby jak ofiary amnezji zapomnieć o wszystkim następnego dnia. I po południu wszystko zaczynało się od nowa. Powstawały nowe koalicje. Inny dzieciak wracał z płaczem do domu.

W końcu trafiłem kciukiem na właściwy guzik. Nacisnąłem go i jednocześnie przyłożyłem aparat do ucha. Serce waliło mi jak młotem. Odchrząknąłem i, czując się jak idiota, powiedziałem po prostu:

— Halo?

— Odpowiadaj tak lub nie. — Głos miał mechaniczny pogłos jednej z tych automatycznych sekretarek, które każą ci nacisnąć jedynkę, żeby uzyskać połączenie, a dwójkę, żeby sprawdzić przyjęcie zamówienia. — Masz pieniądze?

— Tak.

— Wiesz gdzie jest Garden State Plaza?

— W Paramus — odpowiedziałem.

— Dokładnie za dwie godziny masz zaparkować na północnym parkingu. Tym obok Nordstroma. Sekcja dziewiąta. Ktoś podejdzie do twojego samochodu.

— A...

— Jeśli nie będziesz sam, znikniemy. Jeśli ktoś będzie cię śledził, znikniemy. Jeśli wyczujemy gliny, znikniemy. To twoja ostatnia szansa. Rozumiesz?

— Tak, ale kiedy...

Trzask przerwanego połączenia.

Opadły mi ręce. Powoli ogarniało mnie odrętwienie. Nie walczyłem z nim. Dziewczynki po drugiej stronie ulicy zaczęły się kłócić. Nie słyszałem dokładnie o co, ale co chwilę padało słowo „mój", wypowiadane głośno i z naciskiem. Zza rogu wypadł samochód. Patrzyłem na nadjeżdżający wóz, jakbym spoglądał nań z ogromnej wysokości. Usłyszałem pisk hamulców. Drzwiczki po stronie kierowcy otworzyły się, zanim jeszcze samochód się zatrzymał.

To był Lenny. Tylko na mnie spojrzał i przyspieszył kroku.

— Marc?

— Miałeś rację. — Ruchem głowy wskazałem na dom. Regan stał już w drzwiach. — Oni myślą, że jestem w to zamieszany.

Lenny spochmurniał. Zmrużył oczy w szparki. W sporcie nazywa się to „zbieraniem sił". Lenny zmieniał się w Cujo. Spojrzał na Regana tak, jakby zastanawiał się, co odgryźć mu najpierw.

— Rozmawiałeś z nimi?

— Trochę.

Lenny przeniósł wzrok na mnie.

— Nie powiedziałeś im, że chcesz poradzić się prawnika?

— Nie od razu.

— Do licha, Marc, mówiłem ci...

— Porywacze zażądali okupu.

Zatkało go. Spojrzałem na zegarek. Do Paramus trzeba było jechać czterdzieści minut. Przy dużym ruchu mogło mi to zająć nawet godzinę. Miałem czas, ale nie za dużo. Zacząłem referować mu ostatnie wydarzenia. Lenny posłał Reganowi jeszcze jedno gniewne spojrzenie i odprowadził mnie kawałek dalej. Przystanęliśmy przy krawężniku, przy tych znajomych, szarych jak chmury kamieniach, które niczym rzędy zębów wytyczają granice posesji, po czym przysiedliśmy na nim jak dzieci. Kolana mieliśmy pod brodą. Widziałem kawałek łydki Lenny'ego między ściągaczem skarpetki a zwężonym końcem nogawki. Było nam niewygodnie jak diabli. Słońce raziło nas w oczy. Obaj patrzyliśmy na boki, zamiast na siebie — też tak samo jak w dzieciństwie. W ten sposób łatwiej było wszystko powiedzieć.

Mówiłem szybko. Kiedy byłem mniej więcej w połowie relacji, Regan ruszył w naszym kierunku. Lenny odwrócił się do niego i krzyknął:

— Pańskie jaja!

Regan zatrzymał się.

— Co?

— Chce pan aresztować mojego klienta?

— Nie.

Lenny wskazał na jego krocze.

— Każę je pozłocić i powieszę sobie na lusterku w samochodzie, jeśli zrobi pan jeszcze krok.

Regan zesztywniał.

— Chcemy zadać pańskiemu klientowi kilka pytań.

— To świetnie. Idźcie naruszać prawa kogoś, kto ma gorszego adwokata.

53

Lenny zbył go machnięciem ręki i dał mi znak, żebym mówił dalej. Regan nie wyglądał na uszczęśliwionego, ale cofnął się o dwa kroki. Ponownie zerknąłem na zegarek. Od telefonu porywacza minęło dopiero pięć minut. Skończyłem relację, podczas gdy Lenny przeszywał Regana laserowym spojrzeniem.

— Chcesz usłyszeć moje zdanie? — zapytał.

— Tak.

Wciąż patrzył gniewnie.

— Myślę, że powinieneś im powiedzieć.

— Jesteś pewien?

— Do diabła, nie.

— A ty byś to zrobił? — zapytałem. — Gdyby chodziło o jedno z twoich dzieci?

Lenny zastanawiał się kilka sekund.

— Nie mogę decydować za ciebie, jeśli o to pytasz. Jednak owszem, chyba bym im powiedział. Próbowałbym rozegrać to na zimno. Jeśli powiadomisz policję, szanse będą większe. Niekoniecznie musi im się udać, ale oni znają się na takich sprawach. A my nie. — Lenny oparł łokcie o kolana, a brodę na splecionych dłoniach. Pamiętałem tę pozę z dawnych czasów. — To opinia Lenny'ego przyjaciela — dodał. — Lenny przyjaciel zachęcałby cię, żebyś im powiedział.

— A Lenny prawnik? — spytałem.

— On by nalegał. Namawiałby cię, żebyś zawiadomił policję.

— Dlaczego?

— Jeśli pojedziesz tam z dwoma milionami dolarów i te pieniądze znikną, to nawet jeśli odzyskasz Tarę, łagodnie mówiąc, nabiorą podejrzeń.

— Nic mnie to nie obchodzi. Chcę tylko odzyskać Tarę.

— To zrozumiałe. A raczej powinienem powiedzieć, że rozumie to Lenny przyjaciel.

Lenny spojrzał na zegarek. Czułem się pusty, wydrążony jak kanoe. Niemal słyszałem tykanie zegara, odmierzającego upływający czas. Czekanie doprowadzało mnie do szału. Znów usiłowałem podejść do tego racjonalnie, zebrać argumenty „za" po prawej i „przeciw" po lewej, a potem je zsumować. Jednak tykanie nie cichło.

Lenny radził mi rozgrywać to na zimno. Nie jestem graczem. Nie lubię ryzykować. Jedna z dziewczynek po drugiej stronie ulicy krzyknęła: „Wszystko powiem!", po czym gniewnie przemaszerowała przez ulicę. Druga roześmiała się i wsiadła na rower. Zapiekły mnie oczy. Bardzo żałowałem, że nie ma przy mnie Moniki. Nie musiałbym sam podejmować decyzji. Podjęlibyśmy ją wspólnie.

Obejrzałem się na frontowe drzwi. Teraz już obaj policjanci stali przed domem. Regan założył ręce na piersi i lekko kołysał się na palcach. Tickner nie ruszał się i wciąż miał ten sam obojętny wyraz twarzy. Czy mogłem powierzyć tym ludziom życie córki? Czy dla nich najważniejsza byłaby Tara, czy też — jak sugerował Edgar — jakieś własne pobudki?

Tykanie stawało się coraz głośniejsze i bardziej natarczywe.

Ktoś zamordował mi żonę. Ktoś uprowadził moje dziecko. Przez kilka ostatnich dni zadawałem sobie pytanie: Dlaczego my? Przy czym starałem się trzeźwo myśleć i nie pogrążyć w otchłani żalu. Mimo to nie znalazłem odpowiedzi na to pytanie. Nie potrafiłem dopatrzyć się żadnego motywu zbrodni i być może to było najbardziej przerażające. Może nie było żadnego powodu. Może po prostu mieliśmy pecha.

Lenny spoglądał przed siebie i czekał. Tik-tak, tik-tak.

— Powiedzmy im — zdecydowałem.

Ich reakcja mnie zaskoczyła. Wpadli w panikę.

Regan i Tickner próbowali to ukryć, oczywiście, lecz zdradziła ich mowa ciała: nagłe trzepotanie powiek, lekkie zaciśnięcie ust, niedbale akcentowane i pospiesznie wypowiadane słowa. Porywacz pozostawił im za mało czasu. Tickner natychmiast zadzwonił do specjalisty FBI od negocjacji z porywaczami, żeby uzyskać jego pomoc. Mówiąc do słuchawki, zasłaniał ją dłonią. Regan połączył się ze swoimi kolegami w Paramus.

Tickner rozłączył się i powiedział:

— Nasi ludzie obstawią centrum handlowe. Oczywiście dyskretnie. Rozstawimy ludzi w samochodach przy każdym wyjeździe i dalej, po obu stronach autostrady numer siedemnaście. Ponadto przy wszystkich drzwiach centrum handlowego. Chcę jednak, żeby mnie pan uważnie wysłuchał, doktorze Seidman. Nasi eksperci radzą, żebyśmy grali na zwłokę. Może uda nam się skłonić porywacza, żeby przełożył...

— Nie — uciąłem.

— Oni nie uciekną — wtrącił Tickner. — Chcą dostać pieniądze.

— Mają moją córkę już prawie trzy tygodnie — powiedziałem. — Niczego nie zamierzam odwlekać.

Kiwnął głową. Nie spodobało mu się to, ale starał się być uprzejmy.

— Zatem chciałbym umieścić człowieka w pańskim samochodzie.

— Nie.

— Mógłby położyć się na podłodze.

— Nie — powtórzyłem.

Tickner spróbował inaczej.

— Albo jeszcze lepiej: powiemy porywaczowi, że nie może pan prowadzić. Już tak robiliśmy. Do licha, przecież dopiero co wyszedł pan ze szpitala. Zamiast pana pojedzie jeden z naszych ludzi. Powiemy, że to pański kuzyn.

Zmarszczyłem brwi i spojrzałem na Regana.

— Podobno podejrzewa pan, że jest w to zamieszana moja siostra?

— Owszem, to możliwe.

— Sądzi pan, że ona nie poznałaby, iż to nie nasz kuzyn?

Tickner z Reganem zastanowili się, a potem równocześnie kiwnęli głowami.

— Racja — rzekł Regan.

Spojrzeliśmy po sobie z Lennym. To byli ci profesjonaliści, którym powierzyłem życie Tary. Niezbyt pocieszająca myśl. Ruszyłem w kierunku drzwi.

Tickner położył mi dłoń na ramieniu.

— Dokąd się pan wybiera?

— A jak pan myśli, do diabła?

— Niech pan siada, doktorze Seidman.

— Nie mam czasu — odparłem. — Muszę już jechać. Po drodze mogą być korki.

— Możemy wstrzymać ruch.

— Och tak, to dopiero wyglądałoby podejrzanie.

— Bardzo wątpię, czy on zamierza jechać za panem od domu.

Zaatakowałem.

— Czy w oparciu o takie założenie zaryzykowałby pan życie swojego dziecka?

Zawahał się.

— Chyba nie rozumiecie — rzuciłem gniewnie. — Nic mnie nie obchodzą pieniądze ani to, czy zostaną złapani. Ja chcę tylko odzyskać córkę.

— Rozumiemy to — rzekł Tickner — ale zapomina pan o czymś.

— O czym?

— Proszę, niech pan usiądzie.

— Posłuchajcie, zróbcie coś dla mnie, dobrze? Pozwólcie mi stać. Jestem lekarzem. Równie dobrze jak wy wiem, jak przekazywać złe wieści. Nie wysilajcie się.

Tickner podniósł obie ręce i rzekł:

— No dobrze.

Niespiesznie zaczerpnął tchu. Wciąż grał na zwłokę. Nie miałem ochoty na takie gierki.

— O co chodzi? — zapytałem.

— Ci, którzy to zrobili — zaczął Tickner — postrzelili pana. I zastrzelili pańską żonę.

— Zdaję sobie z tego sprawę.

— Nie, nie sądzę. Proszę się zastanowić. Nie możemy pozwolić, żeby jechał pan tam sam. Ktokolwiek to zrobił, próbował pozbawić pana życia. Strzelono do pana dwa razy i pozostawiono, żeby się pan wykrwawił.

— Marc — powiedział Regan, podchodząc bliżej — przedstawiliśmy panu kilka mętnych teorii. Problem w tym, że nie są niczym więcej, tylko teoriami. Nie wiemy, o co naprawdę chodzi tym ludziom. Być może to zwykłe porwanie, ale jeśli tak, to niepodobne do żadnego z tych, z jakimi się spotkałem. — Poza twardego gliniarza znikła, zastąpiona szczerym uśmiechem i przyjaźnie uniesionymi brwiami. — Co wiemy na pewno, to że próbowali pana zabić. Nie zabija się rodziców, jeśli chodzi tylko o okup.

— Może zamierzali wymusić okup od mojego teścia — podsunąłem.

— To dlaczego tak długo czekali?

Na to nie znalazłem odpowiedzi.

— Może — ciągnął Tickner — to wcale nie było porwanie. Przynajmniej na początku. Może porwanie było niezaplanowane. A sprawcy zamierzali zabić pana i pańską żonę. I teraz chcą dokończyć robotę.

— Sądzi pan, że to zasadzka?

— Tak, to bardzo prawdopodobne.

— Cóż więc mi pan radzi?

Tickner odparł bez namysłu:

— Niech pan nie jedzie sam. I da nam trochę czasu, żebyśmy zdążyli się przygotować. Niech zadzwonią jeszcze raz.

Spojrzałem na Lenny'ego.

— To niemożliwe — powiedział.

Tickner rzucił się na niego.

— Z całym szacunkiem, pański klient jest w niebezpieczeństwie...

— Moja córka również — wtrąciłem. Po prostu. Decyzja była łatwa, kiedy wszystko ujęło się w tak proste słowa. Odwróciłem się i ruszyłem do samochodu. — Niech wasi ludzie trzymają się z daleka.

5

Nie było dużego ruchu, dotarłem więc do centrum handlowego sporo przed czasem. Zgasiłem silnik i usiadłem wygodnie. Rozejrzałem się wokół. Domyślałem się, że policjanci i federalni wciąż mnie pilnują, ale nie byłem w stanie dostrzec żadnego z nich. Pewnie to dobrze.

I co teraz?

Nie miałem pojęcia. Czekałem. Pokręciłem gałką radia, ale nic nie przykuło mojej uwagi. Włączyłem odtwarzacz CD. Kiedy Donald Fagan ze Steely Dan zaczął śpiewać *Black Cow*, poczułem ukłucie żalu. Nie słuchałem tej taśmy chyba od czasu college'u. Dlaczego Monica trzymała tę płytkę? Potem ze zdwojonym smutkiem uświadomiłem sobie, że Monica korzystała z tego samochodu i ta piosenka mogła być ostatnią, jakiej słuchała.

Patrzyłem, jak klienci szykują się do wejścia do supermarketu. Skupiałem uwagę na młodych matkach: na tym w jaki sposób otwierają drzwi samochodu, jak ze zręcznością iluzjonisty rozkładają w powietrzu wózki, jak zmagają się z pasami mocującymi foteliki dla dzieci, kojarzące mi się z Buzzem Aldrinem i *Apollo 11*, jak z dumnie uniesionymi głowami ruszają do sklepu, pilotami zdalnego sterowania zamykając drzwi samochodów.

Matki wyglądały na lekko znudzone. Miały swoje dzieci. A te, w swoich ocenionych na pięć gwiazdek kosmicznych fotelikach, były bezpieczne. Natomiast ja siedziałem z torbą forsy na okup i żywiłem nadzieję, że zdołam odzyskać córeczkę. Jakże cienka granica dzieli... Zapragnąłem opuścić szybę i krzyknąć ostrzegawczo.

Zbliżała się wyznaczona godzina. Słońce świeciło prosto w przednią szybę mojego wozu. Sięgnąłem po okulary przeciwsłoneczne, ale się rozmyśliłem. Sam nie wiem dlaczego. Czy zakładając ciemne okulary, zdenerwowałbym porywacza? Nie, nie sądzę. Może jednak tak. Lepiej ich nie zakładać. Nie ryzykować.

Zdrętwiały mi ramiona. Usiłowałem rozglądać się wokół, nie poruszając głową, z jakiegoś dziwnego powodu starając się robić to niepostrzeżenie. Ilekroć ktoś zaparkował lub przeszedł w pobliżu mojego samochodu, ściskało mnie w żołądku i zadawałem sobie pytanie: Czy Tara jest gdzieś blisko?

Zbliżała się druga. Chciałem jak najprędzej mieć to za sobą. Wszystko rozstrzygnie się w ciągu kilku następnych minut. Byłem tego pewien. Spokój. Muszę zachować spokój. Przypomniało mi się ostrzeżenie Ticknera. Może ktoś po prostu podejdzie do samochodu i strzeli mi w głowę?

Zdawałem sobie sprawę z tego, że to bardzo prawdopodobne.

Kiedy zadzwonił telefon, podskoczyłem na fotelu. Przyłożyłem aparat do ucha i warknąłem nazbyt szybkie halo.

Mechaniczny głos powiedział:

— Podjedź do zachodniej bramy.

Zaskoczył mnie.

— Która z nich jest zachodnia?

— Kieruj się według znaków do wyjazdu na drogę numer cztery. Wjedź na estakadę. Obserwujemy cię. Jeśli ktoś będzie cię śledził, znikniemy. Trzymaj komórkę przy uchu.

Usłuchałem aż nazbyt gorliwie: prawą ręką przyciskałem aparat do ucha tak silnie, że zaczęło mi drętwieć. Lewą zaciskałem na kierownicy, jakbym chciał wyrwać ją z deski rozdzielczej.

— Wjedź na szosę numer cztery i kieruj się na zachód.

Skręciłem w prawo i dostałem się na autostradę. Spojrzałem w lusterko, sprawdzając, czy ktoś mnie śledzi. Trudno powiedzieć.

Mechaniczny głos rzekł:

— Zobaczysz mały pawilon handlowy.

— Tu jest milion małych pawilonów handlowych.

— Ten jest po prawej, obok sklepu z wózkami dla dzieci.

Naprzeciw wyjazdu na Paramus Road.

Ujrzałem go.

— W porządku.

— Skieruj się tam. Po lewej zobaczysz podjazd. Przejedź na tył budynku i zgaś silnik. Przygotuj pieniądze.

Natychmiast zrozumiałem, dlaczego porywacz wybrał to miejsce. Był tu tylko jeden wjazd. Wszystkie pawilony były do wynajęcia, oprócz tego z wózkami dla dzieci. A ten znajdował się daleko. Innymi słowy, to miejsce było jednocześnie odludne i położone tuż przy autostradzie. Nikt nie mógł tu niepostrzeżenie podjechać, a nawet zwolnić.

Miałem nadzieję, że federalni to rozumieją.

Kiedy dotarłem na tył budynku, zobaczyłem mężczyznę stojącego przy furgonetce. Miał na sobie flanelową koszulę w czerwono-czarną kratę, czarne dżinsy, ciemne okulary i czapeczkę baseballową z emblematem drużyny Yankee. Usiłowałem dostrzec jakieś znaki szczególne, ale przychodziło mi na myśl tylko jedno słowo: przeciętny. Przeciętnego wzrostu, przeciętnej budowy ciała. Tylko jego nos rzucał się w oczy. Nawet z daleka widziałem, że był zniekształcony jak u byłego boksera. Tylko czy był prawdziwy, czy też sztuczny? Nie potrafiłem orzec.

Przyjrzałem się furgonetce. Nosiła napis „B & T Electricians" z Ridgewood w stanie New Jersey. Żadnego numeru telefonu czy adresu. Tablica rejestracyjna z New Jersey. Zapamiętałem numer.

Mężczyzna podniósł do ust komórkę, jakby mówił do krótkofalówki. Usłyszałem mechaniczny głos.

— Zaraz podejdę. Podaj mi pieniądze przez okno. Nie wysiadaj z samochodu. Nie odzywaj się do mnie. Kiedy bezpiecznie odjedziemy z pieniędzmi, zadzwonię do ciebie i powiem ci,
gdzie znajdziesz córkę.

Mężczyzna w czerwono-czarnej flanelowej koszuli opuścił
rękę, w której trzymał telefon, i ruszył ku mnie. Koszulę
wypuścił na spodnie. Czy miał broń? Nie potrafiłem powiedzieć.
Nawet gdyby miał, co mogłem teraz zrobić? Nacisnąłem przycisk otwierający okno. Szyba nie drgnęła. Powinienem przekręcić kluczyk w stacyjce. Mężczyzna się zbliżał. Czapeczkę
naciągnął na czoło, tak że jej daszek dotykał górnej krawędzi
okularów. Przekręciłem kluczyk. Światełka na desce rozdzielczej się zapaliły. Ponownie nacisnąłem przycisk, opuszczając
szybę.

Po raz kolejny spróbowałem dostrzec jakieś charakterystycz-
ne cechy wyglądu porywacza. Szedł nieco chwiejnie, jakby
wypił drinka lub dwa, ale nie wyglądał na zdenerwowanego.
Policzki miał nieogolone, a zarost nieregularny. Brudne ręce.
Czarne dżinsy rozdarte na prawym kolanie. Jego sportowe
buty — kupione w sklepie Converse i sięgające za kostkę —
pamiętały lepsze czasy.

Kiedy mężczyzna był zaledwie dwa kroki od mojego samochodu, wystawiłem torbę za okno i czekałem w napięciu.
Wstrzymałem oddech. Nie zatrzymując się, mężczyzna chwycił
torbę i zawrócił do furgonetki. Przyspieszył kroku. Tylne drzwiczki otworzyły się, wskoczył do środka, a drzwi natychmiast
zamknęły się za nim, jakby furgonetka połknęła go żywcem.

Kierowca włączył silnik. Furgonetka ruszyła i dopiero teraz
zauważyłem tylną bramę prowadzącą na boczną drogę. Furgonetka pomknęła nią i znikła.

Zostałem sam.

Nie ruszałem się z miejsca, czekając, aż zadzwoni telefon.
Serce waliło mi jak młotem. Koszulę miałem mokrą od potu.
Żaden inny samochód nie zajechał na podjazd. Nawierzchnia
była popękana. Z pojemnika na śmieci wystawały kartonowe

pudła. Na ziemi walały się potłuczone butelki po piwie. Nie odrywałem od nich oczu, usiłując odczytać słowa na wyblakłych etykietach.

Minęło piętnaście minut.

Wciąż wyobrażałem sobie, jak odzyskuję córkę, jak znajduję ją, podnoszę, tulę i uspokajam łagodnymi słowami. Telefon komórkowy. Telefon komórkowy powinien zadzwonić. To było częścią tego, co sobie wyobrażałem. Dzwoni telefon, mechaniczny głos podaje mi wskazówki. Pierwszy i drugi z punktów tego scenariusza. Dlaczego ten przeklęty telefon nie dzwoni?

Buick le sabre wjechał na parking i zatrzymał się z dala ode mnie. Nie rozpoznałem kierowcy, ale obok niego siedział Tickner. Nasze spojrzenia się spotkały. Próbowałem coś wyczytać z jego wyrazu twarzy, ale wciąż demonstrował obojętność.

Znów wpatrzyłem się w telefon komórkowy, bojąc się oderwać od niego wzrok. I znowu słyszałem tykanie, teraz powolne i dudniące.

Upłynęło jeszcze dziesięć minut, zanim telefon niechętnie wydał z siebie cichutki pisk. Przycisnąłem go do ucha, zanim jeszcze dźwięk zdołał rozejść się wokół.

— Halo? — powiedziałem.

Nic.

Tickner uważnie mnie obserwował. Lekko skinął mi głową, nie wiadomo dlaczego. Jego kierowca wciąż trzymał obie dłonie na kierownicy, na dziesiątej i drugiej godzinie.

— Halo? — spróbowałem ponownie.

Mechaniczny głos powiedział:

— Ostrzegałem cię, żebyś nie zawiadamiał glin.

Krew zmieniła mi się w lód.

— Nie będzie drugiej szansy.

A potem telefon zamilkł.

6

Nie było ucieczki.

Chciałem zapomnieć o wszystkim i znów leżeć nieprzytomny w szpitalu. Chciałem, żeby znowu podano mi ten środek znieczulający w kroplówce. Miałem wrażenie, że zdarto ze mnie skórę. Jakby zostały odsłonięte. Odczuwałem wszystko z bolesną intensywnością.

Byłem przerażony i bezradny. Strach zamknął mnie w izolatce, a bezsilność — ta straszna świadomość, że zawiodłem i nic nie mogę zrobić, żeby pomóc mojemu dziecku — wpakowała mnie w kaftan bezpieczeństwa i zgasiła światło. Być może zaczynałem powoli tracić zmysły.

Dni płynęły powoli w gęstej jak syrop mgle. Przeważnie tkwiłem przy telefonie — a właściwie kilku telefonach. Domowym, komórkowym i aparacie przysłanym mi przez porywacza. Kupiłem do niego ładowarkę, żeby komórka nadal działała. Siedziałem na kanapie. Telefony miałem pod ręką. Próbowałem nie patrzeć na nie cały czas, a nawet oglądać telewizję, gdyż pamiętałem stare powiedzenie o czajniku, w którym woda nigdy się nie zagotuje. Mimo to wciąż zerkałem na te przeklęte telefony, jakbym obawiał się, że jakimś cudem znikną, siłą woli usiłując zmusić je do dzwonienia.

Ponownie próbowałem wykorzystać tę nadprzyrodzoną więź

między ojcem a córką, tę, która przedtem kazała mi wierzyć, że Tara nadal żyje. Wydawało mi się, że wciąż wyczuwam jej puls (a przynajmniej tak sobie wmawiałem), lecz teraz znacznie słabszy.

„Nie będzie drugiej szansy".

Moje poczucie winy pogłębiał fakt, że zeszłej nocy śniłem nie o Monice, lecz o innej kobiecie — mojej dawnej miłości, Rachel. Był to jeden z tych przedziwnych snów, w których przenosisz się do zupełnie innego i nierealnego świata, a mimo to przyjmujesz tę wizję bez zastrzeżeń. Rachel i ja pozostaliśmy razem. Nigdy nie zerwaliśmy ze sobą, a mimo to byliśmy rozdzieleni przez ten cały okres. Ja miałem trzydzieści cztery lata, lecz ona nie postarzała się od tamtego dnia, kiedy mnie opuściła. W tym śnie Tara wciąż była moją córką — i wcale nie została porwana — lecz w jakiś sposób była również dzieckiem Rachel, choć ona nie była jej matką. Na pewno miewacie takie sny. Wszystko w nich jest bez sensu, a jednak nie kwestionujecie tego, co widzicie. Kiedy się obudziłem, sen rozwiał się jak dym, jak to zwykle bywa z takimi snami. Pozostał mi tylko niepokój i niespodziewanie silna tęsknota.

Moja matka za bardzo przy mnie skakała. Właśnie postawiła przede mną następną tacę z jedzeniem. Zignorowałem je, a mama po raz tysięczny powtórzyła swoją mantrę:

— Musisz zachować siłę, dla Tary.

— Pewnie, mamo, siła jest najważniejsza. Może jeśli zrobię milion pompek, to ją nam przywróci.

Mama pokręciła głową, nie dając się sprowokować. Zachowywałem się okropnie. Przecież ona także cierpiała. Jej wnuczka zaginęła, a syn był w straszliwym stanie. Westchnęła i wróciła do kuchni. Nie przeprosiłem.

Tickner i Regan często mnie odwiedzali. Na ich widok przypominał mi się cytat z Szekspira, ten o wrzawie i gniewie, które nic nie znaczą. Opowiadali mi o rozmaitych cudach techniki, jakie wykorzystywano do poszukiwań Tary: o badaniach DNA, odciskach palców, kamerach wideo na lotniskach, dworcach kolejowych i kasach na autostradach, o bazach danych i laboratoriach. Rzucali takimi wypróbowanymi banałami, jak „szukamy wszędzie" i „sprawdzamy wszelkie możliwości". Potakiwałem. Kazali mi oglądać katalogi zdjęć, lecz na żadnym z nich nie było porywacza we flanelowej koszuli.

— Sprawdziliśmy B & T Electricians — powiedział mi pierwszego wieczoru Regan. — Firma istnieje, jej samochody mają znaki przyczepiane za pomocą magnesów, można więc je odczepić. Ktoś ukradł im jeden przed dwoma miesiącami. Uznali, że nie warto zgłaszać kradzieży.

— A co z tablicą rejestracyjną? — zapytałem.

— Numer, który nam pan podał, nie istnieje.

— Jak to?

— Wykorzystali dwie stare tablice rejestracyjne — wyjaśnił Regan. — Widzi pan, po prostu przecięli je na pół, a potem zespawali lewą połowę jednej z prawą połową drugiej.

Popatrzyłem na niego ze zdumieniem.

— Ten fakt rodzi pewne nadzieje — dodał Regan.

— Ach tak?

— To oznacza, że mamy do czynienia z zawodowcami. Wiedzieli, że jeśli nas pan zawiadomi, obstawimy supermarket. Znaleźli takie miejsce, do którego nie mogliśmy się zbliżyć niepostrzeżenie. Podrzucili nam fałszywe tropy, używając kradzionego oznakowania i zespawanych tablic rejestracyjnych. Jak już powiedziałem, to fachowcy.

— A dlaczego miałoby to...?

— Zawodowcy zazwyczaj unikają rozlewu krwi.

— Tylko co teraz robią?

— Naszym zdaniem — rzekł Regan — starają się pana zmiękczyć, żeby zażądać więcej pieniędzy.

Zmiękczyć mnie. Udało im się to.

Mój teść zadzwonił do mnie po fiasku z dostarczeniem okupu. W głosie Edgara słyszałem rozczarowanie. Nie chcę, żeby zabrzmiało to nieuprzejmie — to Edgar dostarczył pieniądze i jasno dał do zrozumienia, że zrobi to ponownie — lecz sprawiał wrażenie rozczarowanego nie tyle niepowodzeniem, co moją osobą, a konkretnie tym, że nie usłuchałem jego rady i zawiadomiłem policję.

Oczywiście, miał rację. Spaprałem sprawę.

Usiłowałem brać udział w śledztwie, ale policja nie zamierzała do tego dopuścić. W filmach przedstawiciele organów ścigania współpracują i dzielą się informacjami z ofiarą. Oczywiście, zadałem Ticknerowi i Reganowi wiele pytań związanych ze sprawą. Nie odpowiadali na nie. Nigdy nie omawiali ze mną wyników śledztwa. Moje wysiłki traktowali niemal wzgardliwie. Na przykład chciałem się dowiedzieć więcej na temat tego, w jakim stanie znaleziono moją żonę i dlaczego była naga. Napotkałem mur milczenia.

Lenny często bywał w moim domu. Miał kłopoty ze spoglądaniem mi w oczy, gdyż on też winił się za to, że poradził mi zawiadomić policję. (Na twarzach Regana i Ticknera poczucie winy z powodu tego, że wszystko tak źle się potoczyło, mieszało się z niepokojem wywołanym myślą, iż może to ja, zbolały ojciec i mąż, od początku za tym stałem). Chcieli wiedzieć wszystko o nieudanym małżeństwie z Monicą. O zaginionej trzydziestce ósemce. Było dokładnie tak, jak przewidział Lenny. W miarę jak płynął czas, policja coraz bardziej skupiała zainteresowanie na jedynym podejrzanym, jaki był pod ręką.

Czyli na mnie.

Po tygodniu policjanci i agenci zaczęli zjawiać się rzadziej. Tickner i Regan nie wpadali już tak często. Podczas wizyt zerkali na zegarki. Przepraszali i odbierali telefony związane z innymi sprawami, jakie prowadzili. Oczywiście, rozumiałem to. Nie było żadnych nowych tropów. Śledztwo utknęło w miejscu. Jakaś cząstka mojej świadomości przyjęła to z ulgą.

A potem, dziewiątego dnia, wszystko się zmieniło.

O dziesiątej zacząłem się rozbierać i szykować do łóżka. Lubię moją rodzinę i przyjaciół, lecz oni także zdali sobie sprawę z tego, że potrzebuję odrobiny samotności. Wszyscy wyszli przed kolacją. Zamówiłem posiłek w chińskiej restauracji i stosując się do wcześniejszych zaleceń mamy, zjadłem, żeby mieć siłę.

Spojrzałem na budzik umieszczony na nocnej szafce. Dlatego wiedziałem, że była dokładnie 22:18. Stanąłem przy oknie i bez szczególnego zainteresowania przez nie popatrzyłem. Omal nie przeoczyłem jej w mroku, ale coś przykuło mój wzrok. Drgnąłem i spojrzałem uważniej.

Zobaczyłem kobietę, która nieruchomo jak posąg stała na chodniku i gapiła się na mój dom. A przynajmniej tak mi się zdawało. Nie miałem co do tego pewności. Jej twarz skrywał mrok. Miała długie włosy — tyle zdołałem zauważyć, patrząc na jej sylwetkę — i długi płaszcz. Ręce trzymała w kieszeniach.

Po prostu tam była.

Nie wiedziałem, co o tym myśleć. Oczywiście, media informowały o strzelaninie i porwaniu. Reporterzy wciąż kręcili się wokół. Rozejrzałem się po ulicy. Żadnych samochodów, furgonetek telewizji, niczego. Kobieta przyszła, nie przyjechała. W tym też nie było niczego niezwykłego. Mieszkam w podmiejskiej dzielnicy. Ludzie wciąż tu spacerują, zazwyczaj z pieskami, sami lub z małżonkami. Widok samotnie przechadzającej się kobiety nie był czymś nadzwyczajnym.

Tylko dlaczego przystanęła?

Pomyślałem, że z niezdrowej ciekawości.

Wydawało się, że jest wysoka, lecz patrząc z góry i tego nie mogłem być pewien. Zastanawiałem się, co robić. Zimny dreszcz niepokoju przeszedł mi po plecach. Złapałem bluzę od dresu i włożyłem na górę od piżamy. Potem pospiesznie wciągnąłem spodnie. Znów wyjrzałem przez okno. Kobieta drgnęła.

Zauważyła mnie.

Odwróciła się i zaczęła pospiesznie odchodzić. Zaparło mi dech. Spróbowałem otworzyć okno. Zacięło się. Uderzyłem w ramę, żeby je poluzować i spróbowałem ponownie. Niechętnie dało się uchylić na dwa centymetry. Przysunąłem usta do szpary.

— Zaczekaj!

Przyspieszyła kroku.

— Proszę, zaczekaj chwilę.

Zaczęła biec. Do diabła. Odwróciłem się i rzuciłem do drzwi. Nie wiedziałem, gdzie są moje kapcie, a nie miałem czasu zakładać butów. Wypadłem na zewnątrz. Trawa łaskotała mnie w stopy. Pobiegłem w tym kierunku, w którym oddaliła się nieznajoma. Chciałem ją dogonić, ale nie zdołałem.

Wróciłem do domu, zadzwoniłem do Regana i powiedziałem mu, co się stało. Nawet w moich uszach zabrzmiało to idiotycznie. Jakaś kobieta zatrzymała się przed domem. Wielkie rzeczy. Oczywiście, na Reganie nie zrobiło to większego wrażenia. Powiedziałem sobie, że to nic takiego, po prostu wścibska sąsiadka. Położyłem się do łóżka, włączyłem telewizję i w końcu zamknąłem oczy.

Jednak ta noc jeszcze się nie skończyła.

Była czwarta rano, kiedy zadzwonił telefon. Wyrwał mnie ze stanu, jaki obecnie nazywam snem. Teraz nigdy nie zasypiam naprawdę. Po prostu leżę z zamkniętymi oczami. Noce niewiele różnią się od dni. Oddziela je najcieńsza z granic. W nocy moje ciało odpoczywa, ale mózg nie chce się wyłączyć.

Leżąc z zamkniętymi oczami, po raz tysięczny odtwarzałem w myślach tamten ranek przed napadem, mając nadzieję, że przypomnę sobie coś nowego. Zacząłem od tego miejsca, gdzie byłem teraz: od sypialni. Pamiętałem, że zadzwonił budzik. Tamtego ranka umówiłem się z Lennym na squasha. Już od roku grywaliśmy w każdą środę i doszliśmy do tego, że nasz poziom z żałosnego zmienił się w prawie znośny. Monica zbudziła się wcześniej i brała prysznic. O jedenastej rano miałem operować. Wstałem i zajrzałem do Tary. Potem ruszyłem z powrotem do sypialni. Monica wyszła z łazienki i wkładała dżinsy. Poszedłem do kuchni, wciąż ubrany w piżamę, otworzyłem szafkę stojącą na prawo od zamrażarki Westinghouse'a, wyjąłem malinowo-jeżynowy batonik z muesli (o czym niedawno opowiadałem Reganowi, jakby to było istotne) i nachyliłem się nad zlewem, jedząc...

Bach — i tyle. Obudziłem się w szpitalu.

Telefon zadzwonił po raz drugi. Otworzyłem oczy.

Namacałem aparat. Podniosłem słuchawkę i powiedziałem:

— Halo?

— Tu detektyw Regan. Jest ze mną agent Tickner. Będziemy u pana za dwie minuty.

Przełknąłem ślinę.

— Co się stało?

— Za dwie minuty.

Rozłączył się.

Wstałem z łóżka. Zerknąłem za okno, niemal spodziewając się, że znów zobaczę kobietę. Przed domem nie było nikogo. Na podłodze leżały dżinsy, które zdjąłem wieczorem. Włożyłem je. Wciągnąłem przez głowę sweter i zszedłem po schodach na parter. Otworzyłem frontowe drzwi i wyjrzałem. Zza rogu wyjechał radiowóz. Prowadził Regan. Tickner siedział obok niego. Chyba po raz pierwszy zobaczyłem ich w jednym samochodzie.

Wiedziałem, że nie przywożą dobrych wieści.

Obaj wysiedli z wozu. Poczułem mdłości. Przygotowywałem się na tę chwilę od czasu fiaska, jakim zakończyło się przekazanie okupu. Do tego stopnia, że wyobraziłem sobie całą tę sytuację: jak przekazują mi tę okropną wiadomość, a ja kiwam głową, dziękuję im i przepraszam. Przewidziałem, jak zareaguję. Dokładnie wiedziałem, jak będzie.

Teraz jednak na widok idących w moim kierunku policjantów wszystkie te przygotowania okazały się daremne. Wpadłem w panikę. Zacząłem się trząść. Ledwie mogłem ustać na nogach. Kolana się pode mną uginały i musiałem oprzeć się o futrynę. Regan i Tickner szli noga w nogę. Przypomniał mi się stary film wojenny, scena, w której oficerowie z poważnymi minami przychodzą do domu poległego żołnierza. Potrząsnąłem głową, żeby odpędzić tę wizję.

Dotarli do drzwi i weszli do środka.

— Chcemy coś panu pokazać — powiedział Regan.

70

Odwróciłem się i podążyłem za nimi. Regan zapalił lampę, lecz ta miała słabą żarówkę. Tickner podszedł do kanapy. Otworzył laptopa. Ekran rozjaśnił się, oblewając go niebieskawą poświatą.

— W śledztwie nastąpił przełom — wyjaśnił Regan.

Podszedłem bliżej.

— Pański teść dostarczył nam spis numerów seryjnych banknotów, które przekazano porywaczom, pamięta pan?

— Tak.

— Jeden z tych banknotów wczoraj po południu pojawił się w banku. Agent Tickner pokaże panu nagranie wideo.

— Z banku? — spytałem.

— Tak. Przegraliśmy zapis na twardy dysk laptopa. Przed dwunastoma godzinami ktoś przyniósł do banku studolarowy banknot i rozmienił go na mniejsze nominały. Chcemy, żeby obejrzał pan to nagranie.

Usiadłem obok Ticknera. Nacisnął klawisz. Spodziewałem się czarno-białego i ziarnistego nagrania kiepskiej jakości. Wcale takie nie było. Umieszczona w górze kamera zarejestrowała wyraźny obraz, w aż nazbyt żywych kolorach. Jakiś łysy rozmawiał z kasjerem. Nie było dźwięku.

— Nie znam go — powiedziałem.

— Chwileczkę.

Łysy powiedział coś do kasjera. Najwidoczniej obaj zaśmiali się z jakiegoś żartu. Klient wziął pasek papieru i pomachał kasjerowi na pożegnanie. Ten odpowiedział mu tym samym. Do okienka podeszła następna osoba. Usłyszałem swój jęk.

To była moja siostra, Stacy.

Nagle ogarnęło mnie odrętwienie, za którym tak bardzo tęskniłem. Nie wiem dlaczego. Może dlatego, że jednocześnie miotały mną dwie przeciwstawne emocje. Po pierwsze, zgroza. Zrobiła mi to własna siostra. Siostra, którą szczerze kochałem, zdradziła mnie. Po drugie, nadzieja. Teraz zaświtała mi odrobina nadziei. Mieliśmy nowy trop. Jeśli zrobiła to Stacy, to nie wierzyłem, że mogłaby skrzywdzić Tarę.

— Czy to pana siostra? — zapytał Regan, wskazując palcem na ekran.

— Tak. — Spojrzałem na niego. — Gdzie zarejestrowano to nagranie?

— W okręgu Catskills — powiedział. — W miasteczku...

— Montague — dokończyłem za niego.

Tickner i Regan popatrzyli po sobie.

— Skąd pan wie?

Ja jednak już zmierzałem do drzwi.

— Wiem, gdzie ona jest.

7

Dziadek uwielbiał polować. Zawsze mnie to dziwiło, gdyż był takim spokojnym, łagodnie mówiącym człowiekiem. Nie rozmawiał o tej swojej pasji. Nie wieszał jelenich łbów na ścianie nad kominkiem. Nie zbierał zdjęć trofeów, poroży ani żadnych innych pamiątek, jakie lubią przechowywać myśliwi. Nie polował z przyjaciółmi ani członkami rodziny. Dla mojego dziadka polowanie było czymś, co robi się w samotności. Nie wyjaśniał tego, nie uzasadniał i nie dzielił się swoimi poglądami z innymi

W 1956 roku dziadek kupił mały domek w okręgu łowieckim Montague w stanie Nowy Jork. Ta chata kosztowała — przynajmniej tak mi powiedziano — niecałe trzy tysiące dolarów. Wątpię, czy dzisiaj dostałoby się za nią więcej. Miała tylko jedną sypialnię. Wyglądała jak zwyczajny wiejski dom, lecz pozbawiony uroku, jaki kojarzy się z tym określeniem. Trudno było tam trafić, a prowadząca do niej żwirowa droga kończyła się dwieście metrów wcześniej. Ten ostatni odcinek trzeba było przejść wijącą się między drzewami ścieżką.

Kiedy dziadek umarł przed czterema laty, domek odziedziczyła babcia. A przynajmniej tak sądziłem. Nikt specjalnie się nad tym nie zastanawiał. Moi dziadkowie prawie dziesięć lat wcześniej przeprowadzili się na Florydę. Teraz babcia pogrążyła się w mrocznych odmętach Alzheimera. Domyślałem się, że ten stary domek jest częścią jej majątku. Zapewne od dawna nie płaciła za niego podatku ani czynszu.

Kiedy moja siostra i ja byliśmy dziećmi, każdego lata spędzaliśmy w tym domku jeden weekend z dziadkami. Nie lubiłem tego. Obcowanie z naturą było dla mnie potwornym nudziarstwem, urozmaicanym jedynie przez ataki moskitów. Nie było tu telewizora. Zbyt szybko robiło się ciemno i za wcześnie chodziliśmy spać. W dzień głęboką ciszę za często przerywały dudniące echa wystrzałów. Przez większość czasu spacerowaliśmy, czego do dziś nie lubię. Pewnego roku matka zapakowała mi same ubrania khaki. Przez dwa dni bałem się, że jakiś myśliwy omyłkowo weźmie mnie za jelenia.

Natomiast Stacy znajdowała tu spokój. Nawet gdy była mała, zdawała się odżywać z daleka od szkolnego wyścigu szczurów i dodatkowych zajęć, sportu i gwaru. Mogła godzinami chodzić po lesie. Zbierała liście i chrząszcze. Z upodobaniem stąpała po grubym dywanie sosnowych igieł.

Opowiedziałem o domku Ticknerowi i Reganowi, gdy pędziliśmy osiemdziesiątą siódmą autostradą. Tickner połączył się przez radio z policją w Montague. Wciąż pamiętałem, jak trafić do domku, ale trudno mi było opisać drogę. Zrobiłem to najlepiej, jak potrafiłem. Regan prawie nie zdejmował nogi z pedału gazu. Była czwarta trzydzieści rano. Na szosie nie było ruchu i nie musiał włączać syreny. Dotarliśmy do zjazdu numer szesnaście z nowojorskiej obwodnicy, a potem przemknęliśmy obok Woodbury Common Outlet Center.

W oddali ujrzałem skraj lasu. Już niedaleko. Wyjaśniłem Reganowi, gdzie ma skręcić. Samochód piął się w górę i zjeżdżał po pochyłościach drogi, która w ciągu ostatnich trzech dziesięcioleci wcale nie zmieniła się na lepsze.

Po piętnastu minutach znaleźliśmy się na miejscu.

Stacy.

Moja siostra nigdy nie była szczególnie atrakcyjna. Być może częściowo na tym polegał jej problem. Owszem, wiem, że to brzmi idiotycznie. Bo to jest głupie. Mimo to upieram się przy tym twierdzeniu. Nikt nigdy nie zaprosił Stacy na randkę. Nie zadzwonił do niej chłopak. Miała mało przyjaciółek. Oczywiście, wiele nastolatek przeżywa podobne kłopoty. Dorastanie jest jak wojna: nikt nie wychodzi z tego nietknięty. A ponadto choroba ojca była dla nas ciężkim brzemieniem. To jednak nie jest żadnym usprawiedliwieniem.

Patrząc wstecz, znając wszystkie te teorie i psychoanalizy, biorąc pod uwagę jej urazy z dzieciństwa, uważam, że problemy z moją siostrą miały znacznie prostszy powód. Ich przyczyną były jakieś zaburzenia chemii mózgu. Zbyt dużo jednego związku, za mało innego. Nie rozpoznaliśmy w porę objawów. Stacy wpadła w depresję w okresie, kiedy takie zachowanie bierze się za humory nastolatki. A może w ten sposób usiłuję usprawiedliwić swoją obojętność. Stacy była moją niezrównoważoną młodszą siostrą. Miałem własne problemy i nie zamierzałem się tym przejmować. Byłem samolubnym nastolatkiem — to określenie chyba najlepiej oddaje sytuację.

Tak czy inaczej, bez względu na to, czy depresja mojej siostry miała podłoże fizjologiczne, psychologiczne, czy była wystudiowaną pozą, podróż Stacy po równi pochyłej w dół właśnie się zakończyła.

Moja młodsza siostra nie żyła.

Znaleźliśmy ją na podłodze, zwiniętą w pozycji embrionalnej. Tak sypiała, kiedy była dzieckiem: z kolanami podciągniętymi pod brodę. Teraz jednak, chociaż nie widziałem żadnych ran na jej ciele, wiedziałem, że nie śpi. Nachyliłem się. Stacy miała otwarte oczy. Patrzyły prosto na mnie, nieruchomo, pytająco. Wciąż wyglądała na zagubioną. Tak nie powinno być. Śmierć powinna dawać ukojenie, przynosić spokój, jakiego nie zaznaje się za życia. Zadawałem sobie pytanie, dlaczego Stacy wciąż wygląda na zagubioną.

Na podłodze obok leżała strzykawka, jej towarzyszka życia i śmierci. Oczywiście, narkotyk. Przedawkowanie przypadkowe lub zamierzone, jeszcze nie wiedziałem. I nie miałem czasu się nad tym zastanawiać. Policjanci rozeszli się po domku. Oderwałem oczy od zwłok.

Tara.

W domku panował bałagan. Szopy dostały się do środka i zadomowiły. Kanapa, na której drzemał mój dziadek, zawsze z rękami założonymi na piersi, była rozdarta. Wyściółka wysypała się na podłogę. Sprężyny sterczały, patrząc, kogo by ukłuć. Wszędzie unosił się smród uryny i gnijącego mięsa.

Zastygłem, nasłuchując płaczu dziecka. Nie usłyszałem. Nie dostrzegłem żadnego śladu obecności Tary. Poza główną izbą w domku był tylko jeszcze jeden pokój. Wpadłem do sypialni w ślad za policjantem. W środku było ciemno. Nacisnąłem włącznik. Nic. Promienie latarek jak ostrza szabel przecinały ciemność. Rozejrzałem się wokół. Kiedy to zobaczyłem, o mało nie wybuchnąłem płaczem.

Zobaczyłem kojec.

Jeden z tych nowoczesnych kojców ze ściankami z siatki, które można składać, co ułatwia transport. Monica i ja właśnie taki kupiliśmy. Nie znam rodziców małego dziecka, którzy nie mieliby takiego kojca. Na jednym z boków wciąż wisiała metka. Widocznie był nowy.

Łzy nabiegły mi do oczu. Światło latarki przesunęło się po siatce, dając stroboskopowy efekt. Kojec był pusty. Iskierka nadziei zgasła. Mimo to podbiegłem na wypadek, gdybym nie dostrzegł jej w słabym świetle, gdyby Tara spała tam słodko, ledwie widoczna pod przykryciem.

Jednak w środku był tylko kocyk.

Z drugiego końca pomieszczenia doleciał cichy głos, jak ze strasznego, powtarzającego się koszmarnego snu.

— O Chryste!

Obróciłem głowę w tym kierunku. Głos odezwał się ponownie, tym razem ciszej.

— Tutaj — powiedział policjant. — W szafie.

Tickner i Regan już tam byli. Obaj zajrzeli do środka. Nawet w tym słabym świetle zdołałem dostrzec, że obaj zbledli.

Chwiejnie powlokłem się naprzód. Przeszedłem przez pokój i o mało nie upadłem. W ostatniej chwili złapałem się klamki otwartych drzwi i odzyskałem równowagę. Zajrzałem do środka. Patrząc na rozdarty materiał, miałem wrażenie, że wszystko we mnie nagle wyschło i rozsypało się w proch.

Na podłodze leżał różowy śpioszek w czarne pingwiny, podarty i porzucony.

Osiemnaście miesięcy później

Lydia zauważyła wdowę siedzącą samotnie przy oknie u Starbucksa. Przycupnęła na stołku, z roztargnieniem spoglądając na wolno przemieszczających się przechodniów. Jej kawa stała przy szybie, a unosząca się z filiżanki para tworzyła krąg na szkle. Lydia obserwowała ją przez chwilę. Ślady nieszczęścia wciąż były widoczne: to znużone walką, nieobecne spojrzenie, zgarbione ramiona, matowe włosy, drżenie rąk.

Lydia zamówiła dużą kawę ze śmietanką, z dodatkową porcją naparu. Barman, nazbyt chudy młodzian z kozią bródką, wzmocnił kawę „na koszt firmy". Mężczyźni, nawet tacy młodzi jak ten, często robili takie rzeczy dla Lydii. Zsunęła okulary i podziękowała mu. O mało się nie posikał. Ci mężczyźni.

Ruszyła w kierunku stolika pod oknem, dobrze wiedząc, że barman wpatruje się w jej tyłek. Do tego też była przyzwyczajona. Wsypała słodzik do kawy. U Starbucksa było prawie pusto, ale Lydia zajęła stołek tuż przy oknie. Wyczuwając jej obecność, wdowa drgnęła, wyrwana z zadumy.

— Wendy? — zagadnęła Lydia.

Wendy Burnet, wdowa, odwróciła się do właścicielki łagodnego głosu.

— Składam ci wyrazy współczucia — powiedziała Lydia.

Uśmiechnęła się. Wiedziała, że ma ciepły uśmiech. Uszyta na zamówienie szara garsonka ciasno opinała jej zgrabną sylwetkę. Spódniczka była dość wysoko rozcięta. Biznesowo--seksowne. Jej oczy miały wilgotny połysk, nos mały i lekko zadarty. Włosy rude i kręcone, ale to w każdej chwili mogło się zmienić i często się zmieniało.

Wendy Burnet wpatrywała się na nią, aż Lydia zaczęła się zastanawiać, czy ją poznaje. Często widywała takie spojrzenie, tę niepewną minę typu „wiem, że skądś cię znam", chociaż nie występowała w telewizji, od kiedy skończyła trzynaście lat. Niektórzy ludzie nawet dodawali: „Hej, czy pani wie, do kogo jest pani podobna?", lecz Lydia — która niegdyś występowała jako Larissa Dane — zbywała to wzruszeniem ramion.

Niestety, to wahanie miało inny charakter. Wendy Burnet wciąż była wstrząśnięta straszliwą śmiercią ukochanego. Po prostu potrzebowała chwili czasu, żeby ogarnąć i zrozumieć sytuację. Zapewne zastanawiała się, jak powinna zareagować, czy udać, że zna Lydię, czy też nie.

Po kilku następnych sekundach Wendy Burnet wybrała niezachęcające:

— Dziękuję.

— Biedny Jimmy — dodała Lydia. — Cóż za okropna historia.

Wendy niezręcznie podniosła papierowy kubek i pociągnęła łyk. Lydia zerknęła na znaczki z boku kubka i stwierdziła, że wdowa Wendy również zamówiła dużą kawę, chociaż bezkofeinową i z sojowym mleczkiem. Lydia przysunęła się bliżej.

— Nie wiesz, kim jestem, prawda?

Wendy posłała jej nikły uśmiech, mówiący „tu mnie masz".

— Przykro mi.

— Niepotrzebnie. Nie sądzę, żebyśmy się spotkały.

Wendy czekała, aż Lydia się przedstawi. Kiedy tego nie zrobiła, Wendy powiedziała:

— A więc znała pani mojego męża?

— Och tak.

— Czy pani też pracuje w ubezpieczeniach?

— Nie, obawiam się, że nie.

Wendy zmarszczyła brwi. Lydia popijała kawę. Milczenie stawało się niezręczne, przynajmniej dla Wendy. Lydii wcale nie przeszkadzało. Gdy stało się nie do zniesienia, Wendy wstała.

— No cóż — powiedziała. — Miło było panią spotkać.

— Ja... — zaczęła Lydia i zamilkła, aż nabrała pewności, że skupiła na sobie całą uwagę Wendy. — Byłam ostatnią osobą, która widziała Jimmy'ego żywego.

Wendy zastygła. Lydia upiła kolejny łyk i zamknęła oczy.

— Słodka i mocna — powiedziała, wskazując na kubek. — Smakuje mi ich kawa, a tobie?

— Czy powiedziała pani, że...?

— Proszę — rzekła Lydia i skinęła ręką — usiądź przy mnie, to wszystko wyjaśnię.

Wendy zerknęła na barmanów. Byli zajęci gestykulowaniem i narzekaniem na świat, który ich zdaniem sprzysiągł się, żeby nie dać im tego, co im się słusznie należy. Wendy usiadła ciężko na stołku. Przez chwilę Lydia tylko na nią patrzyła. Wendy usiłowała skupić na niej wzrok.

— Widzisz — powiedziała Lydia, posyłając jej szeroki, ciepły uśmiech i nachylając się do niej — to ja zabiłam twojego męża.

Wendy pobladła.

— To nie jest zabawne.

— Owszem, to prawda, muszę się z tobą zgodzić. Jednak to wcale nie miało być śmieszne. A może wolałabyś usłyszeć jakiś żart? Zapisałam się do jednej z tych internetowych grup, których członkowie przesyłają sobie dowcipy. Przeważnie kiepskie, ale czasem trafia się naprawdę niezły.

Wendy była oszołomiona.

— Kim pani jest, do diabła?

— Uspokój się, Wendy.

— Chcę wiedzieć...

— Cii! — Lydia bezceremonialnie przycisnęła palec do ust Wendy. — Daj mi wyjaśnić, dobrze?

Wargi Wendy drżały. Lydia jeszcze przez moment nie odejmowała palca.

— Jesteś wzburzona. Rozumiem to. Pozwól, że coś ci wyjaśnię. To fakt, że wpakowałam kulę w głowę Jimmy'ego. Jednak Heshy... — Lydia wskazała na stojącego przed restauracją ogromnego mężczyznę o nieforemnej czaszce — poturbował go wcześniej. Osobiście uważam, że oddałam Jimmy'emu przysługę, strzelając do niego.

Wendy wytrzeszczała oczy, oniemiała.

— Chcesz wiedzieć dlaczego, prawda? Oczywiście, że chcesz. Myślę jednak, Wendy, że w głębi duszy wiesz. Jesteśmy dorosłymi kobietami, prawda? Znamy mężczyzn.

Wendy nie odpowiedziała.

— Wiesz, o czym mówię?

— Nie.

— Na pewno wiesz, ale i tak to powiem. Jimmy, twój świętej pamięci małżonek, był winien sporo pieniędzy pewnym bardzo nieprzyjemnym ludziom. Na dziś jest to dwieście tysięcy dolarów. — Lydia uśmiechnęła się. — Chyba nie zamierzasz udawać, że nic nie wiesz o hazardowych długach twojego męża, co?

Wendy z trudem zdołała wykrztusić:

— Nie rozumiem...

— Mam nadzieję, że to niezrozumienie nie jest związane z moją płcią?

— Co?

— To byłby przykład ciasnych horyzontów i seksizmu, nie uważasz? Mamy dwudziesty pierwszy wiek. Kobiety mogą robić, co chcą.

— To ty... — Wendy urwała i spróbowała ponownie: — Ty zamordowałaś mojego męża?

— Czy często oglądasz telewizję, Wendy?

— Co takiego?

— Telewizję. Widzisz, jeśli w telewizji ktoś taki jak twój mąż jest winien pieniądze komuś takiemu jak ja, to co się dzieje?

Lydia patrzyła na nią, jakby naprawdę oczekiwała odpowiedzi. W końcu Wendy powiedziała:

— Nie wiem.

— Na pewno wiesz, ale ponownie odpowiem za ciebie. Ktoś taki jak ja — w porządku, zazwyczaj mój męski odpowiednik — zostaje wysłany, żeby przycisnął dłużnika. Potem mój wspólnik Heshy bije go lub łamie mu nogę albo robi inną krzywdę. Jednak nigdy nie zabija dłużnika. To jedna z żelaznych reguł, jakimi kierują się źli faceci w telewizji. „Nie można wydusić forsy z martwego". Słyszałaś to powiedzenie, no nie, Wendy?

Czekała. Po chwili Wendy powiedziała:

— Chyba tak.

— No widzisz, ale to nieprawda. Na przykład weźmy Jimmy'ego. Twój mąż był chory. Był nałogowym hazardzistą. Mam rację? Przez to straciliście wszystko, no nie? Firmę ubezpieczeniową. Należała do twojego ojca. Jimmy ją przejął. Już jej nie ma. Splajtowała. Bank był gotowy zająć wasz dom. Tobie i twoim dzieciom ledwie starczało na życie. A Jimmy mimo to nie potrafił z tym skończyć. — Lydia potrząsnęła głową. — Ach, ci mężczyźni.

Wendy miała łzy w oczach. Kiedy po chwili odzyskała głos, był niewiele głośniejszy od szeptu.

— Więc go zabiłaś?

Lydia wzniosła oczy w górę i lekko pokręciła głową.

— Chyba nie wyjaśniam tego dostatecznie jasno, co? — Spojrzała na rozmówczynię i spróbowała jeszcze raz. — Czy słyszałaś kiedyś powiedzenie, że nie można wycisnąć krwi z kamienia?

Znów czekała na odpowiedź. Wendy w końcu skinęła głową. Lydia wyglądała na zadowoloną.

— To właśnie jeden z takich przypadków. Ten z Jimmym. Mogłam kazać Heshy'emu, żeby nad nim popracował. Heshy jest w tym dobry. Tylko co by to dało? Jimmy nie miał takich pieniędzy. I nigdy nie zdołałby zdobyć takiej sumy. — Lydia wyprostowała się i podniosła palec. — A teraz, Wendy, chcę, żebyś pomyślała jak biznesmen... przepraszam, jak kobieta interesu. Nie musimy być zażartymi feministkami, ale dlaczego nie miałybyśmy domagać się respektowania naszych równych praw?

Lydia znowu uśmiechnęła się do Wendy, która się skuliła.

— No dobrze, cóż więc powinnam zrobić jako mądra kobieta interesu? Oczywiście, nie mogę pozwolić na to, żeby dług pozostał niespłacony. W moim fachu byłoby to zawodowe samobójstwo. Ktoś jest winien pieniądze mojemu pracodawcy i musi je zwrócić. Nie ma innego wyjścia. Rzecz w tym, że Jimmy nie miał ani centa, tylko... — Lydia urwała i uśmiechnęła się jeszcze szerzej. — Tylko żonę i troje dzieci. A kiedyś miał firmę ubezpieczeniową. Rozumiesz, do czego zmierzam, Wendy?

Wendy bała się oddychać.

— Och, myślę, że tak, ale i tym razem odpowiem za ciebie. Ubezpieczenie. Ściśle mówiąc, polisę na życie. Jimmy miał polisę ubezpieczeniową. Nie przyznał się do tego od razu, ale w końcu... no cóż, Heshy potrafi być bardzo przekonujący. — Wendy zerknęła w kierunku okna. Lydia skryła uśmiech satysfakcji, widząc, że kobieta zadrżała. — Prawdę mówiąc, Jimmy powiedział nam, że miał dwie polisy, opiewające na prawie milion dolarów.

— A więc... — Wendy z trudem ogarniała to wszystko — zabiłaś Jimmy'ego dla pieniędzy z ubezpieczenia?

Lydia pstryknęła palcami.

— Trafiłaś, moja droga.

Wendy otworzyła usta, ale nie wydobył się z nich żaden dźwięk.

— I wiesz co, Wendy? Pozwól, że ci to wyjaśnię, by nie było cienia wątpliwości. Długi Jimmy'ego nie umarły razem z nim. Obie o tym wiemy. Bank wciąż domaga się spłaty hipoteki, mam rację? Wystawcy kart kredytowych nadal żądają swoich procentów. — Lydia wzruszyła szczupłymi ramionami i rozłożyła ręce. — Dlaczego mój pracodawca miałby postępować inaczej?

— Chyba nie mówisz poważnie.

— Pierwszy czek z firmy ubezpieczeniowej powinien przyjść za tydzień. W tym momencie dług twojego męża będzie wynosił dwieście osiemdziesiąt tysięcy dolarów. Oczekuję, że tego samego dnia wystawisz mi czek.

— Same długi, jakie zostawił...

— Cii! — Lydia ponownie przycisnęła palec do jej ust. Zniżyła głos do intymnego szeptu. — To naprawdę nic mnie nie obchodzi, Wendy. Daję ci doskonałą okazję uwolnienia się od kłopotów. Ogłoś bankructwo, jeśli musisz. Mieszkasz w dobrej dzielnicy. Przeprowadź się. Niech Jack — to twój jedenastoletni syn, prawda?

Na dźwięk imienia syna Wendy drgnęła.

— No, niech Jack w tym roku nie jedzie na letni obóz. Niech po szkole znajdzie sobie jakąś pracę. Jakąkolwiek. To mnie nie obchodzi. Wendy, spłać swoje długi i będzie po sprawie. Już nigdy więcej mnie nie zobaczysz. Jeśli jednak nie zapłacisz... No cóż, dobrze przyjrzyj się Heshy'emu.

Zamilkła, czekając, aż Wendy to zrobi. Ten widok wywarł pożądany efekt.

— Najpierw zabijemy małego Jacka. Potem, dwa dni później, zabijemy Lilę. Jeśli opowiesz o naszej rozmowie policji, zabijemy Jacka, Lilę i Darlene. Całą trójkę, po kolei według wieku. A potem, kiedy pochowasz dzieci... Posłuchaj, Wendy, bo to jest ważne — potem i tak zmuszę cię, żebyś zapłaciła.

Wendy nie była w stanie wykrztusić słowa.

Lydia pociągnęła łyk bezkofeinowej kawy i westchnęła z satysfakcją.

— Cuudowna — powiedziała, wstając ze stołka. — Naprawdę świetnie się rozmawiało, Wendy. Powinnyśmy wkrótce znowu się spotkać. Na przykład w twoim domu, w piątek szesnastego, w południe.

Wendy siedziała ze spuszczoną głową.

— Zrozumiałaś?

— Tak.

— I co zamierzasz zrobić?

— Zamierzam spłacić dług — odparła Wendy.

Lydia uśmiechnęła się do niej.

— Ponownie przyjmij moje najszczersze wyrazy współczucia.

Lydia wyszła na zewnątrz i z przyjemnością wciągnęła w płuca świeże powietrze. Obejrzała się przez ramię. Wendy Burnet nie ruszyła się z miejsca. Lydia pomachała jej i podeszła do Heshy'ego. Miał prawie metr dziewięćdziesiąt. Ona niewiele ponad metr pięćdziesiąt. Ważył blisko sto czterdzieści kilogramów. Ona pięćdziesiąt dwa. On miał głowę jak nieforemna dynia. Ona wyglądała jak laleczka z chińskiej porcelany.

— Jakieś problemy? — spytał Heshy.

— Skądże. — Zbyła to niedbałym machnięciem ręki. — Jedno z najbardziej zyskownych przedsięwzięć. Czy znalazłeś naszego człowieka?

— Tak.

— I przesyłka jest już w drodze?

— Jasne, Lydio.

— Bardzo dobrze.

Zmarszczyła brwi, lekko zaniepokojona.

— Coś nie tak? — zapytał.

— Mam złe przeczucie, to wszystko.

— Chcesz się wycofać?

Lydia uśmiechnęła się do niego.

— Nigdy w życiu, Misiaczku.

— No, to co chcesz zrobić?

Zastanowiła się nad tym.

— Zobaczmy, jak zareaguje doktor Seidman.

8

— Nie pij już więcej soku jabłkowego — powiedziała Cheryl do dwuletniego synka, Connera.

Stałem za linią autową, z założonymi rękami. Był typowy jesienny dzień w New Jersey: rześki, nieco chłodny i wilgotny, naciągnąłem więc kaptur bluzy na czapeczkę baseballową z emblematem Yankee. Na nosie miałem okulary przeciwsłoneczne. Ciemne okulary i kaptur na głowie. Wyglądałem jak Unabomber z listów gończych.

Kibicowaliśmy grającym w pikę nożną ośmiolatkom. Lenny był ich trenerem. Potrzebował pomocnika i namówił mnie, zapewne dlatego, że tylko ja znam się na piłce nożnej jeszcze mniej niż on. Pomimo to nasza drużyna wygrywała. Zdaje się, że wynik był osiemdziesiąt trzy do dwóch, ale nie jestem pewien.

— Dlaczego nie mogę dostać więcej soku? — pytał Conner.

— Ponieważ — odparła z matczyną cierpliwością Cheryl — od soku jabłkowego dostajesz biegunki.

— Naprawdę?

— Tak.

Po mojej lewej Lenny nieustannie dopingował dzieciaki.

— Jesteś najlepszy, Ricky. Dalej, Petey. No, to był dopiero wykop, Davey.

Zawsze zdrabniał ich imiona. Owszem, to wkurzające. Raz, w przypływie euforii, nazwał mnie Marky. Tylko raz.

— Wujku Marc?

Ktoś pociągnął mnie za nogawkę. Spojrzałem na Connera, który ma dwadzieścia sześć miesięcy.

— O co chodzi, kolego?

— Od soku z jabłek dostaję biegunki.

— Dobrze wiedzieć.

— Wujku Marc?

— Tak?

Conner obrzucił mnie posępnym wzrokiem.

— Biegunka jest niedobra — powiedział.

Zerknąłem na Cheryl. Powstrzymała uśmiech, za którym jednak dostrzegłem troskę. Znowu spojrzałem na Connera.

— Powinieneś o tym pamiętać, mały.

Chłopiec z zadowoleniem kiwnął głową. Uwielbiam go. Jego widok łamie mi serce i jednocześnie sprawia ogromną radość. Dwadzieścia sześć miesięcy. Dwa miesiące starszy od Tary. Z podziwem i smutkiem obserwowałem, jak rośnie.

Znów odwrócił się do matki. Wokół Cheryl leżały rozmaite części ekwipunku, w ilości odpowiedniej dla krzepkiego jucznego muła. Kartony z sokiem Minute Maid oraz tabliczki Nutri-Grain. Pampersy Baby Dry * (jakby ktoś widział gdzieś Baby Wet? **) oraz Huggies z dodatkiem aloesu na odparzenia pośladków. Butelki do karmienia Evenflo. Grahamki z cynamonem, oskrobane marchewki, obrana pomarańcza, posiekane winogrona (poszatkowane dokładnie, żeby dzieciak się nie zadławił) oraz kubeczki z czymś, co — jak miałem nadzieję — było homogenizowanym serkiem, wszystko to zapakowane w hermetyczne plastikowe pojemniki.

Lenny, główny trener, pokrzykiwał do naszych zawodników, przekazując im swe bezcenne rady. Kiedy atakowali, wołał:

---

* Dry (j. ang.) — suchy.
** Wet (j. ang.) — mokry.

„Dawaj, dawaj!", a kiedy przechodzili do obrony, krzyczał: „Zatrzymaj go!". A czasami, tak jak w tej chwili, objawiał swą głęboką znajomość subtelnych zasad taktyki i strategii:

— Kopnij piłkę!

Krzyknąwszy to po raz czwarty z kolei, Lenny zerknął na mnie. Z zachęcającym uśmiechem pokazałem mu podniesiony kciuk. Pokazałby mi palec, ale nie w obecności tylu nieletnich świadków. Ponownie założyłem ramiona na piersi i uważnie przyjrzałem się zawodnikom. Chłopcy byli ubrani jak zawodowi gracze. Na nogach mieli korki. Pod podkolanówkami ochraniacze kostek. Większości z nich posmarowano twarze kremem z filtrem, chociaż słońce nie chciało się wychylić zza chmur. Dwaj z nich nosili ochraniacze nawet na nosach. Patrzyłem, jak mój chrześniak, Kevin, usiłuje wykonać polecenia ojca i kopnąć piłkę. I nagle to spadło na mnie niczym cios.

Chwiejnie cofnąłem się o krok.

Zawsze tak to odczuwałem. Obojętnie, czy oglądałem mecz, jadłem obiad ze znajomymi, czy też przyjmowałem pacjenta lub słuchałem piosenki nadawanej przez radio. Robiłem coś zupełnie zwyczajnego, przeciętnego i czułem się całkiem dobrze, gdy nagle bach — i ślepłem.

Łzy stawały mi w oczach. Przed morderstwem i porwaniem nigdy mi się to nie zdarzało. Jestem lekarzem. Umiem zachować spokój w życiu zawodowym i prywatnym. Teraz jednak przez cały rok noszę ciemne okulary jak jakiś nadęty aktor występujący w filmach klasy B. Cheryl spojrzała na mnie i w jej oczach znów dostrzegłem troskę. Wyprostowałem się i uśmiechnąłem z wysiłkiem. Cheryl wypiękniała. Tak czasem bywa. Macierzyństwo służy niektórym kobietom. Obdarza je nieziemskim spokojem i urodą.

Nie chcę, żebyście źle mnie zrozumieli. Nie płaczę po całych dniach. Wciąż prowadzę normalne życie. Cierpię, ale nie stale. Nie pogrążyłem się w smutku. Pracuję, chociaż jeszcze nie mam odwagi pojechać za morze. Wciąż mi się zdaje, że powinienem pozostać w kraju na wypadek, gdyby pojawił się nowy trop. Wiem, że to jest irracjonalne, a może nawet chore. Mimo to jeszcze nie jestem gotowy do wyjazdu.

Co mnie dziwi i wciąż na nowo zaskakuje, to sposób, w jaki smutek potrafi niespodziewanie dopaść człowieka. Żal, którego się spodziewamy, można jeśli nie opanować, to przynajmniej jakoś stłumić i znieść. Jednak żal lubi kryć się po kątach. Lubi spadać na ciebie znienacka, przestraszyć, wykpić, odrzeć z pozorów normalności. Żal usypia czujność i dlatego jego atak staje się jeszcze dotkliwszy.

— Wujku Marc?

To znów Conner. Mówi całkiem dobrze jak na malca w tym wieku. Zadałem sobie pytanie, jak teraz mówiłaby Tara, i zamknąłem oczy, skryte za okularami. Wyczuwając mój nastrój, Cheryl wyciągnęła rękę, chcąc zabrać chłopca. Nie pozwoliłem jej.

— O co chodzi?

— A kupa?

— Co z nią?

Podniósł głowę i w zadumie zamknął jedno oko.

— Czy kupa jest dobra?

Ciekawe pytanie.

— Nie wiem, kolego. A jak myślisz?

Conner myślał tak intensywnie, że wydawało się, że zaraz pęknie. W końcu odpowiedział:

— Lepsza niż biegunka.

Poważnie skinąłem głową. Nasza drużyna zdobyła następną bramkę. Lenny podniósł obie ręce w górę i krzyknął:

— Tak!

O mało nie fiknął koziołka, gratulując strzelcowi bramki, Craigowi (a może raczej powinienem powiedzieć Craigy'emu). Gracze poszli za jego przykładem i zaczęło się powszechne przybijanie sobie piątek. Nie przyłączyłem się do nich. Uznałem, że mam być milczącym towarzyszem Lenny'ego jak Tonto dla Samotnego Jeźdźca, jak Abbott dla Costella, jak Rowan dla Martina lub Kapitan dla Tenille'a. Utrzymywać stan równowagi.

Obserwowałem stojących wokół boiska rodziców. Matki zebrały się w kilka grupek. Rozprawiały o swoich dzieciach, o ich sukcesach i nadzwyczajnych zdolnościach, nie słuchając się wzajemnie, ponieważ opowieści o cudzych dzieciach są nudne. Ojcowie zachowywali się w bardziej zróżnicowany sposób. Jedni filmowali mecz. Inni dopingowali swoje pociechy. Czasem z zapałem graniczącym z obsesją. Niektórzy rozmawiali przez telefony komórkowe lub nieustannie bawili się jakimiś elektronicznymi gadżetami, odreagowując po tygodniowej harówce.

Dlaczego zawiadomiłem policję?

Od tamtego strasznego dnia niezliczoną ilość razy mówiono mi, że nie ponoszę winy za to, co się stało. W pewnym stopniu zdaję sobie sprawę z tego, że moje zachowanie niczego nie zmieniło. Prawdopodobnie wcale nie zamierzali oddać mi Tary. Być może już nie żyła, kiedy porywacze zadzwonili po raz pierwszy. Może niechcący ją zabili. Może wpadli w panikę albo byli naćpani. Kto to wie? Ja na pewno nie.

No właśnie, w tym rzecz.

Nie mogłem być pewien tego, że nie jestem za to odpowiedzialny. Podstawowe prawo fizyki: każda akcja wywołuje kontrakcję.

Nie śnię o Tarze — albo jeśli śnię, bogowie są dla mnie łaskawi i nie pamiętam snów. Choć zapewne przypisuję im zbytnią wielkoduszność. Ujmę to inaczej. Może nie śni mi się Tara, ale biała furgonetka ze sfałszowaną tablicą rejestracyjną i skradzionym znakiem firmowym. W tych snach słyszę stłumiony dźwięk, który z pewnością jest płaczem dziecka. We śnie wiem, że Tara jest w furgonetce, ale nie mogę do niej pójść. Moje nogi tkwią głęboko w gnoju. Nie jestem w stanie się ruszyć. A kiedy wreszcie się budzę, nie mogę nie zadawać sobie oczywistego pytania: Czy Tara była tak blisko? I ważniejszego: Czy zdołałbym ją wtedy uratować, gdybym był trochę odważniejszy?

Sędzia, chudy licealista o dobrodusznym uśmiechu, dmuchnął

w gwizdek i pomachał ręką nad głową. Koniec meczu. Lenny krzyknął:

— Hura!

Ośmiolatkowie niepewnie popatrzyli po sobie. Jeden zapytał kolegę z drużyny:

— Kto wygrał?

Zapytany wzruszył ramionami. Ustawili się w dwuszeregu, jak hokeiści w Pucharze Stanleya, żeby uścisnąć sobie dłonie. Cheryl wstała i położyła dłoń na moim ramieniu.

— Wspaniałe zwycięstwo, trenerze.

— Tak, dzięki mojej ciężkiej pracy — odparłem.

Uśmiechnęła się. Chłopcy ruszyli w naszym kierunku. Pogratulowałem im stoickim skinieniem głowy. Matka Craiga kupiła Dunkin' Donuts Munchkins, w koszmarnie kolorowym opakowaniu zawierającym pięćdziesiąt sztuk pączków. Mama Dave'a przyniosła kartony z czymś, co nazywało się Yoo-Hoo. Trzeba mieć zboczone poczucie humoru, żeby tak nazwać mleczny napój o smaku kredy. Pochłonąłem pączka i podziękowałem za napój. Cheryl zapytała:

— O jakim smaku są pączki?

Wzruszyłem ramionami.

— A miewają różne smaki?

Patrzyłem, jak rodzice witają się z dziećmi, i czułem się obco. Podszedł Lenny.

— Wspaniałe zwycięstwo, no nie?

— Taak — odparłem. — Jesteśmy niepokonani.

Odciągnął mnie na bok. Odeszliśmy kilka kroków. Kiedy nikt nie mógł już nas usłyszeć, Lenny powiedział:

— Formalności spadkowe są już prawie zakończone. Teraz to już długo nie potrwa.

— Uhm — mruknąłem, ponieważ wcale mnie to nie obchodziło.

— Ponadto przygotowałem twój testament. Musisz go podpisać.

Ani Monica, ani ja nie sporządziliśmy ostatniej woli. Przez

całe lata Lenny karcił mnie za to. Powinieneś pozostawić pisemne dyspozycje, kto otrzyma twoje pieniądze, powtarzał mi, kto ma wychowywać twoją córkę, kto zadbać o twoich rodziców i tak dalej, i tak dalej. Jednak nie słuchaliśmy go. Zamierzaliśmy żyć wiecznie. Takie dyspozycje i testamenty były dobre... no cóż, dla nieboszczyków.

Lenny szybko zmienił temat.

— Wpadniesz do nas, żeby zagrać w fuzzbol?

Fuzzbol, wyjaśniam tym, którzy mają braki w podstawowym wykształceniu, to stołowa gra zręcznościowa, w której piłkę kopią gracze na obracanych drutach.

— Już jestem mistrzem świata — przypomniałem mu.

— To było wczoraj.

— Czy człowiek nie może chwilę cieszyć się swoim tytułem? Jeszcze nie jestem gotowy ci go oddać.

— Rozumiem.

Lenny wrócił do swojej rodziny. Patrzyłem, jak dopada go Marianne, jego córka. Gestykulowała jak szalona. Lenny przygarbił się, wyjął portfel i wygrzebał z niego banknot. Marianne wzięła banknot, pocałowała ojca w policzek i pobiegła. Lenny odprowadził ją spojrzeniem, kręcąc głową. Uśmiechał się. Odwróciłem wzrok.

Najgorsze, a może powinienem powiedzieć najlepsze, było to, że wciąż miałem nadzieję.

Oto co znaleźliśmy w domku dziadka: zwłoki mojej siostry, włosy Tary w kojcu (potwierdzone badaniem DNA) oraz należący do niej różowy śpioszek w czarne pingwiny.

Czego nie znaleźliśmy do tej pory: pieniędzy z okupu, żadnego ze wspólników Stacy — i Tary.

Właśnie. Nie znaleźliśmy mojej córki.

Wiem, że las jest rozległy i gęsty. Grób jest mały i łatwo go ukryć. Mógł zostać zamaskowany głazami. Jakieś zwierzę mogło go rozkopać i porozwłóczyć szczątki po krzakach. Mógł znajdować się wiele kilometrów od domku mojego dziadka. A może w zupełnie innej części stanu.

Albo — chociaż tą myślą nie dzieliłem się z nikim — nie było go wcale.

Tak więc widzicie, że wciąż żywiłem nadzieję. Tak jak smutek nadzieja czai się, dopada cię niespodziewanie, drwi z ciebie i nigdy cię nie opuszcza. Nie jestem pewien, które z tych dwóch uczuć jest bardziej bezwzględne.

Policja i FBI skłaniały się do teorii, że moja siostra działała wspólnie z jakimiś bardzo złymi ludźmi. Chociaż nikt nie wie, czy ich celem od początku było porwanie i rabunek, niemal wszyscy zgodnie uważają, że ktoś wpadł w panikę. Może myśleli, że Moniki i mnie nie będzie w domu. Może sądzili, że będą mieli do czynienia tylko z opiekunką do dziecka. Tak czy inaczej sprawcy zobaczyli nas i któryś z nich, działając pod wpływem narkotyków lub alkoholu, strzelił. Ktoś inny poszedł za jego przykładem, dlatego badania balistyczne wykazały, że do Moniki i do mnie strzelano z różnych trzydziestek ósemek. Potem porwali dziecko. W końcu zdradzili Stacy i zabili ją, wstrzykując zbyt dużą dawkę heroiny.

Mówię o „nich", ponieważ policja również uważa, że Stacy miała co najmniej dwóch wspólników. Jednym z nich był opanowany zawodowiec, który wiedział, jak zorganizować odbiór okupu, sfałszować tablice rejestracyjne i zniknąć bez śladu. Drugim był „panikarz", który strzelił do mnie i zapewne spowodował śmierć Tary.

Oczywiście, nie wszyscy wierzą w tę teorię. Niektórzy są przekonani, że wspólnik był tylko jeden — zimny profesjonalista — i to Stacy wpadła w panikę. Według tej teorii to ona oddała pierwszy strzał, zapewne do mnie, ponieważ nie pamiętam huku wystrzałów, a wtedy zawodowiec zabił Monicę, naprawiając błąd wspólniczki. Tę teorię popiera jeden z kilku tropów, jakie odkryto po znalezieniu ciała w domku. Oskarżony o inne przestępstwa handlarz narkotyków zawarł z policją ugodę i zeznał, że tydzień przed morderstwem i porwaniem Stacy kupiła od niego broń, trzydziestkę ósemkę. Innym dowodem na poparcie tej teorii jest fakt, że na miejscu zbrodni znaleziono tylko włosy i odciski palców Stacy. Podczas gdy opanowany zawodowiec zachowywał ostrożność i nosił rękawiczki, jego naćpana wspólniczka najwidoczniej tego nie robiła.

Jeszcze inni nie wierzą i w tę teorię, tak więc niektórzy pracownicy policji i FBI uparcie szukają dowodów na poparcie trzeciej.

Zgodnie z którą ja sam stałem za tym wszystkim.

Ta wersja wygląda mniej więcej tak. Po pierwsze, mąż ofiary zawsze jest podejrzanym numer jeden. Po drugie, nadal nie znaleziono mojego Smitha & Wessona kaliber trzydzieści osiem. Wciąż pytają mnie, gdzie się podziała broń. Chciałbym to wiedzieć. Po trzecie, nie chciałem tego dziecka. Ciąża Moniki zmusiła mnie do zawarcia małżeństwa. Uważają, że mają dowody na to, iż zamierzałem się rozwieść (owszem, zastanawiałem się nad tym), i zaplanowałem to wszystko, od początku do końca. Zaprosiłem siostrę do naszego domu i poprosiłem o pomoc, żeby później zrzucić na nią całą winę. Ukryłem gdzieś pieniądze. Zabiłem moją córkę i zakopałem jej ciało.

Okropne, owszem, ale już mnie to nie irytuje. Nie mam siły się złościć. Nie wiem, czy mam siłę dalej żyć.

Oczywiście, główną słabością tej ostatniej teorii jest wyjaśnienie, dlaczego zabójca pozostawił mnie, żebym się wykrwawił. I czy to ja zabiłem Stacy? Czy to ona strzeliła do mnie? A może — i tu policja nabierała wiatru w żagle — mamy do czynienia z jeszcze inną możliwością, będącą połączeniem tych dwóch różnych teorii? Niektórzy wierzą, że rzeczywiście ja zaplanowałem to wszystko, ale miałem jeszcze innego wspólnika oprócz Stacy. To on zabił moją siostrę, może wbrew mojej woli, a może realizując błyskotliwy plan, który miał odwrócić ode mnie podejrzenia albo pomścić postrzał. Albo coś w tym stylu.

Wałkowali to bez końca.

W rezultacie, pomijając wszystkie te bzdury, ani oni, ani ja nie dysponowaliśmy niczym konkretnym. Nie odkryliśmy, gdzie są pieniądze. I kim są sprawcy. Ani jakie były ich motywy. A co najważniejsze, nie natrafiliśmy na ciało.

Tak wyglądała sytuacja półtora roku po porwaniu. Formalnie śledztwo nie zostało zamknięte, ale Regan i Tickner zajęli się innymi sprawami. Już od prawie sześciu miesięcy nie otrzymałem od nich żadnych wiadomości. Media wałkowały sprawę przez kilka tygodni, lecz nie znajdując nowej pożywki i one zajęły się smakowitszymi historiami.

Dunkin' Donuts Munchkins zostały zjedzone. Wszyscy ruszyli w kierunku parkingu, zastawionego rodzinnymi samochodami. Po meczu my, trenerzy, zabieraliśmy nadzieje piłki nożnej do lodziarni Schraffta, co było tradycją naszego miasteczka. Każdy trener każdej drużyny i w każdej grupie wiekowej przestrzegał tego zwyczaju. Lokal był zapchany. W taki zimny jesienny dzień nie ma to jak kilka gałek lodów, które zmrożą cię do szpiku kości.

Stałem, trzymając w ręku kubek lodów i rozglądając się wokół. Dzieci i ich ojcowie. Zaczynałem mieć tego dość. Spojrzałem na zegarek. I tak już na mnie czas. Napotkałem spojrzenie Lenny'ego i dałem mu znak, że wychodzę. Bezgłośnie powiedział „testament". Na wypadek gdybym nie załapał, udał, że coś podpisuje. Machnąłem ręką na znak, że rozumiem. Wsiadłem do samochodu i włączyłem radio.

Nie ruszyłem z miejsca i przez długą chwilę obserwowałem rozbawione rodziny. Głównie przyglądałem się ojcom. Chłonąłem ich reakcje na tę prozę życia, wypatrując cienia wątpliwości, odrobiny zniechęcenia, co byłoby dla mnie pociechą. Nie znalazłem.

Nie wiem, jak długo tak siedziałem. Pewnie nie dłużej niż dziesięć minut. Z radia popłynął stary przebój Jamesa Taylora. Przywrócił mnie do rzeczywistości. Uśmiechnąłem się, zapuściłem silnik i pojechałem do szpitala.

Godzinę później myłem się do operacji na ośmioletnim chłopcu, który miał — używając terminologii laików i zawodowców — zdeformowaną twarz. Towarzyszyła mi Zia Leroux.

Sam nie wiem, dlaczego wybrałem chirurgię plastyczną. Nie z powołania ani z chęci zysku czy pragnienia pomagania bliźnim. Wprawdzie od początku bardzo chciałem zostać chirurgiem, ale swoją przyszłość widziałem raczej w kardiochirurgii. Kiedy odrabiałem drugi rok stażu, opiekujący się stażystami chirurg kardiolog był — nie ma lepszego określenia — parszywym kutasem. Natomiast ordynator oddziału chirurgii plastycznej, Liam Reese, był niezrównany. Doktor Reese był nie tylko przystojny, ale ponadto posiadał godną pozazdroszczenia spokojną pewność siebie i wewnętrzne ciepło, które zjednywało mu powszechną sympatię. Po prostu chciałeś sprawić mu przyjemność. Chciałeś być taki jak on.

Doktor Reese stał się moim mentorem. Udowodnił mi, że chirurgia plastyczna może być twórczym, zbawiennym procesem, zmuszającym do poszukiwania nowych sposobów odtwarzania tego, co zostało zniszczone. Kości twarzy i czaszki są najbardziej złożonymi częściami ludzkiego układu kostnego. My, którzy je naprawiamy, jesteśmy artystami. Muzykami jazzowymi. Jeśli rozmawiasz z chirurgami specjalizującym się w ortopedii lub torakochirurgii, ci mogą bardzo dokładnie opisać procedury postępowania w konkretnych przypadkach. W naszej pracy nie ma dwóch identycznych przypadków. Musimy improwizować. Tego nauczył mnie doktor Reese. Odwołał się do drzemiącego we mnie technomaniaka, opowiadając o mikrochirurgii, implantach kostnych i syntetycznej skórze. Pamiętam wizytę w jego domu w Scarsdale. Jego żona była długonoga i piękna. Córka była najlepszą uczennicą w szkole. Syn był kapitanem szkolnej drużyny baseballowej i najmilszym chłopcem, jakiego kiedykolwiek spotkałem. W wieku czterdziestu dziewięciu lat doktor Reese zginął w wypadku samochodowym na autostradzie sześćset osiemdziesiąt cztery, jadąc do Connecticut. Ktoś mógłby uznać to za ironię losu, ale tym kimś nie byłbym ja.

Po odbyciu stażu wyjechałem za granicę, na roczną specjalizację z chirurgii jamy ustnej. Nie twierdzę, że z pobudek charytatywnych. Złożyłem podanie, ponieważ uznałem, że to doskonała okazja. Miałem nadzieję, że ten wyjazd będzie czymś w rodzaju przyjemnej wycieczki. Nie był. Od początku wszystko poszło nie tak. W Sierra Leone zaskoczyła nas wojna domowa. Operowałem tak okropne i straszliwe rany, że wprost trudno było uwierzyć, że człowiek jest w stanie znaleźć w sobie tyle okrucieństwa, by je zadać. Jednak nawet w najgorszych chwilach czułem uniesienie. Nie potrafię wyjaśnić dlaczego. Jak już mówiłem, ta praca mnie rajcuje. Być może częściowo jest to spowodowane satysfakcją płynącą z chęci pomagania ludziom w potrzebie. A może ta praca pociąga mnie w taki sam sposób, w jaki niektórzy czują potrzebę uprawiania sportów ekstremalnych: muszą ryzykować życie, by poczuć, że żyją.

Kiedy wróciłem, założyliśmy z Zią fundację One World i zabraliśmy się do roboty. Uwielbiam tę pracę. Może jest podobna do któregoś ze sportów ekstremalnych, ale ma również — wybaczcie porównanie — ludzką twarz. I lubię ją. Lubię moich pacjentów, ale także ten wykalkulowany dystans, chłód niezbędny przy tym, co robię. Troszczę się o pacjentów, ale szybko znikają z mojego życia jak w namiętnym, lecz krótkim romansie.

Dzisiejszy pacjent stawiał nas przed dość trudnym wyzwaniem. Moim patronem, świętym wielu chirurgów plastycznych, jest francuski badacz, René LeFort. Zrzucał z dachu ofiary burd, żeby odkryć naturalne linie pęknięć kości czaszki. Założę się, że to robiło wrażenie na paniach. Przeprowadzał również doświadczenia ze spuszczaniem coraz większych ciężarów na czaszki nieboszczyków, aby określić rozległość uszkodzeń górnej szczęki. Dziś jego imieniem nazywamy niektóre typy złamań, a konkretnie LeFort typu 1, LeFort typu 2 i LeFort typu 3. Zia i ja ponownie obejrzeliśmy zdjęcia. Najlepiej było to widać na ujęciu przednim, ale tylne i boczne potwierdzały diagnozę.

Krótko mówiąc, linia złamania u tego ośmiolatka przebiegała zgodnie z typem LeFort 3, powodując całkowite rozdzielenie kości twarzy i czaszki. Gdybym chciał, mógłbym zerwać temu chłopcu twarz, jak maskę.

— Wypadek samochodowy? — zapytałem.

Zia skinęła głową.

— Jego ojciec był pijany.

— Nawet mi nie mów. Nic mu się nie stało, prawda?

— Pamiętał o tym, żeby zapiąć swój pas.

— Ale nie zapiął go synkowi.

— Za dużo zachodu. Był zbyt zmęczony podnoszeniem kieliszka do ust.

Zia i ja startowaliśmy z zupełnie odmiennych pozycji. Jak w klasycznym przeboju z lat siedemdziesiątych, *Brother Louie*, Zia jest czarna jak noc, a ja biały jak śnieg (moja skóra, zdaniem Zii, ma „kolor rybiego brzucha"). Urodziłem się w szpitalu Beth Israel w Newark i wychowałem w podmiejskiej dzielnicy Kasselton w stanie New Jersey. Zia urodziła się w lepiance na przedmieściach Port-au-Prince na Haiti. Za czasów panowania Papy Doca jej rodzice stali się więźniami politycznymi. Nikt nie zna szczegółów. Ojciec został stracony. Matka, kiedy ją wypuszczono, była strzępem człowieka. Wzięła córkę i uciekła z wyspy na czymś, co z dużą przesadą można by nazwać tratwą. Trzej pasażerowie umarli podczas tej przeprawy. Zia i jej matka przeżyły. Dotarły do Bronksu, gdzie zamieszkały w piwnicy pod salonem piękności. Obie po całych dniach zamiatały włosy z podłogi. Zia myślała, że nigdy nie zdoła uwolnić się od tych włosów. Były na jej ubraniach, na skórze, w gardle i w płucach. Wciąż miała wrażenie, że jakiś włos dostał jej się do ust i nie może się go pozbyć. Do dzisiaj, kiedy Zia się denerwuje, podnosi rękę do ust, jakby usiłując uwolnić się od tego wspomnienia.

Po operacji oboje rozsiedliśmy się na kanapie. Zia odwiązała maseczkę i pozwoliła jej opaść na pierś.

— Bułka z masłem — powiedziała.

— Amen — przytaknąłem. — Jak tam wczorajsza randka?

— Popieprzona — odparła. — I nie mówię dosłownie.

— Przykro mi.

— Mężczyźni to świnie.

— Jakbym o tym nie wiedział.

— Jestem tak zdesperowana, że znów zaczynam myśleć o tym, czyby się z tobą nie przespać.

— O rany, kobieto! Nie masz żadnych zasad?

Pokazała w uśmiechu wszystkie zęby, olśniewająco białe na tle czarnej skóry. Miała prawie metr osiemdziesiąt, muskularne ciało i wydatne kości policzkowe, które zdawały się grozić przebiciem skóry.

— Kiedy zaczniesz umawiać się na randki? — spytała.

— Umawiam się.

— Mówię o rozbieranych randkach.

— Nie wszystkie kobiety są takie łatwe jak ty, Zia.

— To smutne — odparła, dając mi żartobliwego kuksańca.

Zia i ja przespaliśmy się kiedyś — i oboje wiedzieliśmy, że to już nigdy się nie powtórzy. Od tego zaczęła się nasza znajomość. Poznaliśmy się na pierwszym roku studiów. Owszem, to był romans na jedną noc. Miałem ich sporo, ale pamiętam tylko dwa. Pierwszy, który był totalną katastrofą. Drugi, ten z nią, dał początek przyjaźni na całe życie.

Zanim zdjęliśmy fartuchy, była ósma wieczór. Pojechaliśmy samochodem Zii, bmw mini, do całodobowego sklepu przy Northwood Avenue, gdzie zrobiliśmy zakupy. Pchając wózek między półkami, Zia trajkotała bez przerwy. Lubiłem jej słuchać. To dodawało mi sił. Zia przystanęła przy ladzie chłodniczej. Popatrzyła na specjalną ofertę i zmarszczyła brwi.

— Co jest? — spytałem.

— Mają tu szynkę Dziczy Łeb.

— I co z tego?

— Dziczy Łeb — powtórzyła. — Co za geniusz marketingu wymyślił tę nazwę? Wiesz co, mam pomysł. Nadajmy naszemu najlepszemu nacięciu nazwę najobrzydliwszego zwierzęcia, jakie przyjdzie nam do głowy. Nie, zaczekaj. Niech ta nazwa kojarzy się z jego łbem.

— Jednak zawsze kupujesz tę szynkę — przypomniałem. Zastanowiła się.

— Taak, chyba masz rację.

Podeszliśmy do kasy. Zia wyłożyła swoje zakupy na taśmę. Wziąłem metalową zakładkę i wyładowałem zawartość mojego wózka. Krępy kasjer zaczął wczytywać ceny produktów.

— Jesteś głodny? — zapytała mnie Zia.

Wzruszyłem ramionami.

— Chyba wrzuciłbym coś na ruszt w Garbo's.

— Zróbmy to. — Zia spojrzała nad moim ramieniem i nagle drgnęła. Zmrużyła oczy i zrobiła dziwną minę. — Marc?

— Tak?

Machnęła ręką.

— Nie, to niemożliwe.

— Co?

Wciąż patrząc mi przez ramię, Zia ruchem brody wskazała mi kierunek. Powoli odwróciłem się i kiedy ją zobaczyłem, zaparło mi dech.

— Widziałam ją tylko na zdjęciach — powiedziała Zia — ale czy to nie...?

Zdołałem skinąć głową.

To była Rachel.

Zapomniałem o całym świecie. Nie powinienem tak zareagować. Wiedziałem o tym. Już dawno zerwaliśmy ze sobą. Teraz, po tylu latach, powinienem się z tego śmiać. Powinienem poczuć przelotny żal, smutek wywołany wspomnieniem czasów, kiedy byłem młody i naiwny. Jednak nie, wcale się tak nie czułem. Rachel stała trzy metry dalej i nagle wszystko powróciło. Znów ogarnął mnie ten przemożny pociąg, ta nieodparta tęsknota, jakbyśmy kochali się i rozstali zaledwie wczoraj.

— Dobrze się czujesz? — spytała Zia.

Ponownie kiwnąłem głową.

Czy wierzycie w to, że każdy z nas ma tylko jedną bratnią duszę, jedyną prawdziwą miłość? Tam, za kasami supermarketu i pod tablicą z napisem „Kasa ekspresowa — nie więcej niż 15 artykułów", stała moja.

— Myślałam, że wyszła za mąż — powiedziała Zia.

— Wyszła — odparłem.

— Nie nosi obrączki. — Zia dała mi szturchańca. — Och, to ekscytujące, no nie?

— Taak — mruknąłem. — Uroki miasta.

Zia pstryknęła palcami.

— Hej, wiesz co mi to przypomina? Tę okropną starą płytę, którą wciąż puszczałeś. Piosenkę o spotkaniu dawnej miłości w sklepie spożywczym. Jaki miała tytuł?

Kiedy jako dziewiętnastoletni chłopak poznałem Rachel, wywarła na mnie mniejsze wrażenie. Nie był to grom z jasnego nieba. Nawet nie jestem pewien, czy uznałem ją za atrakcyjną. Jednak, o czym szybko się przekonałem, lubię kobiety, które zyskują przy bliższym poznaniu. Z początku myślisz sobie: no dobrze, całkiem niezła z niej babka, a potem, kilka dni później, ona powie coś albo mówiąc to, przechyli głowę w taki sposób, że czujesz się tak, jakbyś wpadł pod autobus.

Teraz też się tak czułem. Rachel zmieniła się, ale tylko trochę. Minione lata chyba jeszcze uwydatniły jej delikatną urodę, wyostrzyły rysy. Była szczuplejsza. Kruczoczarne włosy miała ściągnięte i związane w koński ogon. Większość mężczyzn lubi rozpuszczone włosy. Ja zawsze wolałem je ściągnięte i odsłaniające twarz, a szczególnie u Rachel, której takie uczesanie uwydatniało kości policzkowe i smukłą szyję. Była ubrana w dżinsy i szarą bluzkę. Głowę pochyliła w sposób, który tak dobrze znałem. Powieki przysłaniały orzechowe oczy. Jeszcze mnie nie zauważyła.

— *Same Old Lang Syne* — powiedziała Zia.

— Co takiego?

— Ta piosenka o kochankach w sklepie spożywczym. Śpiewał ją Dan Jakiśtam. Taki miała tytuł. *Same Old Lang Syne.* — I zaraz dodała: — A przynajmniej tak mi się wydaje.

101

Rachel sięgnęła do portfela i wyjęła dwudziestkę. Podała ją kasjerowi. Podniosła głowę i wtedy mnie zobaczyła. Nie potrafię powiedzieć, 'jaką zrobiła minę. Nie wyglądała na zdziwioną. Nasze spojrzenia spotkały się, ale na jej twarzy nie zobaczyłem radości. Może raczej lęk. Może rezygnację. Nie wiem. I nie wiem, jak długo staliśmy tak, patrząc na siebie.

— Może powinnam sobie pójść — szepnęła Zia.

— Hm?

— Jeśli zobaczy, że jesteś z taką gorącą sztuką, pomyśli sobie, że nie ma szans.

Chyba się uśmiechnąłem.

— Marc?

— Taak.

— To trochę dziwnie wygląda. Stoisz i gapisz się jak pacjent po lobotomii. To przerażające.

— Dzięki.

Lekko popchnęła mnie naprzód.

— Podejdź do niej i się przywitaj.

Moje nogi zaczęły się poruszać, chociaż nie pamiętam, żebym im to nakazał. Rachel pozwoliła, żeby kasjer zapakował jej zakupy. Zrobiła krok w moim kierunku, usiłując się uśmiechnąć. Zawsze miała wspaniały uśmiech, z rodzaju tych, które nasuwają myśli o poezji i wiosennym deszczu i potrafią rozjaśnić ci cały dzień. Jednak teraz ten uśmiech nie był promienny. Był ostrożny. Zbolały. Zadałem sobie pytanie, czy mój widok sprawia jej przykrość, czy też już nie umie uśmiechać się jak dawniej, bo coś na zawsze zgasiło jej radość życia.

Przystanęliśmy krok od siebie, nie wiedząc, czy powinniśmy się objąć, ucałować, czy tylko uścisnąć dłonie. Tak więc nie zrobiliśmy nic. Stałem tam i czułem ból.

— Cześć — powiedziałem.

— Miło słyszeć, że nadal używasz tych zabójczych odzywek — odparła Rachel.

Zdobyłem się na łobuzerski uśmiech.

— Hej, mała, jak leci?

— Już lepiej.

— Często tu bywasz?

— Nieźle. Teraz spytaj: „Czy my się skądś nie znamy?".

— Skądże. — Uniosłem brew. — Nie ma mowy, żebym zapomniał taką laskę jak ty.

Oboje roześmialiśmy się. A przynajmniej bardzo staraliśmy się roześmiać. I oboje zdawaliśmy sobie z tego sprawę.

— Wspaniale wyglądasz — powiedziałem.

— Ty też.

Na chwilę zapadła cisza.

— W porządku. Skończyły mi się zabawne teksty i banalne uprzejmości.

— O rany.

— Co tu robisz?

— Jestem na zakupach.

— Nie to miałem...

— Wiem, co miałeś na myśli — przerwała mi. — Moja matka przeprowadziła się do nowego apartamentu w West Orange.

Kilka kosmyków wymknęło jej się z kucyka i opadło na czoło. Z najwyższym trudem powstrzymałem chęć odgarnięcia ich.

Rachel zerknęła w bok, a potem znów spojrzała na mnie.

— Słyszałam o twojej żonie i córce — powiedziała. — Przykro mi.

— Dziękuję.

— Chciałam zadzwonić lub napisać, ale...

— Słyszałem, że wyszłaś za mąż.

Poruszyła palcami lewej ręki.

— Już nie jestem mężatką.

— I że byłaś agentką FBI.

Rachel opuściła rękę.

— To też już przeszłość.

Zamilkliśmy. Nie wiem, jak długo tak staliśmy. Kasjer zajął się następnym klientem. Zia podeszła do nas. Odkaszlnęła i wyciągnęła dłoń do Rachel.

— Cześć, jestem Zia Leroux — przedstawiła się.

— Rachel Mills.

— Miło cię spotkać, Rachel. Pracuję razem z Markiem. — I po sekundzie namysłu dodała: — Jesteśmy tylko przyjaciółmi.

— Zia!

— Och dobrze, przepraszam. Posłuchaj, Rachel, chętnie bym pogawędziła, ale muszę już lecieć. — Podkreśliła swoje słowa, pokazując kciukiem drzwi. — Porozmawiajcie sobie. Marc, spotkamy się później. Cieszę się, że cię poznałam, Rachel.

— Ja też.

Zia pospiesznie się oddaliła. Wzruszyłem ramionami.

— Jest wspaniałą lekarką.

— Z pewnością. — Rachel chwyciła swój wózek. — Ktoś czeka na mnie w samochodzie, Marc. Miło było cię spotkać.

— Mnie też. — Z pewnością jednak strata wszystkiego czegoś mnie nauczyła, no nie? Nie mogłem tak po prostu pozwolić jej odejść. Odkaszlnąłem i powiedziałem: — Może powinniśmy się spotkać.

— Nadal mieszkam w Waszyngtonie. Wracam tam jutro.

Zamilkliśmy. Wnętrzności zmieniły mi się w galaretę. Oddychałem z trudem.

— Żegnaj, Marc — rzekła Rachel. Jej orzechowe oczy lekko zwilgotniały.

— Nie odchodź.

Starałem się, żeby nie zabrzmiało to błagalnie, ale nie sądzę, aby mi się udało. Rachel popatrzyła na mnie i wszystko zrozumiała.

— Co mam ci powiedzieć, Marc?

— Że też chcesz się ze mną spotkać.

— To wszystko?

Potrząsnąłem głową.

— Wiesz, że to nie wszystko.

— Już nie mam dwudziestu jeden lat.

— Ja też nie.

— Tej dziewczyny, którą kochałeś, już dawno nie ma.

— Skądże — zaprotestowałem. — Stoi tu przede mną.

— Nie znasz mnie.

— Zatem poznajmy się znowu. Bez pośpiechu.

— Tak po prostu?

Usiłowałem się uśmiechnąć.

— Tak.

— Mieszkam w Waszyngtonie. Ty mieszkasz w New Jersey.

— No, to się przeprowadzę.

Jednak zanim jeszcze te pochopne słowa padły z moich ust, nim Rachel zrobiła tę minę, zrozumiałem, że to niemożliwe. Nie mogłem zostawić rodziców ani rozwiązać spółki z Zią — a także uwolnić się od widm przeszłości. Propozycja umarła gdzieś w drodze z moich ust do jej uszu.

Rachel odwróciła się i odeszła. Nie pożegnała się ponownie. Patrzyłem, jak pcha wózek do wyjścia. Zobaczyłem, jak drzwi rozsuwają się przed nią z pomrukiem elektrycznego silnika. Widziałem jak Rachel, miłość mojego życia, ponownie odchodzi, nawet nie obejrzawszy się za siebie. Stałem jak wryty. Nie poszedłem za nią. Serce ściskało mi się w piersi, ale nie zrobiłem nic, żeby ją zatrzymać.

Może jednak niczego się nie nauczyłem.

9

Piłem.

Nie jestem pijakiem. Kiedy byłem młodszy, moim ulubionym trunkiem było piwo. Teraz w szafce nad zlewem znalazłem butelkę dżinu. W lodówce był tonik. W zamrażarce pojemnik z kostkami lodu. Dodajcie dwa do dwóch.

Nadal mieszkam w dawnym domu Levinskych. Jest dla mnie o wiele za duży, ale nie potrafię zdobyć się na odwagę i go sprzedać. To ostatnie ogniwo (aczkolwiek bardzo słabe) łączące mnie z córką. Tak, wiem, jak to brzmi, ale gdybym sprzedał dom, to jakbym zamknął drzwi. Nie mogę tego zrobić.

Zia chciała zostać ze mną, ale uprosiłem ją, żeby tego nie robiła. Nie nalegała. Pomyślałem o starej piosence Dana Fogelberga (nie Dana Jakiegośtam), w której dawni kochankowie gadali do upojenia. Rozmyślałem o Bogarcie pytającym bogów, dlaczego kazali Ingrid Bergman wejść akurat do jego knajpy. Bogart pił, kiedy odeszła. Zdaje się, że to mu pomagało. Może pomoże i mnie.

Fakt, że Rachel wciąż wywierała na mnie tak ogromne wrażenie, był potwornie denerwujący. Przecież to głupie i dziecinne. Poznaliśmy się z Rachel podczas letniej przerwy między-semestralnej po pierwszym roku college'u. Pochodziła z Middlebury w stanie Vermont i podobno była daleką krewną Cheryl, chociaż nikt nie potrafił określić stopnia tego pokrewieństwa. Tamtego lata, akurat wtedy, Rachel została u rodziny Cheryl, ponieważ jej rodzice właśnie byli w trakcie przykrego rozwodu. Zostaliśmy sobie przedstawieni i jak już powiedziałem, dopiero po pewnym czasie rąbnął mnie ten autobus. Może właśnie dlatego efekt był tak silny.

Zaczęliśmy się umawiać. Chodziliśmy na podwójne randki, z Cheryl i Lennym. We czwórkę spędzaliśmy każdy weekend w letnim domku Lenny'ego na brzegu Jersey. To było naprawdę wspaniałe lato, takie jakie każdy powinien przeżyć chociaż raz w życiu.

Gdyby to był film, zmontowano by serię szybko następujących po sobie scen. Ja poszedłem na Tufts University, a Rachel rozpoczęła naukę w Boston College. Pierwsza scena montażu zapewne ukazałaby nas w łódce na rzece Charles — ja bym wiosłował, a Rachel trzymałaby parasol i uśmiechała się czule, a potem kpiąco. Ochlapałaby mnie wodą, później ja ją i łódka by się wywróciła. To nigdy się nie zdarzyło, ale rozumiecie, w czym rzecz. Następną mogłaby być scena pikniku w miasteczku uniwersyteckim, my siedzący w bibliotece, objęci na ławce w parku, ja wpatrujący się jak zahipnotyzowany w Rachel czytającą podręcznik, mającą okulary na nosie i machinalnie odgarniającą kosmyk za ucho. Ten montaż pewnie zakończyłoby zbliżenie naszych ciał kotłujących się pod satynowym prześcieradłem, chociaż żaden student college'u nie używa satynowej pościeli. Jednak staram się myśleć jak filmowiec.

Byłem zakochany.

Podczas zimowej przerwy międzysemestralnej odwiedziliśmy babcię Rachel, energicznego starego babsztyla przebywającego w domu starców. Staruszka wzięła nas za ręce i stwierdziła, że jesteśmy *beshert*, co w jidysz oznacza przeznaczonych sobie.

Cóż więc się stało?

Wszystko skończyło się tak, jak to często bywa. Pewnie byliśmy zbyt młodzi. Pod koniec college'u Rachel postanowiła spędzić jeden semestr we Florencji. Miałem dwadzieścia dwa lata. Zezłościłem się i podczas jej nieobecności przespałem się z inną dziewczyną. To był jednorazowy skok w bok z bezbarwną uczennicą Babson. Nic do niej nie czułem. Wiem, że to niczego nie zmienia, ale może powinno. Nie mam pojęcia.

W każdym razie ktoś z obecnych na tamtej prywatce powiedział o tym komuś i w końcu doszło to do Rachel. Zadzwoniła do mnie z Włoch i zerwała, tak po prostu, co uznałem za lekką przesadę. Jak już mówiłem, byliśmy młodzi. Z początku byłem zbyt dumny (czytaj za głupi), żeby błagać o wybaczenie, a potem, kiedy zacząłem zdawać sobie sprawę z sytuacji, dzwoniłem, pisałem listy i wysyłałem kwiaty. Rachel nigdy nie odpowiedziała. Skończyło się. Było po wszystkim.

Wstałem i chwiejnie podszedłem do biurka. Wyjąłem klucz przyklejony taśmą pod spodem i otworzyłem dolną szufladę. Wyjąłem papiery, a potem to, co było schowane pod nimi. Nie, nie narkotyk. Przeszłość. Związaną z Rachel. Znalazłem znajome zdjęcie i położyłem je na blacie. Lenny i Cheryl wciąż mają tę fotografię w swoim salonie, co z oczywistych powodów bardzo irytowało Monicę. Zdjęcie ukazuje naszą czwórkę, Lenny'ego, Cheryl, Rachel i mnie, podczas jakiegoś przyjęcia na ostatnim roku college'u. Rachel ma na sobie czarną sukienkę na cienkich jak spaghetti ramiączkach, odsłaniających jej ramiona w sposób, od którego wciąż zapiera mi dech.

Dawne dzieje.

Oczywiście, życie toczyło się dalej. Realizując swój plan, poszedłem na studia medyczne. Zawsze wiedziałem, że chcę zostać lekarzem. Większość znanych mi lekarzy powiedziałaby wam to samo. Mało kto podejmuje taką decyzję nagle.

Umawiałem się na randki. Miewałem różne przygody (pamiętacie tę z Zią?), ale, chociaż to zabrzmi żałośnie, przez te wszystkie lata chyba nie było jednego dnia, żebym choć przelotnie nie pomyślał o Rachel. Tak, wiem, że waszym zdaniem wyolbrzymiam znaczenie naszego romansu. Gdyby nie tamten idiotyczny skok w bok, zapewne też nie pozostałbym w wyidealizowanym alternatywnym świecie, obejmując się na kanapie

108

z moją ukochaną. Jak kiedyś w przypływie bezlitosnej szczerości wytknął mi Lenny, gdyby mój związek z Rachel był taki wspaniały, to z pewnością przetrwałby ten pierwszy trudny okres. Czy w ten sposób chcę powiedzieć, że nie kochałem mojej żony? Nie. A przynajmniej nie sądzę, by tak było. Monica była piękna — uderzającą urodą, którą zauważałeś od razu — a ponadto namiętna i zdumiewająca. A do tego bogata i efektowna. Starałem się ich obu nie porównywać, gdyż nie można żyć w taki sposób, lecz nie mogłem nie kochać Moniki w tym moim ciaśniejszym, mroczniejszym świecie, w jakim żyłem po odejściu Rachel. Gdybym ożenił się z Rachel, z czasem pewnie byłoby tak samo, lecz tak podpowiada logika, która w sprawach sercowych nie ma żadnego zastosowania.

Przez minione lata Cheryl niechętnie informowała mnie, co porabia Rachel. Dowiedziałem się, że wstąpiła do FBI i została agentką w Waszyngtonie. Nie mogę powiedzieć, żebym był zaskoczony. Przed trzema laty Cheryl powiadomiła mnie, że Rachel wyszła za starszego od niej wiekiem i stopniem kolegę z pracy. Nawet po tak długim czasie — wówczas minęło jedenaście lat od naszego zerwania — był to dla mnie cios. Nagle z przygnębieniem zdałem sobie sprawę z tego, jak straszliwie to skopałem. Chyba podświadomie uważałem, że Rachel i ja rozstaliśmy się tylko czasowo i zawieszeni w próżni czekamy na tę nieuniknioną chwilę, kiedy zmądrzejemy i znowu się zejdziemy. Aż tu nagle poślubiła innego.

Cheryl zobaczyła moją minę i już nigdy więcej nie mówiła mi nic o Rachel.

Patrzyłem na fotografię, aż usłyszałem znajomy warkot podjeżdżającego samochodu. Żadna niespodzianka. Nie fatygowałem się i nie podszedłem do drzwi. Lenny miał klucz. I tak nigdy nie dzwonił. Wiedział, że jestem w domu. Schowałem fotografię na moment przed tym, nim Lenny wszedł do pokoju, niosąc dwa wielkie i kolorowe papierowe kubki.

Pokazał mi reklamówkę z 7-Eleven.

— Napój wiśniowy czy cola?

— Napój.

Czekałem.

— Zia zadzwoniła do Cheryl — wyjaśnił.

Domyśliłem się tego.

— Nie chcę o tym mówić — powiedziałem.

Lenny opadł na kanapę.

— Ja też. — Sięgnął do kieszeni i wyjął gruby plik papierów. — Ostatnia wola i końcowe dokumenty związane ze spadkiem po Monice. Przeczytaj je. — Podniósł pilota i zaczął przerzucać kanały. — Nie masz żadnego porno?

— Nie, przykro mi.

Lenny wzruszył ramionami i zadowolił się amatorskim meczem koszykówki. Przez kilka minut oglądaliśmy go w milczeniu. W końcu się odezwałem:

— Dlaczego nie powiedziałeś mi, że Rachel się rozwiodła?

Lenny skrzywił się i podniósł rękę, jakby wstrzymywał uliczny ruch.

— Co jest? — spytałem.

— Mózg mi zamarzł. — Potarł czoło. — Zawsze za szybko piję zimne drinki.

— Czemu mi nie powiedziałeś?

— Myślałem, że nie będziemy o tym rozmawiać.

Popatrzyłem na niego.

— To nie jest takie proste, Marc.

— Co nie jest proste?

— Rachel przeżyła ciężkie chwile.

— Ja też.

Lenny z przesadnym skupieniem oglądał mecz.

— Co jej się przytrafiło, Lenny?

— To nie moja broszka. — Pokręcił głową. — Nie widziałeś jej ile, piętnaście lat?

Ściśle mówiąc, czternaście.

— Mniej więcej.

Rozejrzał się po pokoju i zatrzymał spojrzenie na zdjęciu Moniki i Tary. Potem odwrócił wzrok i pociągnął łyk coli.

— Przestań żyć przeszłością, przyjacielu.

Obaj usiedliśmy wygodnie i udawaliśmy, że oglądamy mecz. „Przestań żyć przeszłością" — powiedział. Spojrzałem na fotografię Tary i zadałem sobie pytanie, czy Lenny mówił o niej, czy o Rachel.

Edgar Portman podniósł smycz. Potrząsnął nią, aż zadzwoniła klamra. Bruno, jego rodowodowy mastyf, przybiegł co sił w nogach, słysząc ten dźwięk. Przed sześcioma laty zdobył medal najlepszego samca na Westminster Dog Show. Wielu uważało, że powinien zdobyć tytuł championa. Mimo to Edgar postanowił wycofać go z wystaw. Pokazowy pies rzadko bywa w domu. A Edgar chciał mieć go przy sobie.

Ludzie często rozczarowywali Edgara. Psy nigdy.

Bruno wystawił jęzor i pomerdał ogonem. Edgar przypiął smycz do obroży. Pójdą na godzinny spacer. Edgar spojrzał na swoje biurko. Tam, na błyszczącym blacie, spoczywało kartonowe pudełko identyczne jak to, które przysłano mu osiemnaście miesięcy wcześniej. Bruno zaskomlał. Edgar zastanawiał się, czy był to wyraz zniecierpliwienia, czy też wyczuwał niepokój swego pana. Może jedno i drugie.

Tak czy inaczej, Edgar potrzebował świeżego powietrza.

Tamtą przesyłkę, którą otrzymał osiemnaście miesięcy temu, poddano wszelkim możliwym badaniom. Mimo to policja nie dowiedziała się niczego. W oparciu o swoje dotychczasowe doświadczenia Edgar był prawie pewny, że ci niekompetentni gliniarze i tym razem niczego nie znajdą. Przed osiemnastoma miesiącami Marc nie posłuchał jego rady. Edgar miał nadzieję, że tym razem nie popełni tego błędu.

Ruszył do drzwi. Bruno pobiegł przodem. Dobrze będzie odetchnąć świeżym powietrzem. Edgar wyszedł na zewnątrz i zrobił głęboki wdech. To nie zmieniło sytuacji, ale trochę poprawiło mu humor. Edgar i Bruno ruszyli znanym sobie szlakiem, lecz pod wpływem nagłego impulsu Edgar skręcił w prawo. Rodzinny cmentarzyk. Widział go codziennie, tak często, że prawie przestał go zauważać. Nigdy tam nie zachodził. Jednak dzisiaj nagle postanowił pójść. Bruno, zaskoczony niespodziewaną zmianą stałej trasy, niechętnie ruszył za panem.

Edgar przestąpił przez niski płotek. Zabolała go noga. Podeszły wiek. Te spacery przychodziły mu z coraz większym trudem. Teraz często chodził, podpierając się laską — kupił sobie tę, którą posługiwał się Dashiell Hammet, kiedy chorował na gruźlicę — jednak nigdy nie używał jej podczas spacerów z Brunem. Z jakiegoś powodu wydawało mu się to niewskazane.

Pies zawahał się, a potem przeskoczył przez płotek. Obaj stanęli przed dwoma świeżymi nagrobkami. Edgar starał się nie rozmyślać o życiu i śmierci, o bogactwie i jego związku ze szczęściem. Tego rodzaju jałowe rozważania wolał pozostawiać innym. Zdawał sobie sprawę z tego, że zapewne nie był dobrym ojcem. Brał przykład ze swojego ojca, a ten ze swego. W rezultacie, być może, właśnie ten chłód go uratował. Gdyby bardziej kochał swoje dzieci, gdyby w pełni uczestniczył w ich życiu, wątpił, czy zdołałby przeżyć ich śmierć.

Pies znowu zaczął skomleć. Edgar spojrzał na swojego towarzysza, zaglądając mu w ślepia.

— Czas ruszać, chłopcze — powiedział łagodnie.

Frontowe drzwi domu otworzyły się. Edgar odwrócił się i ujrzał swojego brata, Carsona, który zmierzał pospiesznie ku niemu.

— Mój Boże! — zawołał Carson.

— Zakładam, że zobaczyłeś paczkę.

— Tak, oczywiście. Dzwoniłeś do Marca?

— Nie.

— To dobrze — rzekł Carson. — To lipa. Nie może być inaczej.

Edgar nic nie powiedział.

— Nie zgadzasz się z tym? — spytał Carson.

— Sam nie wiem.

— Chyba nie sądzisz, że ona jeszcze żyje.

Edgar lekko pociągnął smycz.

— Lepiej zaczekajmy na wyniki analiz — rzekł. — Wtedy będziemy mieli pewność.

Lubię pracować w nocy. Zawsze lubiłem. Wybrałem odpowiedni zawód. Kocham moją pracę. Nigdy nie była dla mnie nudnym obowiązkiem, wypełnianym niechętnie tylko po to, żeby mieć co włożyć do ust. Pogrążam się w pracy. Jak sportowiec, kiedy robię swoje, zapominam o wszystkim. Zamykam się we własnym świecie. Wtedy czuję się najlepiej.

Jednak tej nocy — trzeciej od tamtego wieczoru, kiedy spotkałem Rachel — nie miałem dyżuru. Siedziałem sam w saloniku i zmieniałem kanały telewizyjne. Jak większość męskich osobników mojego gatunku, zbyt często korzystam z pilota. Potrafię robić to przez kilka godzin, oglądając wszystko i nic. W zeszłym roku Lenny i Cheryl sprezentowali mi odtwarzacz DVD, wyjaśniając, że magnetowidy odeszły w niebyt śladem ośmiościeżkowych magnetofonów. Teraz spojrzałem na zegar odtwarzacza. Kilka minut po dziewiątej. Mógłbym puścić jakiś film na DVD i położyć się spać przed jedenastą.

Właśnie wyjąłem wypożyczoną płytkę DVD z pudełka i miałem włożyć ją do odtwarzacza — jeszcze nie wymyślili pilota, który by to robił — gdy usłyszałem szczekanie. Dwa domy dalej wprowadzili się nowi lokatorzy. Mieli czworo lub pięcioro małych dzieci albo coś koło tego. Trudno zliczyć przy tak dużej rodzinie. Wszystkie wydawały się zlewać w jedno dziecko. Jeszcze się z nimi nie zaznajomiłem, ale na ich podwórku widziałem psa, irlandzkiego wilczarza, wielkości forda explorera. Byłem przekonany, że to on szczeka.

Odchyliłem zasłonę. Spojrzałem przez okno i z jakiegoś powodu, którego nie potrafię wyjaśnić, wcale nie zdziwiło mnie to, co zobaczyłem.

Kobieta stała dokładnie w tym samym miejscu, w którym

widziałem ją osiemnaście miesięcy wcześniej. Ten długi płaszcz, długie włosy, ręce w kieszeniach — wszystko wyglądało tak samo.

Bałem się spuścić ją z oczu, ale też nie chciałem, żeby mnie zauważyła. Cofnąłem się, chowając głowę, niczym superdetektyw. Przyciśnięty plecami i policzkiem do ściany, zastanawiałem się, co robić.

Przede wszystkim, straciłem ją z oczu. A to oznaczało, że mogłaby odejść, a ja nawet bym tego nie zauważył. Hm, niedobrze. Musiałem zaryzykować i zerknąć. Natychmiast.

Wystawiłem głowę i rzuciłem okiem. Kobieta wciąż tam była. Nadal stała przed domem, ale teraz kilka kroków bliżej frontowych drzwi. Nie wiedziałem, co to miało oznaczać. Co dalej? Może pobiec do drzwi i stawić jej czoło? Wydawało się to całkiem niezłym posunięciem. Jeśli zacznie uciekać, to cóż, pewnie pobiegnę za nią.

Zaryzykowałem następne spojrzenie, lecz kiedy wystawiłem głowę, zobaczyłem, że kobieta spogląda prosto w moje okno. Schowałem się. Do diabła. Zauważyła mnie. To nie ulegało wątpliwości. Chwyciłem dolną połowę okna, zamierzając je otworzyć, lecz ona już zaczęła pospiesznie odchodzić.

Och nie, nie tym razem.

Miałem na sobie chirurgiczny fartuch — niemal każdy znany mi lekarz ma kilka starych, które nosi po domu — i byłem boso. Podbiegłem do frontowych drzwi i otworzyłem je na oścież. Kobieta była już prawie na chodniku. Kiedy zobaczyła mnie w drzwiach, rzuciła się do ucieczki.

Pobiegłem za nią. Do diabła z moimi stopami. Czułem się trochę śmiesznie. Nie jestem najszybszym z dwunogich stworzeń. Zapewne nie byłbym nawet najszybszym z jednonogich, a teraz próbowałem ścigać nieznajomą kobietę, ponieważ przez chwilę stała przed moim domem. Nie wiem, czego chciałem się od niej dowiedzieć. Ta kobieta prawdopodobnie spacerowała, a ja ją przestraszyłem. Pewnie zawiadomi policję. Łatwo mogłem sobie wyobrazić, jak na to zareagują. Nie wystarczyło mi, że zamordowałem żonę i córkę i uszło mi to na sucho. Teraz ganiałem po ulicach, prześladując nieznajome kobiety.

Nie zaniechałem pościgu.

Kobieta skręciła prosto ku Phelps Road. Miała sporą przewagę. Przyspieszyłem, energicznie machając rękami. Kamienie bruku wbijały mi się w stopy. Starałem się biec po trawniku. Kobieta znikła mi z oczu, a ja nie byłem w formie. Przebiegłem najwyżej sto metrów, a już sapałem jak lokomotywa. Zaczęło mi cieknąć z nosa.

Dotarłem do końca mojej uliczki i skręciłem w prawo.

Nie zobaczyłem nikogo.

Ulica była długa, prosta i dobrze oświetlona. Innymi słowami, kobieta powinna być widoczna. Pod wpływem jakiegoś idiotycznego impulsu obejrzałem się za siebie. Tam jednak też nie zobaczyłem kobiety. Pobiegłem dalej. Zajrzałem na Morningside Drive, ale nigdzie jej nie było.

Kobieta znikła.

Jakim cudem?

Nie mogła uciec tak szybko. Nawet Carl Lewis nie jest taki szybki. Przystanąłem, oparłem dłonie o kolana i wciągnąłem do płuc trochę niezbędnego tlenu. Pomyśl. No dobrze, a jeśli mieszka w jednym z tych domów? Może. A jeśli tak, to co? To by oznaczało, że spacerowała po okolicy. Zauważyła coś, co wydało jej się dziwne. Przystanęła, żeby lepiej się przyjrzeć.

Tak jak osiemnaście miesięcy temu?

No dobrze, przecież nie ma pewności, że to była ta sama kobieta.

A więc dwie różne kobiety zatrzymały się przed moim domem dokładnie w tym samym miejscu i stały nieruchomo jak posągi?

To możliwe. A może jednak to była ta sama kobieta? Może lubiła spoglądać na domy. Może była architektem albo kimś takim.

No pewnie, ten nieodparty urok architektury podmiejskich domków z lat siedemdziesiątych. I jeśli jej wizyta była zupełnie niewinna, to dlaczego uciekła?

Nie wiem, Marc, ale może dlatego — tylko tak przypuszczam — może dlatego, że gonił ją jakiś wariat?

Potrząsnąłem głową, odpędzając ten głos i znów pobiegłem, wypatrując nie wiadomo czego. Mijając dom Zuckerów, stanąłem jak wryty.

Czy to możliwe?

Ta kobieta po prostu znikła. Sprawdziłem oba końce ulicy. Nie pobiegła nią. To oznaczało, że a) mieszka w jednym ze stojących tu domów, b) ukryła się gdzieś.

Albo c) pobiegła ścieżką Zuckerów.

Kiedy byłem chłopcem, czasem skracaliśmy sobie drogę, idąc przez podwórze Zuckerów, ścieżką na boisko szkoły średniej. Niełatwo było ją znaleźć, a starej pani Zucker nie podobało się to, że depczemy jej trawnik. Nigdy nie odezwała się słowem, tylko stała przy oknie, włosy miała lśniące od lakieru, jak kremówka, i przeszywała nas gniewnym wzrokiem. Po pewnym czasie przestaliśmy używać tego skrótu, woląc nadkładać drogi.

Spojrzałem na prawo i lewo. Ani śladu kobiety.

Czy mogła znać ten skrót?

Pobiegłem w ciemność podwórka. Niemal spodziewałem się, że zobaczę starą panią Zucker stojącą w oknie kuchni i przeszywającą mnie wzrokiem, ale ona już przed laty przeprowadziła się do Scottsdale. Nie miałem pojęcia, kto tu teraz mieszka. Nawet nie wiedziałem, czy ścieżka wciąż tam jest.

Na podwórku było ciemno jak w studni. W żadnym z okien domu nie paliły się światła. Usiłowałem przypomnieć sobie, gdzie dokładnie biegnie ścieżka. Nie trwało to długo. Takich rzeczy się nie zapomina. Jak umiejętności jazdy na rowerze. Pognałem przed siebie i coś rąbnęło mnie w głowę. Zobaczyłem wszystkie gwiazdy i upadłem jak długi.

Kręciło mi się w głowie. Spojrzałem w górę. W słabym blasku księżyca zobaczyłem huśtawkę. Jedna z tych zmyślnych drewnianych ozdób ogrodu. Nie było jej tu w czasach mojego dzieciństwa i nie zauważyłem jej po ciemku. Zrobiło mi się słabo, ale czas odgrywał decydującą rolę. Nazbyt energicznie zerwałem się z ziemi i o mało znów nie upadłem.

Ścieżka wciąż tam była.

Pobiegłem nią najszybciej, jak zdołałem. Gałęzie smagały mnie po twarzy. Nie przejmowałem się tym. Ścieżka Zuckerów nie była długa, miała dwanaście, może piętnaście metrów. Prowadziła na otwartą przestrzeń boiska piłki nożnej oraz baseballu. Biegłem dość szybko. Jeśli kobieta uciekła tędy, to zdołam ją zobaczyć na rozległym terenie ośrodka sportowego.

Widziałem mglistą poświatę neonowych lamp nad parkingiem. Wypadłem na otwartą przestrzeń i pospiesznie rozejrzałem się wokół. Zobaczyłem kilka bramek, jedną z naciągniętą siatką.

Ani śladu kobiety.

Niech to szlag.

Uciekła mi. Znowu. Podupadłem na duchu. A może nie. No wiecie, kiedy dobrze się nad tym zastanowić, jakie to miało znaczenie? Cały ten pościg był głupotą. Spojrzałem na moje nogi. Bolały mnie jak diabli. Ze skaleczonej podeszwy prawej stopy chyba płynęła krew. Czułem się jak idiota. W dodatku pokonany idiota. Już chciałem zawrócić...

Chwileczkę.

W oddali, na oświetlonym parkingu, stał jakiś samochód. Tylko jeden wóz, sam jak palec. Z namysłem pokiwałem głową. Załóżmy, że ten wóz należał do kobiety. A czemu nie? Jeśli się mylę, to cóż, nic nie zyskam i niczego nie stracę. Jeśli jednak mam rację, jeżeli zaparkowała tutaj... To miało sens. Zostawiła samochód, przeszła przez las, stanęła przed moim domem. Nie miałem pojęcia, dlaczego to zrobiła. Mimo wszystko postanowiłem pójść za tym tokiem rozumowania.

No dobrze, jeśli miałem rację i to był jej samochód, w takim razie powinienem założyć, że kobieta jeszcze gdzieś tu jest. Nie zdążyła uciec. Cóż więc się stało? Zauważyła mnie w oknie i pobiegła ścieżką...

A potem zrozumiała, że będę ją ścigał.

O mało nie pstryknąłem palcami. Ta tajemnicza kobieta mogła wiedzieć, że wychowałem się w tej okolicy i znam skrót przez las. A jeśli tak i jeśli się domyślę (co też zrobiłem), że ona zechce skorzystać z tego skrótu, to zobaczę ją na otwartej przestrzeni. Cóż więc zrobiła?

Zastanowiłem się i natychmiast znalazłem odpowiedź.

Zeszła ze ścieżki i ukryła się w lesie.

Ta tajemnicza kobieta zapewne teraz mnie obserwowała.

Tak, wiem, że to bardzo daleko idące wnioski. Mimo to czułem, że mam rację. Byłem tego pewien. Co robić? Głośno westchnąłem i zakląłem: „Niech to diabli". Opuściłem ręce, udając rezygnację, bardzo starając się nie przesadzić, po czym poszedłem ścieżką w kierunku domu Zuckerów. Pochyliłem głowę i zerkałem na boki. Szedłem ostrożnie, nadstawiając ucha, usiłując wychwycić szelest w zaroślach.

Żaden szmer nie przerwał nocnej ciszy.

Dotarłem do końca ścieżki i poszedłem dalej, jakbym zamierzał wrócić do domu. Kiedy skryłem się w mroku, przypadłem do ziemi i jak komandos przeczołgałem się pod huśtawką i na ścieżkę. Znieruchomiałem na niej i czekałem.

Nie wiem, jak długo to trwało. Zapewne nie dłużej niż dwie lub trzy minuty. Już miałem zrezygnować, gdy usłyszałem szmer. Wciąż leżałem na brzuchu, z uniesioną głową. Z mroku wyłoniła się jakaś postać i ruszyła ścieżką.

Zerwałem się z ziemi, usiłując zrobić to po cichu, ale mi się nie udało. Kobieta odwróciła się, słysząc hałas.

— Zaczekaj! — zawołałem. — Chcę tylko porozmawiać!

Ona jednak już pomknęła z powrotem w las. Był tu gęsty i, jak się domyślacie, bardzo ciemny. Mogłem znów ją zgubić. Nie zamierzałem ryzykować. Dość tego. Wprawdzie nie widziałem jej, ale wciąż ją słyszałem.

Skoczyłem w gąszcz i niemal natychmiast wpadłem na drzewo. Znowu zobaczyłem wszystkie gwiazdy. Człowieku, ależ to był głupi pomysł. Zatrzymałem się i nasłuchiwałem.

Cisza.

Kobieta też znieruchomiała. Znów się schowała. I co teraz? Na pewno była gdzieś w pobliżu. Rozważyłem kilka możliwości, a potem pomyślałem: do diabła z tym. Przypomniawszy sobie, skąd dobiegł mnie ostatni szmer, skoczyłem tam, szeroko rozkładając ręce i nogi, żeby sprawdzić jak największy obszar. Wpadłem na krzak.

Jednak dotknąłem też czegoś innego.

Próbowała odpełznąć, ale złapałem ją za kostkę. Kopnęła mnie drugą nogą. Mimo to trzymałem ją jak pies kość.

— Puszczaj! — krzyknęła.

Nie rozpoznałem tego głosu. Nie puściłem.

— Co jest! Puszczaj!

Nie ma mowy. Zaparłem się w trawę i przyciągnąłem kobietę do siebie. Było ciemno, ale moje oczy zaczęły oswajać się z mrokiem. Szarpnąłem mocniej. Obróciła się na plecy. Była już blisko. W końcu zdołałem zobaczyć jej twarz.

Poznałem ją dopiero po chwili. Głównie dlatego, że minęło sporo czasu. Jej twarz zmieniła się, a przynajmniej tak mi się wydawało. Wyglądała zupełnie inaczej. Rozpoznałem ją dzięki włosom, które podczas szamotaniny spadły jej na oczy. To był znajomy widok, bardziej niż rysy jej twarzy — ta bezradna poza i sposób, w jaki unikała kontaktu wzrokowego. A poza tym, mieszkając w domu, który zawsze łączyłem z jej osobą, wciąż miałem w pamięci jej obraz.

Kobieta odgarnęła włosy z twarzy i spojrzała na mnie. Nagle wróciły szkolne dni w tym ceglanym budynku wznoszącym się zaledwie sto metrów od miejsca, gdzie znajdowaliśmy się teraz. Być może wszystko nabrało sensu. Ta tajemnicza kobieta stała przed domem, w którym kiedyś mieszkała.

Tą tajemniczą kobietą była Dina Levinsky.

10

Siedzieliśmy przy kuchennym stole. Zaparzyłem herbatę, mieszankę chińskiej zielonej, kupioną w Starbucks. Podobno działała uspokajająco. Zobaczymy. Podałem Dinie filiżankę.

— Dziękuję, Marc.

Skinąłem głową i usiadłem naprzeciw Diny. Znałem ją od dziecka. Tak dobrze, jak tylko mogą się znać dzieci chodzące do tej samej klasy podstawówki, chociaż — jak pewnie pamiętacie — chyba nigdy nie zamieniliśmy ze sobą ani słowa.

Każdy z nas spotkał kiedyś jakąś Dinę Levinsky. Była klasową ofiarą, dziewczyną tak często izolowaną, wyśmiewaną i dręczoną, że człowiek zastanawiał się, jak udało jej się pozostać przy zdrowych zmysłach. Wprawdzie nie przyłączałem się do tych okrutnych zabaw, ale też nigdy nie próbowałem im zapobiec. Nawet gdybym nie zamieszkał w jej dawnym domu, Dina Levinsky i tak żyłaby w mojej pamięci. Tak jak żyje w waszej. Odpowiedz bez namysłu: Kto był najbardziej wyśmiewany w twojej klasie? No właśnie, doskonale pamiętasz. Pamiętasz imię i nazwisko, a także wygląd tej osoby. Pamiętasz, jak samotnie wracała do domu i w milczeniu siedziała w kawiarence. Pamiętasz wszystko. Dina Levinsky żyje w tobie.

— Słyszałam, że jesteś lekarzem — powiedziała do mnie Dina.

— Tak. A ty?

— Projektantką i artystką. Za miesiąc mam wystawę w Village.

— Obrazów?

Zawahała się.

— Tak.

— Zawsze ładnie rysowałaś.

Przechyliła głowę, zaskoczona.

— Zauważyłeś?

Zapadła krótka cisza. Potem usłyszałem swój głos:

— Powinienem był ci jakoś pomóc.

Dina uśmiechnęła się.

— Nie, sama powinnam sobie pomóc.

Ładnie wyglądała. Nie, nie wyrosła na piękność jak jedno z tych filmowych brzydkich kaczątek. Przede wszystkim Dina nigdy nie była brzydka. Tylko pospolita. Twarz miała wciąż zbyt pociągłą, lecz u dorosłej kobiety to już tak nie raziło. Jej włosy, dawniej bardzo rzadkie, teraz zgęstniały.

— Pamiętasz Cindy McGovern? — zapytała.

— Jasne.

— Dręczyła mnie bardziej niż inni.

— Pamiętam.

— Cóż, to zabawne. Kilka lat temu miałam wystawę w śródmieściu i nagle pojawiła się Cindy. Podeszła do mnie, objęła mnie i ucałowała. Chciała porozmawiać o dawnych czasach, no wiesz, w stylu: „A pamiętasz, jakim pacanem był pan Lewis?". Uśmiechała się do mnie i przysięgam, Marc, że zupełnie zapomniała, jak mnie traktowała. I wcale nie udawała. Po prostu kompletnie wymazała to z pamięci. Często się z tym spotykam.

— Z czym?

Dina oburącz podniosła filiżankę.

— Nikt nie pamięta, jaki był okropny.

Skuliła się, omiatając wzrokiem kuchnię. Zastanawiałem się nad swoją pamięcią. Czy zawsze stałem na uboczu, czy też tylko tak sobie wmawiam?

— To takie dziwne — powiedziała Dina.

— To, że jesteś w tym domu?

— Taak. — Odstawiła filiżankę. — Pewnie chcesz usłyszeć wyjaśnienie.

Czekałem. Znów zaczęła rozglądać się wokół.

— Chcesz usłyszeć coś niezwykłego?

— Jasne.

— Właśnie tu kiedyś siadywałam. No wiesz, kiedy byłam mała. My też mieliśmy prostokątny stół. Zawsze siadałam w tym samym miejscu. Kiedy teraz tutaj weszłam, odruchowo zajęłam to krzesło. Myślę... myślę, że to jeden z powodów tego, że przyszłam tu dzisiaj.

— Nie jestem pewien, czy rozumiem.

— Ten dom — wyjaśniła. — On wciąż mnie przyciąga. Wzywa. — Nachyliła się do mnie. Po raz pierwszy spojrzała mi w oczy. — Słyszałeś plotki, prawda? O moim ojcu i o tym, co się tutaj stało.

— Tak.

— To prawda — powiedziała.

Udało mi się nie skrzywić. Nie miałem pojęcia, jak zareagować. Pomyślałem o piekle, jakim była dla niej szkoła. Próbowałem wyobrazić sobie drugie piekło, jakim był dla niej dom. Nie zdołałem.

— Już nie żyje. Mówię o moim ojcu. Umarł sześć lat temu.

Zamrugałem i odwróciłem oczy.

— Nic mi nie jest, Marc. Leczyłam się, a właściwie nadal się leczę. Znasz doktora Radio?

— Nie.

— Naprawdę się tak nazywa. Stanley Radio. Jego metoda radiowej terapii uczyniła go sławnym. Leczę się u niego od lat. Bardzo mi pomógł. Dzięki niemu zdołałam opanować tendencje autodestrukcyjne. Już nie czuję się bezwartościowa. Teraz śmieję się z tego. Wyszłam z dołka. Tak, naprawdę. Większość ofiar molestowania seksualnego ma problemy z nawiązywaniem normalnych związków. Ja nigdy ich nie miałam. Prowadzę normalne życie. Jestem mężatką. Mój mąż to wspaniały facet. Nasze małżeństwo to nie sielanka, ale piekielnie dobry związek.

— Cieszę się — mruknąłem, bo nie wiedziałem, co innego mógłbym powiedzieć.

Znów się uśmiechnęła.

— Jesteś przesądny, Marc?

— Nie.

— Ja też nie. Tylko że kiedy przeczytałam o twojej żonie i córce, zaczęłam się zastanawiać nad tym domem i wszystkim. Myśleć o złej karmie i tym podobnych sprawach. Twoja żona była taka ładna.

— Znałaś Monicę?

— Spotkałyśmy się.

— Kiedy?

Dina nie odpowiedziała od razu.

— Czy znasz pojęcie „czynnika wyzwalającego"?

Z czasów, kiedy odbywałem staż na różnych oddziałach szpitalnych, pamiętałem, co oznacza ten termin.

— W psychiatrii?

— Tak. Widzisz, kiedy przeczytałam o tym, co tu się stało, to było dla mnie takim czynnikiem. Jak w przypadku alkoholizmu albo anoreksji. Nie ma mowy o całkowitym wyleczeniu. Coś się wydarzy i staje się czynnikiem powodującym nawrót choroby. Zaczęłam ogryzać paznokcie. Znów zaczęłam kaleczyć swoje ciało. Tak jakbym... jakbym musiała stawić czoło temu domowi. Potrzebowałam konfrontacji z przeszłością, żeby ją pokonać.

— I właśnie dlatego przyszłaś dziś tutaj?

— Tak.

— I kiedy widziałem cię tutaj osiemnaście miesięcy temu?

— Też.

Usiadłem wygodniej.

— Jak często tu przychodziłaś?

— Chyba · co kilka miesięcy. Zostawiałam samochód na szkolnym parkingu i przychodziłam skrótem przez podwórze Zuckerów. Jednak to nie wszystko.

— Nie?

— Moje wizyty miały jeszcze inny powód. Widzisz, ten dom nadal kryje moje tajemnice. Dosłownie.

— Nie nadążam.

— Wciąż próbowałam zebrać się na odwagę i ponownie zadzwonić do tych drzwi, ale nie mogłam. A teraz jestem w środku, siedzę w kuchni i nic mi nie jest. — Uśmiechnęła się z przymusem, jakby chciała tego dowieść. — Jednak nadal nie wiem, czy potrafię to zrobić.

— Co takiego? — zapytałem.

— Bełkoczę. — Dina podrapała grzbiet dłoni, mocno i szybko, prawie kalecząc skórę paznokciami. Miałem ochotę wyciągnąć do niej rękę, ale wyglądałoby to nienaturalnie. — Spisałam to wszystko. W pamiętniku. To, co mi się przydarzyło. On wciąż tu jest.

— W tym domu?

Kiwnęła głową.

— Schowałam go.

— Policja przeszukała dom po morderstwie. Przetrząsnęli go bardzo dokładnie.

— Nie znaleźli pamiętnika — powiedziała. — Jestem tego pewna. A nawet gdyby znaleźli, to tylko stare zapiski. Nie mieliby powodu ich zabierać. Sama nie wiem, czy chcę go odzyskać. Już po wszystkim, no nie? Nie budźmy śpiącego licha. A jednocześnie chciałabym wypuścić tego upiora. Niech słoneczny blask zabije go jak wampira.

— Gdzie jest ten pamiętnik? — spytałem.

— W piwnicy. Trzeba stanąć na suszarce, żeby go wyjąć. Jest w jednym z kanałów wentylacyjnych. — Zerknęła na zegarek. Spojrzała na mnie i skuliła się. — Robi się późno.

— Dobrze się czujesz?

Znów nerwowo rozejrzała się wokół. Nagle zaczęła oddychać coraz szybciej.

— Nie wiem, jak długo jeszcze tu wytrzymam.

— Chcesz sama poszukać pamiętnika?

124

— Nie wiem.

— Mam ci go przynieść?

Gwałtownie potrząsnęła głową.

— Nie. — Wstała, spazmatycznie chwytając ustami powietrze. — Lepiej już pójdę.

— W każdej chwili możesz tu wrócić, Dino. Kiedy tylko zechcesz.

Jednak ona mnie nie słuchała. Wpadła w panikę i biegła do drzwi.

— Dina?

Nagle odwróciła się do mnie.

— Kochałeś ją?

— Kogo?

— Monicę. Kochałeś ją? A może miałeś kogoś?

— O czym ty mówisz?

Jej twarz była biała jak kreda. Patrzyła na mnie, cofając się do drzwi.

— Ty wiesz, kto cię postrzelił, prawda, Marc?

Otworzyłem usta, ale nie wydobył się z nich żaden dźwięk. Zanim odzyskałem głos, Dina już zdążyła się odwrócić.

— Przykro mi, muszę już iść.

— Zaczekaj.

Otworzyła drzwi na oścież i wybiegła. Stałem przy oknie i patrzyłem, jak ucieka w kierunku Phelps Road. Tym razem wolałem jej nie ścigać.

Zamiast tego odwróciłem się i wciąż mając w uszach jej słowa „Ty wiesz, kto cię postrzelił, prawda, Marc?" — zbiegłem do piwnicy.

W porządku, pozwólcie, że coś wam wyjaśnię. Nie schodziłem do wilgotnej i niewykończonej piwnicy po to, żeby wedrzeć się w tajemnice Diny. Nie zamierzałem udawać, że wiem, co jest dla niej najlepsze, co może oszczędzić jej tych okropnych cierpień. Wielu moich kolegów psychiatrów nie zgodziłoby się ze mną, ale czasem zastanawiam się, czy nie najlepiej po prostu zapomnieć o przeszłości. Oczywiście, nie potrafię odpowiedzieć na to pytanie, a moi koledzy psychiatrzy z pewnością przypomnieliby mi, że ja się ich nie radzę, jak najlepiej zespolić rozszczep podniebienia. Tak więc jedyne, co wiem na pewno, to że nie mam prawa decydować za Dinę.

Nie schodziłem do piwnicy wiedziony ciekawością. Nie interesowały mnie szczegółowe opisy cierpień Diny. Szczerze mówiąc, nie miałem najmniejszej ochoty ich poznać. Dreszcz przechodził mi po plecach na samą myśl o tym, że takie okropności działy się w miejscu, które nazywałem domem. Nie miałem ochoty poznać szczegółów, piękne dzięki. Nie zamierzałem o nich słuchać ani czytać.

No to po co tam zszedłem?

Nacisnąłem włącznik. Zapaliła się naga żarówka. Zbiegając po schodach, już zbierałem kawałki łamigłówki. Dina powiedziała kilka dziwnych rzeczy. Pomijając najdramatyczniejsze z jej wypowiedzi, zacząłem zastanawiać się nad bardziej subtelnymi. Ta noc już przyniosła mi pewien sukces. Postanowiłem pójść za ciosem.

Po pierwsze, przypomniałem sobie, że Dina, kiedy jeszcze była tajemniczą kobietą na chodniku, zrobiła krok w kierunku drzwi. Teraz wiedziałem, bo sama mi to powiedziała, że „próbowała zebrać się na odwagę i ponownie zadzwonić do tych drzwi".

Ponownie.

Zadzwonić do drzwi ponownie.

Z jej wypowiedzi wynikało, że co najmniej raz znalazła w sobie dość odwagi, żeby zadzwonić do moich drzwi.

Po drugie, Dina powiedziała, że poznała Monicę. Nie miałem pojęcia gdzie. Owszem, Monica również wychowała się w tym mieście, ale z tego co o niej wiedziałem, równie dobrze mogłaby dorastać w innym świecie. Posiadłość Portmanów znajdowała się na drugim końcu rozległego przedmieścia. Monica była małą dziewczynką, kiedy umieszczono ją w szkole z internatem.

Nikt w naszym miasteczku jej nie znał. Pamiętam, że pewnego razu widziałem ją w lecie w kinie, kiedy byłem w pierwszej klasie college'u. Gapiłem się na nią. Ona udawała, że nie zwraca na mnie uwagi. Już wtedy była pięknością. Kiedy spotkaliśmy się po latach i wzbudziłem jej zainteresowanie, bardzo mi to pochlebiło. Monica z daleka wydawała mi się księżniczką z bajki.

Gdzież więc, zastanawiałem się teraz, moja bogata, wyniosła i piękna żona poznała biedną, pospolitą Dinę Levinsky? Najbardziej prawdopodobnym wyjaśnieniem, wziąwszy pod uwagę słowo „ponownie", było to, że Dina zadzwoniła do naszych drzwi i Monica je otworzyła. W ten sposób się spotkały. I pewnie porozmawiały. Dina zapewne powiedziała Monice o schowanym pamiętniku.

„Ty wiesz kto cię postrzelił, prawda, Marc?"

Nie, Dino. Jednak zamierzam się dowiedzieć.

Stanąłem na cementowej podłodze. Wszędzie piętrzyły się pudła, których nigdy nie otworzę ani nie wyrzucę. Zauważyłem, chyba po raz pierwszy, plamy farby na podłodze. W rozmaitych kolorach. Zapewne były tutaj od czasów Diny — pamiątka po jedynej ucieczce, jaką było dla niej malarstwo.

Umywalka i suszarka znajdowały się w kącie po lewej. Powoli podszedłem do nich w słabym świetle żarówki. Szedłem na palcach, jakbym obawiał się zbudzić upiory przeszłości Diny. Głupota. Jak już powiedziałem, nie jestem przesądny, a nawet gdybym był, gdybym wierzył w złe duchy i tym podobne rzeczy, nie miałem powodu obawiać się, że je rozgniewam. Żona nie żyła, a córka zaginęła — co jeszcze mogły mi zrobić? W rzeczy samej, powinienem je zbudzić i zmusić do działania w nadziei, że ujawnią mi, co naprawdę stało się z moją rodziną i Tarą.

Wróciłem do punktu wyjścia. Tara. Wszystko kręciło się wokół niej. Nie wiedziałem, w jaki sposób ta sprawa się z nią łączyła. Nie miałem pojęcia, czy Dina Levinsky ma jakiś związek z porwaniem. Zapewne nie. Mimo to nie zamierzałem się wycofać.

Widzicie, Monica nigdy mi nie wspomniała o Dinie Levinsky. Uznałem, że to dziwne. To prawda, że zbudowałem tę teorię na bardzo kruchych podstawach. Jeśli jednak Dina zadzwoniła do naszych drzwi i Monica naprawdę je otworzyła, można by sądzić, że moja żona powinna wcześniej czy później powiedzieć mi o tym. Przecież wiedziała, że Dina Levinsky chodziła ze mną do szkoły. Dlaczego zachowała w sekrecie jej wizytę i to, że się poznały?

Wszedłem na suszarkę. Musiałem jednocześnie przykucnąć i wyciągnąć szyję. Królestwo kurzu. Wszędzie mnóstwo pajęczyn. Zobaczyłem otwór i wetknąłem weń rękę. Usiłowałem wymacać pamiętnik. Nie było to proste. W kanale tkwiła istna plątanina rur i z trudem zdołałem wepchnąć między nie rękę. Młodej i chudej dziewczynie na pewno było łatwiej.

W końcu przepchnąłem dłoń między rurami. Przesunąłem palcami w prawo i w górę. Nic. Jeszcze kilka centymetrów w górę. Coś tam się poruszyło.

Podciągnąłem rękaw i wepchnąłem rękę centymetr czy dwa głębiej. Wciskałem ją między dwie rury, lecz te rozstąpiły się odrobinę. Zdołałem sięgnąć głębiej. Pomacałem, znalazłem coś i wyciągnąłem.

Pamiętnik.

Typowy szkolny zeszyt z okładką w znajomy czarny marmurkowy wzorek. Otworzyłem go i przekartkowałem. Drobniutkie pismo. Przypominało mi tego faceta z supermarketu, który pisze imiona na ziarnkach ryżu. Równiutkie pismo Diny — niewątpliwie nie przystające do treści — zapełniało wszystkie kartki, od góry do dołu. Nie było marginesów. Dina używała obu stron każdej kartki.

Nie czytałem. Powtarzam, że nie po to tam poszedłem. Ponownie wetknąłem rękę w otwór i odłożyłem pamiętnik na miejsce. Nie wiem, co na to powiedzieli bogowie — może wystarczyło dotknąć tego zeszytu, żeby wyzwolić klątwę Tutanchamona — ale i to mnie specjalnie nie obchodziło.

Znów zacząłem gmerać w otworze. Wiedziałem. Nie wiem

skąd, po prostu wiedziałem. W końcu moje palce natrafiły na coś. Serce zabiło mi mocniej. Coś gładkiego. Skóra. Wyciągnąłem to. Razem z kłębem kurzu. Zamrugałem, gdy dostał mi się do oczu.

Notatnik Moniki.

Pamiętałem, że kupiła go w jakimś szykownym nowojorskim butiku. Coś, co pomoże jej prowadzić zorganizowane życie, powiedziała mi. Jak większość tych notesów, miał kalendarz i terminarz. Kiedy go kupiła? Nie pamiętałem. Chyba osiem, dziewięć miesięcy przed śmiercią. Próbowałem przypomnieć sobie, kiedy ostatni raz go widziałem. Nie miałem pojęcia.

Ścisnąłem notatnik między kolanami i wetknąłem kratkę wywietrznika na miejsce. Wziąłem zdobycz i zszedłem z suszarki. Pomyślałem, że powinienem obejrzeć go dopiero na górze, w lepszym świetle, ale nie, nie wytrzymałem. Notes był zapięty na zamek błyskawiczny. Choć zakurzony, otworzył się gładko.

Płytka CD wypadła z niego i wylądowała na podłodze.

W słabym świetle zabłysła jak brylant. Podniosłem ją, chwyciwszy za krawędzie. Nie była opisana. Wyprodukowana przez Memorex. „CD-R" — głosiła etykieta — „80 minut".

Co to jest, do diabła?

Był tylko jeden sposób, żeby się dowiedzieć. Pobiegłem na górę i włączyłem komputer.

11

Kiedy włożyłem płytkę do gniazda CD, na ekranie pojawił się następujący napis:

Hasło: _ _ _ _ _ _

MVD

Newark, NJ

Sześcioliterowe hasło. Wystukałem datę jej urodzin. Nic z tego. Spróbowałem datę urodzin Tary. Też nic. Wprowadziłem datę naszego ślubu, a potem moich urodzin. Nadal bez skutku. Wyprostowałem się. I co teraz?

Zastanawiałem się, czy zadzwonić do detektywa Regana. Jednak dochodziła północ i nawet gdybym go złapał, co właściwie miałem mu do powiedzenia? „Cześć, znalazłem płytkę CD schowaną w mojej piwnicy, przyjedźcie zaraz". Nie. Pośpiech nic nie da. Lepiej działać na zimno, racjonalnie. Cierpliwość odgrywa tu kluczową rolę. Przemyśl to. Do Regana można zadzwonić rano. Przecież w nocy i tak nie może, i nie zechce tym się zająć.

Świetnie, ale jeszcze nie chciałem się poddać. Zalogowałem się do Internetu i wywołałem wyszukiwarkę. Wprowadziłem MVD w Newark. Na ekranie pojawiła się lista.

„MVD — Most Valuable Detection".

Co to takiego?

Obok był podany odnośnik do strony internetowej. Kliknąłem na nim i pojawiła się witryna internetowa MVD. Pospiesznie prześlizgnąłem się po niej wzrokiem. MVD była „zespołem zawodowych prywatnych detektywów", którzy „świadczyli dyskretne usługi". Oferowali zbieranie informacji na telefoniczne zlecenie za niecałe sto dolarów. Ich reklama głosiła: „Sprawdź, czy twój nowy chłopak nie był notowany!" oraz „Gdzie twoja dawna ukochana? Może wciąż za tobą tęskni!". Takie buty. Ponadto prowadzili „szersze, dyskretne dochodzenia" dla tych, którzy ich potrzebowali. Według winiety na górze strony byli „firmą świadczącą pełny zakres usług".

Zastanawiałem się, co też chciała sprawdzić Monica.

Podniosłem słuchawkę i wybrałem zaczynający się od 800 numer MVD. Zgłosiła się automatyczna sekretarka — nic dziwnego, zważywszy późną porę — i powiedziała mi, iż cieszy się, że zadzwoniłem, a biuro otwierają o dziewiątej rano. W porządku. Zadzwonię do nich rano.

Odłożyłem słuchawkę i nacisnąłem na przycisk „e:". Płytka wysunęła się. Wziąłem ją za krawędzie i obejrzałem, szukając sam nie wiem czego — jakiegoś śladu. Nie znalazłem. Zastanówmy się. Wydawało się oczywiste, że Monica wynajęła facetów z MVD, żeby zbadali coś i ta płytka zawierała wiadomości, które dla niej zdobyli. Nie trzeba być geniuszem, żeby to wydedukować, ale to zawsze coś.

Idźmy dalej. Fakt, nie miałem pojęcia, czego Monica chciała się dowiedzieć ani w jakim celu. Jeśli jednak miałem rację i ta płytka rzeczywiście należała do Moniki, która z jakiegoś powodu wynajęła prywatnego detektywa, to nie ulegało wątpliwości, że musiała zapłacić MVD za wykonaną usługę.

Skinąłem głową. No, to już lepiej.

Jednak — i tego nie mogłem zrozumieć — policja dokładnie sprawdziła nasze konta w banku i nasze rachunki. Przyjrzeli się wszystkim transakcjom, zakupom opłaconym kartą Visa, wszystkim czekom i wypłatom z bankomatu. Czy znaleźli przelew na rzecz MVD? Jeśli tak, to albo nie odkryli niczego ciekawego, albo postanowili nic mi o tym nie mówić. Oczywiście, przecież sam mogłem na to wpaść. Moja córka zniknęła. Ja również sprawdziłem rachunki bankowe. Nie było w nich śladu po przelewie na rzecz agencji detektywistycznej ani żadnych nadzwyczajnych wypłat gotówki.

Co to oznaczało?

Może ta płytka była stara.

Całkiem możliwe. Nie sądzę, żeby ktoś sprawdzał transakcje z okresu wcześniejszego niż sześć miesięcy przed napadem. Może Monica kontaktowała się z Most Valuable Detection wcześniej. Zapewne powinienem sprawdzić stare rachunki.

Jednak nie wierzyłem w tę wersję.

Ta płytka nie była stara. Byłem tego pewien. A poza tym, to nie miało większego znaczenia. Czas, kiedy dobrze się nad tym zastanowić, nie odgrywał roli. Czy płytkę nagrano dawno, czy nie, kluczowe pytania pozostawały takie same: Dlaczego Monica wynajęła prywatnego detektywa? Co było na zabezpieczonej hasłem płytce CD? Dlaczego ukryła ją w takim dziwnym miejscu, w piwnicy? Jaką — jeśli w ogóle jakąś — rolę odgrywała w tym wszystkim Dina Levinsky? I najważniejsze, czy miało to coś wspólnego z napadem, czy też to podejrzenie było z mojej strony jedynie przejawem myślenia życzeniowego?

Spojrzałem przez okno. Na ulicy było pusto i cicho. Przedmieście pogrążyło się we śnie. Dziś wieczorem nie uzyskam odpowiedzi. Rano jak co tydzień zabiorę ojca na spacer, a potem zadzwonię do MVD, a może nawet do Regana.

Położyłem się do łóżka i czekałem na sen.

Telefon przy łóżku Edgara Portmana zadzwonił o trzeciej trzydzieści nad ranem. Edgar ocknął się, wyrwany z głębokiego snu, i po omacku znalazł słuchawkę.

— Co jest? — warknął.

— Kazałeś zadzwonić, jak tylko się dowiem.

Edgar przetarł oczy.

— Masz wyniki.

— Mam.

— I co?

— Zgadzają się.

Edgar zamknął oczy.

— Na ile to pewne?

— To wstępne analizy. Gdybym miał przedstawić je w sądzie, potrzebowałbym jeszcze kilku tygodni, żeby dopracować szczegóły. Jednak to byłaby tylko formalność.

Edgarowi trzęsły się ręce. Podziękował rozmówcy, odłożył słuchawkę na widełki i rozpoczął przygotowania.

12

O szóstej rano opuściłem dom i przeszedłem do następnej przecznicy. Kluczem, który miałem od czasów college'u, otworzyłem drzwi i wszedłem do domu rodziców.

Czas nie był łaskawy dla tego domostwa, które, jak już mówiłem, nigdy nie nadawało się do zamieszczenia w czasopiśmie *Dom i ogród* (chyba że na zdjęciu opatrzonym podpisem „przed remontem". Przed czterema laty wymieniliśmy wykładzinę (gdyż poprzednia, niebieska w białe ciapki, była tak wyblakła i wytarta, że praktycznie nieistniejąca) na jedną z tych twardych i szarych, która nie stawiała oporu kółkom inwalidzkiego fotela ojca. Poza tym nic się tu nie zmieniło. Na polaturowanych stoliczkach wciąż stały porcelanowe figurki Lladró, przywiezione przed laty z wycieczki do Hiszpanii. Oleodruki przedstawiające skrzypce i owoce, chociaż nikt z nas nie jest muzykiem ani tym bardziej owocem, wciąż zdobiły pomalowaną na biało boazerię, jak w Holiday Inn.

Na półce nad kominkiem stały fotografie. Zawsze zatrzymywałem się i spoglądałem na zdjęcie mojej siostry, Stacy. Nie wiem, czego wypatrywałem. A może wiem. (Szukałem śladów, przestrogi). Chciałem odnaleźć coś, co zapowiadało, że ta młoda, delikatna, zagubiona dziewczyna pewnego dnia kupi na ulicy broń, postrzeli mnie i skrzywdzi moją córkę.

— Marc? — odezwała się mama. Wiedziała, co robię. — Chodź i pomóż mi, dobrze?

Skinąłem głową i ruszyłem w kierunku sypialni na tyłach domu. Tato śpi teraz na parterze. Dzięki temu nie trzeba wnosić fotela na piętro. Ubraliśmy go, co trochę przypominało wypełnianie ubrania mokrym piaskiem. Ojciec bezwładnie przetaczał się na boki. Jego ciało czasem w nieoczekiwany sposób zmienia środek ciężkości. Matka i ja przyzwyczailiśmy się do tego, lecz to bynajmniej nie ułatwia nam zadania.

Kiedy mama pocałowała mnie na pożegnanie, popłynął od niej znajomy zapach mięty i papierosów. Wciąż namawiałem ją, żeby rzuciła palenie. Obiecywała, ale wiedziałem, że nigdy tego nie zrobi. Zauważyłem, że skóra zwiotczała jej na szyi tak, iż złote łańcuszki prawie ginęły w jej fałdach. Nachyliła się i pocałowała ojca w policzek, kilka sekund za długo przyciskając wargi.

— Uważajcie — powiedziała.

Zawsze tak mówiła.

Zaczęliśmy naszą podróż. Pchając fotel, przeszedłem obok stacji kolejowej. Mieszkamy w sypialni wielkiego miasta. W kolejce do kasy stali głównie mężczyźni, ale i kobiety w długich płaszczach, z teczką w jednej, a kubkiem kawy w drugiej ręce. Może to zabrzmi dziwnie, ale nawet przed dziewiątym listopada ci ludzie byli dla mnie bohaterami. Jeżdżą tym przeklętym pociągiem pięć dni w tygodniu. Jadą do Hoboken, gdzie przesiadają się do PATH. Ten wiezie ich do Nowego Jorku. Niektórzy z nich kierują się ku Trzydziestej Trzeciej Ulicy, gdzie przesiadają się i jadą do śródmieścia. Inni ruszają do centrum finansowego, które znowu jest otwarte. Składają codzienną ofiarę, poświęcając marzenia i sny, żeby zapewnić byt tym, których kochają.

Mógłbym zająć się kosmetyczną chirurgią plastyczną i zarabiać krocie. Moich rodziców byłoby stać na lepszą opiekę dla ojca. Mogliby się przeprowadzić do ładniejszego domu, wynająć pielęgniarkę na całą dobę, znaleźć miejsce lepiej odpowiadające ich potrzebom. Jednak nie robię tego. Nie pomagam im, wybierając bardziej uczęszczany szlak, gdyż, prawdę mówiąc, taka praca byłaby dla mnie nudna. Tak więc wybrałem coś bardziej ekscytującego, co uwielbiam robić. Z tego powodu ludzie uważają mnie za bohatera, który poświęcił się dla innych. Powiem wam prawdę. Ludzie, którzy pracują dla innych, zwykle są egoistami. Nie chcemy poświęcać naszych marzeń. Nie wystarcza nam praca, która zapewnia byt rodzinom. Dobrobyt bliskich ma dla nas drugorzędne znaczenie. Pragniemy zawodowej satysfakcji, nawet gdyby z tego powodu miały ucierpieć nasze rodziny. A ci urzędnicy, którzy teraz apatycznie wsiadają do pociągu jadącego do Nowego Jorku? Oni często nienawidzą tego miasta i swojej pracy, ale i tak ją wykonują. Robią to, żeby zapewnić byt rodzinom, lepsze życie małżonkom i dzieciom, a być może, tylko być może, postarzałym rodzicom.

Tak więc kogo z nas naprawdę należy podziwiać?

W każdy czwartek podążaliśmy z ojcem tą samą trasą. Spacerowaliśmy alejką wokół parku za biblioteką. W parku, jak na każdym przedmieściu, było mnóstwo boisk piłkarskich. Ile wspaniałych parceli budowlanych zajmowały tereny oddane pod ten, pozornie mało popularny, cudzoziemski sport? Mój ojciec sprawiał wrażenie zadowolonego z widoku i gwaru bawiących się dzieci. Przystanęliśmy i oddychaliśmy świeżym powietrzem. Zerknąłem w lewo. Kilka zdrowych kobiet uprawiało jogging w wystrzałowych, obcisłych strojach z lycry. Tato siedział nieruchomo. Uśmiechnąłem się. Może lubił tu bywać wcale nie z powodu dzieci grających w piłkę.

Już nie przypominam sobie, jaki był kiedyś. Gdy próbuję sięgnąć pamięcią tak daleko wstecz, moje wspomnienia są jak migawkowe ujęcia: basowy męski śmiech, chłopczyk wiszący na jego ramieniu, huśtający się nad ziemią. Mniej więcej tyle. Pamiętam, że bardzo go kochałem, i chyba to wystarczało.

Po drugim wylewie, który przeszedł szesnaście lat temu, ojciec mówił z najwyższym trudem. Często urywał w połowie zdania. Opuszczał wyrazy. Milczał całymi godzinami, a czasem kilka dni. Zapominało się o jego obecności. Nikt nie wiedział, czy coś rozumie, czy ma klasyczną „afazję ruchową" — rozumie, lecz nie jest w stanie porozumiewać się z otoczeniem — czy też znacznie gorszą jej odmianę.

Jednak pewnego upalnego dnia w czerwcu, wtedy, kiedy kończyłem szkołę, ojciec niespodziewanie wyciągnął rękę i chwycił mnie za rękaw palcami jak kleszcze. Właśnie wybierałem się na prywatkę. Lenny czekał na mnie przy drzwiach. Zaskakująco silny uścisk ojca sprawił, że stanąłem jak wryty. Spojrzałem na niego. Twarz miał białą jak chusta, ścięgna szyi napięte, a w jego oczach ujrzałem strach. Ten udręczony wyraz jego twarzy często śni mi się po nocach. Opadłem na krzesło obok niego, a on wciąż trzymał mnie za rękę.

— Tato?

— Ja rozumiem — rzekł błagalnie. Jeszcze mocniej zacisnął palce. — Proszę. — Z trudem wymawiał każde słowo. — Ja wciąż rozumiem.

Tylko tyle powiedział. Jednak to wystarczyło. Pojąłem, że chciał rzec: „Chociaż nie mogę mówić ani reagować, wszystko rozumiem. Proszę, nie odpychajcie mnie". Przez jakiś czas lekarze byli zgodni. Miał afazję ruchową. Potem przeszedł kolejny wylew i już nie byli pewni, czy coś rozumie, czy nie. Nie wiem, czy w ten sposób stosuję wobec niego moją własną wersję prawa Pascala — jeśli mnie rozumie, to powinienem do niego mówić, a jeśli nie, co to szkodzi? — w każdym razie uważam, że jestem mu to winien. Dlatego mówię do niego. Opowiadam mu wszystko. Teraz opowiedziałem mu o wizycie Diny Levinsky — (Czy pamiętasz ją, tato?") — oraz o schowanej płytce CD.

Twarz ojca była skupiona, nieruchoma, a lewy kącik ust wygięty w dół w gniewnym grymasie. Często żałowałem, że wtedy powiedział mi, że rozumie. Sam nie wiem, co jest gorsze: niczego nie rozumieć, czy też zdawać sobie sprawę ze swojego kalectwa. A może wiem.

Zacząłem drugie okrążenie, wokół nowego toru dla wrotkarzy, kiedy zauważyłem mojego teścia. Edgar Portman w eleganckim sportowym garniturze siedział na ławce, założywszy nogę na nogę. Kantami jego spodni można by kroić pomidory. Po napadzie próbowaliśmy z Edgarem nawiązać stosunki, których nie utrzymywaliśmy za życia jego córki. Razem wynajęliśmy agencję detektywistyczną — Edgar, oczywiście, wiedział, która jest najlepsza — lecz i tak niczego nie znalazła. Po pewnym czasie przestaliśmy udawać. Jedyne, co nas łączyło, przywoływało wspomnienie najgorszej chwili mojego życia.

Oczywiście, obecność Edgara w parku mogła być przypadkowa. Mieszkamy w tym samym miasteczku. Od czasu do czasu możemy wpadać na siebie. Jednak nie tym razem. Byłem tego pewien. Edgar nie należał do tych, którzy bez celu spacerują po parkach. Przyszedł tutaj zobaczyć się ze mną.

Nasze spojrzenia spotkały się i nie spodobało mi się to, co zobaczyłem. Popchnąłem fotel w kierunku ławki. Edgar nie odrywał oczu ode mnie, nie patrząc na mojego ojca. Równie dobrze mógłbym popychać koszyk z supermarketu.

— Twoja matka powiedziała mi, że cię tu znajdę — rzekł.

Zatrzymałem się kilka kroków przed nim.

— Co się stało?

— Usiądź przy mnie.

Postawiłem fotel ojca po lewej. Zaciągnąłem hamulec. Ojciec patrzył prosto przed siebie. Głowa lekko opadła mu na prawe ramię jak zwykle, gdy jest zmęczony. Odwróciłem się i spojrzałem na Edgara. Wyprostował nogi.

— Zastanawiałem się, jak ci to powiedzieć — zaczął.

Nie poganiałem go. Odwrócił wzrok.

— Edgarze?

— Hm.

— Po prostu powiedz, z czym przyszedłeś.

Kiwnął głową, pochwalając moją bezceremonialność. Taki już był. Bez żadnych wstępów rzekł:

— Otrzymałem następne żądanie okupu.

Drgnąłem. Nie wiedziałem, co spodziewałem się usłyszeć,

może to, że znaleziono ciało Tary, ale teraz... Nie byłem w stanie tego pojąć. Już miałem zasypać go gradem pytań, kiedy zauważyłem, że na kolanach trzyma torbę. Otworzył ją i wyjął z niej coś. To było w plastikowym woreczku — tak samo jak poprzednim razem. Zmrużyłem oczy. Podał mi to. Serce podeszło mi do gardła. Zamrugałem, wpatrując się w woreczek.

Włosy. W środku były włosy.

— To ich dowód — powiedział Edgar.

Oniemiałem. Tylko gapiłem się na ten kosmyk włosów. Ostrożnie położyłem go na swoich kolanach.

— Oni wiedzieli, że możemy być sceptycznie nastawieni — powiedział Edgar.

— Kto?

— Porywacze. Powiedzieli, że dają nam kilka dni. Natychmiast posłałem włosy do laboratorium, na badania DNA.

Popatrzyłem na niego, a potem znowu na włosy.

— Dwie godziny temu otrzymałem wstępne wyniki badań — ciągnął Edgar. — Jeszcze nienadające się do przedstawienia w sądzie, ale mimo to wystarczająco jasne. Te włosy są identyczne jak te, które przysłali nam półtora roku temu. — Zamilkł i przełknął ślinę. — To włosy Tary.

Usłyszałem słowa. Nie zrozumiałem ich. Z jakiegoś powodu przecząco pokręciłem głową.

— Może zostawili je sobie po...

— Nie. Wykonano badania na starzenie. To są włosy prawie dwuletniego dziecka.

Chyba już to wiedziałem. Patrząc na nie, widziałem, że nie są to delikatne włoski niemowlęcia. Już dawno ich nie miała. Jej włosy na pewno ściemniały i wzmocniły się...

Edgar podał mi notatkę. Wziąłem ją od niego jak we śnie. Litery takie same jak w liście, który otrzymałem przed osiemnastoma miesiącami. Nagłówek głosił:

CHCESZ MIEĆ OSTATNIĄ SZANSĘ?

Serce waliło mi jak młotem. Głos Edgara nagle zdawał się dochodzić z daleka.

— Zapewne powinienem był zawiadomić cię natychmiast, ale wszystko wskazywało na oszustwo. Carson i ja nie chcieliśmy wzbudzać w tobie płonnych nadziei. Mam przyjaciół. Zdołali przyspieszyć wykonanie badań DNA. Nadal mieliśmy włosy z poprzedniego listu.

Położył dłoń na moim ramieniu. Nie odsunąłem się.

— Ona żyje, Marc. Nie wiem jak ani gdzie, ale Tara żyje.

Nie odrywałem oczu od włosów. Tara. Należały do Tary. Ten lśniący, pszenicznozłoty odcień. Pogłaskałem je przez plastik. Miałem chęć sięgnąć do woreczka i dotknąć ich, ale bałem się, że pęknie mi serce.

— Żądają następnych dwóch milionów dolarów. W liście znów ostrzegają nas, żebyśmy nie zawiadamiali policji. Twierdzą, że mają swojego informatora. Znów przysłali ci telefon komórkowy. Pieniądze mam w samochodzie. Zostało najwyżej dwadzieścia cztery godziny. Potem kończy się czas, jaki dali nam na przeprowadzenie analizy DNA. Musisz być gotowy.

W końcu przeczytałem cały list. Potem spojrzałem na ojca, siedzącego na fotelu. Wciąż patrzył prosto przed siebie.

Edgar powiedział:

— Wiem, że uważasz, iż jestem bogaty. Chyba jestem. Jednak nie aż tak, jak sądzisz. Mam pewne wpływy, ale...

Odwróciłem się do niego. Szeroko otworzył oczy. Trzęsły mu się ręce.

— Chcę powiedzieć, że nie zostało mi już wiele aktywów. Nie śpię na pieniądzach. To wszystko.

— I tak się dziwię, że to robisz — powiedziałem.

Zobaczyłem, że te słowa zraniły go. Chciałem je cofnąć, lecz nie zrobiłem tego, sam nie wiem dlaczego. Przeniosłem spojrzenie na ojca. Jego twarz była nieruchoma jak kamień, lecz przyjrzawszy się uważniej, zauważyłem łzę na jego policzku. To o niczym nie świadczyło. Tato płakał już nieraz, na pozór bez żadnego powodu. Nie uznałem tego za żaden dowód.

Nagle, nie mam pojęcia czemu, powiodłem wzrokiem za jego spojrzeniem. Nad boiskiem do piłki nożnej, słupkami bramki, dwiema kobietami w obcisłych strojach do joggingu, aż na odległą o prawie sto metrów ulicę. Skręciło mnie. Tam, trzymając ręce w kieszeniach i gapiąc się na mnie, stał mężczyzna we flanelowej koszuli, czarnych dżinsach i baseballówce z emblematem Yankee.

Nie wiedziałem, czy to ten sam człowiek. Wielu mężczyzn nosi flanelowe koszule w czerwono-czarną kratę. Dzieliła nas spora odległość, może więc to wyobraźnia płatała mi figle, ale miałem wrażenie, że uśmiechał się do mnie. Drgnąłem.

— Marc? — powiedział Edgar.

Wiedziałem, że się nie mylę. Tego nie da się zapomnieć. Zamykasz oczy i widzisz go. Nigdy cię nie opuszcza. I marzysz o takiej chwili jak ta. Wiedziałem o tym. I wiedziałem, co potrafią sprawić takie pragnienia. Mimo to pobiegłem ku niemu. Ponieważ to nie była pomyłka. On wiedział, kim jestem.

Kiedy byłem jeszcze daleko od niego, mężczyzna podniósł rękę i pomachał do mnie. Biegłem dalej, chociaż wiedziałem, że to na nic. Znajdowałem się dopiero w połowie parku, kiedy podjechała biała furgonetka. Mężczyzna we flanelowej koszuli zasalutował mi i wskoczył do środka.

Furgonetka znikła mi z oczu, zanim dobiegłem do ulicy.

13

Czas zaczął ze mną igrać. Dłużył się i przeciekał przez palce. Zwalniał i przyspieszał. Wyostrzał wszystko i spowijał mgłą. To jednak nie trwało długo. Pozwoliłem dojść do głosu moim nawykom chirurga. On, doktor Marc, umiał wszystko usystematyzować. Zawsze łatwiej przychodziło mi to w pracy niż w życiu prywatnym. Nie potrafiłem zastosować na co dzień tej umiejętności szeregowania faktów według ich ważności i oglądania ich chłodnym okiem. W pracy potrafię opanować emocje i właściwie je ukierunkować. W domu nigdy mi się to nie udawało.

Jednak zaistniała sytuacja wymusiła zmianę. Chłodny racjonalizm nie był już tylko pożądany, ale warunkował przetrwanie. Gdybym kierował się emocjami, pozwolił sobie na wątpliwości lub zastanawiał się, co mogło się stać z dzieckiem przez osiemnaście miesięcy... To pozbawiłoby mnie woli działania. Zapewne tego chcieli porywacze. Chcieli, żeby zjadły mnie nerwy. Ja jednak przywykłem do pracy w stresie. Wtedy funkcjonuję najlepiej. Wiem o tym. I teraz też musiałem wziąć się w garść. Udało mi się to. Zdołałem racjonalnie ocenić sytuację.

Przede wszystkim tym razem żadnych kontaktów z policją. Co wcale nie oznaczało, że mam siedzieć bezczynnie.

Zanim Edgar wręczył mi brezentowy worek z pieniędzmi, wpadłem na pewien pomysł.

Zadzwoniłem do domu Cheryl i Lenny'ego. Nikt nie odebrał telefonu. Spojrzałem na zegarek. Ósma piętnaście rano. Nie znałem numeru telefonu komórkowego Cheryl, ale lepiej będzie załatwić to osobiście.

Pojechałem do szkoły podstawowej Willarda i przybyłem tam o ósmej dwadzieścia pięć. Zaparkowałem za rzędem rodzinnych minivanów i wysiadłem. Ta szkoła podstawowa, jak wiele innych, jest zbudowana z cegły, z cementowymi schodami od tyłu, parterowa, zupełnie bezkształtna od dodanych z upływem lat, zbyt licznych przybudówek. Niektóre z nich próbują się dopasować, lecz inne, zazwyczaj wzniesione między 1968 a 1975 rokiem, straszą sztucznością lustrzanych szyb i dziwacznych dachówek. Wyglądają jak postapokaliptyczne szklarnie.

Dzieci jak zawsze biegały po podwórku. Różnica polegała na tym, że teraz rodzice ich pilnowali. Rozmawiali ze sobą i czekali, aż rozlegnie się dzwonek na lekcje, by mieć pewność, że ich pociechy są bezpieczne w ceglanych lub szklanych budynkach. Nienawidziłem tego lęku w oczach rodziców, chociaż ich rozumiałem. Kiedy zostajesz rodzicem, strach staje się twoim nieodłącznym towarzyszem. I nigdy cię nie opuszcza. Moje życie było najlepszym tego przykładem.

Niebieski chevrolet Cheryl podjechał przed budynek. Ruszyłem ku niej. Odpinała pasy Justina, kiedy mnie zauważyła. Justin posłusznie pocałował ją, najwyraźniej uważając to za zupełnie oczywiste (i pewnie tak powinno być), po czym odbiegł. Cheryl odprowadziła go spojrzeniem, jakby obawiała się, że wyparuje na tym krótkim odcinku cementowego chodnika. Dzieci nigdy nie potrafią zrozumieć naszych obaw, ale nic nie szkodzi. I tak ciężko jest być dzieckiem, nawet nie nosząc na barkach takiego brzemienia.

— Cześć — powiedziała do mnie Cheryl.

Odpowiedziałem tym samym. Potem dodałem:

— Chcę cię o coś prosić.

— O co?

— O numer telefonu Rachel.

Cheryl była już z powrotem przy samochodzie.

— Wsiadaj.

— Tam stoi mój wóz.

— Przywiozę cię z powrotem. Zajęcia na pływalni przedłużyły się. Muszę zawieźć Marianne do szkoły.

Już włączyła silnik. Zająłem siedzenie pasażera. Odwróciłem głowę i uśmiechnąłem się do Marianne. Miała na głowie słuchawki, a palcami przebierała po klawiaturze GameBoya Advanced. Niedbale pomachała mi ręką, ledwie zaszczyciwszy spojrzeniem. Miała jeszcze wilgotne włosy. Conner siedział w dziecięcym foteliku obok niej. W samochodzie śmierdziało chlorem, lecz ten zapach dziwnie mnie uspokajał. Wiedziałem, że Lenny z religijnym zapałem czyści swój samochód, ale i tak nie może nadążyć. W szparze między fotelami tkwiły zeschnięte frytki. Do tapicerki przywarły jakieś niezidentyfikowane okruchy. Na podłodze pod moimi nogami zalegała warstwa starych zeszytów i malowanek, na których pozostały ślady ubłoconych butów. Usiadłem na małej figurce z rodzaju tych, jakie dodają do większych zamówień w McDonaldzie. Między nami leżała okładka kompaktu z napisem „OTO CO NAZYWAM MUZYKĄ CZTERNASTOLATKÓW", zawierająca ostatnie muzyczne dokonania Britney, Christiny oraz Generic Boys Band. Na tylnych szybach pozostały tłuste odciski palców.

Dzieciom wolno było bawić się GameBoyem tylko w samochodzie, nigdy w domu. I nigdy, w żadnym wypadku, nie pozwalano im oglądać filmów od lat trzynastu. Zapytałem Lenny'ego, dlaczego wprowadzili z Cheryl takie surowe zasady, a on odparł: „Rzecz nie w tym, jakie są te zasady, lecz w tym, że w ogóle są". Sądzę, że wiem, co miał na myśli.

Cheryl nie odrywała oczu od drogi.

— Z natury nie jestem wścibska.

— Mimo to chcesz poznać moje zamiary.

— Chyba tak.

— A jeśli nie zechcę ci ich wyjawić?

— Może — odparła — tak byłoby lepiej.

— Zaufaj mi, Cheryl. Potrzebny mi ten numer telefonu.

Włączyła kierunkowskaz.

— Rachel nadal jest moją najlepszą przyjaciółką.

— W porządku.

— Długo trwało, zanim doszła do siebie po waszym zerwaniu.

Wahała się.

— I vice versa.

— No właśnie. Słuchaj, nie mówię tego, co powinnam. Po prostu... powinieneś wiedzieć o pewnych sprawach.

— Na przykład?

Nie odrywała oczu od szosy, trzymając obie dłonie na kierownicy.

— Pytałeś Lenny'ego, dlaczego nigdy ci nie powiedział, że się rozwiodła.

— Owszem.

Cheryl zerknęła w lusterko, nie patrząc na drogę, ale na swoją córkę. Marianne wyglądała na całkowicie pochłoniętą grą.

— Ona nie jest rozwódką. Jej mąż nie żyje.

Cheryl sprawnie zatrzymała się przed wejściem do szkoły średniej. Marianne zdjęła słuchawki i wyślizgnęła się z samochodu. Nie pocałowała matki, ale przynajmniej powiedziała do widzenia. Cheryl znów włączyła się do ruchu.

— Przykro mi to słyszeć — powiedziałem, ponieważ tak się mówi w takich okolicznościach. I ponieważ umysł potrafi płatać makabryczne figle, o mało nie dodałem: no to Rachel i ja mamy wiele wspólnego.

Cheryl, jakby czytała w moich myślach, bo powiedziała:

— Został zastrzelony.

To upiorne podobieństwo zawisło między nami przez kilka sekund. Milczałem.

— Nie znam szczegółów — ciągnęła. — On też był w FBI. W tym czasie Rachel była jedną z najwyższych stopniem funkcjonariuszek biura. Zrezygnowała z pracy po jego śmierci. Przestała odbierać moje telefony. Od tamtej pory życie jej nie rozpieszcza. — Cheryl podjechała do mojego samochodu i zatrzymała się. — Mówię ci o tym, ponieważ chcę, żebyś zrozumiał. Od czasów college'u minęło sporo czasu. Rachel nie jest tą samą osobą, którą kochałeś przed laty.

Odpowiedziałem spokojnie:

— Ja tylko proszę o jej numer telefonu.

Nie mówiąc nic więcej, Cheryl wyjęła długopis zza osłony przeciwsłonecznej, otworzyła go zębami i napisała numer telefonu na serwetce z Dunkin' Donuts.

— Dzięki — powiedziałem.

Ledwie skinęła mi głową, kiedy wysiadałem.

Nie zastanawiałem się. Miałem przy sobie telefon komórkowy. Wsiadłem do mojego samochodu i wybrałem numer. Rachel odpowiedziała ostrożnym „Halo". Powiedziałem po prostu:

— Potrzebuję twojej pomocy.

14

Pięć godzin później pociąg Rachel wjechał na dworzec kolejowy w Newark.

Mimo woli przypominały mi się te wszystkie stare filmy, w których pociągi rozdzielały kochanków, para tryskała spod podwozi, konduktorzy wykrzykiwali ostatnie ostrzeżenia, świszczały gwizdki, koła zaczynały obracać się z sapaniem, ona wychylała się z okna, machając, a on biegł po peronie. Sam nie wiem, dlaczego naszły mnie takie myśli. Dworzec w Newark jest równie romantyczny jak sterta krowiego nawozu, którą obsiadły muchy. Pociąg z ledwie słyszalnym świstem wjechał na peron, a w powietrzu nie było niczego, co chciałbyś poczuć lub zobaczyć.

Jednak kiedy Rachel wysiadła, znów poczułem to ściskanie w gardle. Miała na sobie wyblakłe dżinsy i czerwony golf. Na jednym ramieniu niosła torbę podróżną, którą poprawiła, wychodząc na peron. Przez chwilę gapiłem się jak urzeczony. Niedawno skończyłem trzydzieści sześć lat. Rachel miała trzydzieści pięć. Rozstaliśmy się, mając po dwadzieścia lat. Całe dorosłe życie przeżyliśmy oddzielnie. Dziwnie było pomyśleć o tym w ten sposób. Już opowiadałem o naszym zerwaniu. Wciąż próbuję znaleźć głębsze powody, ale może wyjaśnienie jest proste. Byliśmy dziećmi. Dzieci popełniają głupstwa. Dzieci nie rozumieją konsekwencji, nie myślą perspektywicznie. Nie wiedzą, że ten ciężar może już zawsze będzie spoczywał na piersi.

Kiedy zdałem sobie sprawę z tego, że potrzebuję pomocy, najpierw pomyślałem o Rachel. A ona przyjechała.

Bez wahania podeszła do mnie.

— Jak się masz?

— Dobrze.

— Dzwonili?

— Jeszcze nie.

Kiwnęła głową i zaczęła iść po peronie. Ona również weszła w swoją rolę. Powiedziała rzeczowo:

— Powiedz mi coś więcej o tym badaniu DNA.

— Nic więcej nie wiem.

— Zatem wynik nie jest jeszcze pewny?

— Nie mogliby przedstawić go w sądzie, ale są tego pewni.

Rachel przeniosła torbę z prawego ramienia na lewe. Starałem się dotrzymać jej kroku.

— Będziemy musieli podjąć kilka trudnych decyzji. Jesteś na to przygotowany, Marc?

— Tak.

— Przede wszystkim, czy na pewno nie chcesz się skontaktować z policją lub z FBI?

— W liście napisali, że mają u nich swojego informatora.

— Pewnie blefują.

Przeszliśmy jeszcze kilka kroków.

— Poprzednio skontaktowałem się z policją — przypomniałem.

— To wcale nie oznacza, że to było złe posunięcie.

— Na pewno nie było dobre.

Pokiwała głową.

— Nie wiemy, co zdarzyło się poprzednim razem. Może zauważyli ogon. Może obserwowali twój dom. A najbardziej prawdopodobne jest to, że wcale nie zamierzali jej oddać. Rozumiesz?

— Tak.

— Mimo to nie chcesz zawiadamiać władz.

— Dlatego zadzwoniłem do ciebie.

Skinęła głową i w końcu przystanęła, czekając, aż wskażę jej kierunek. Pokazałem na prawo. Znów zaczęła iść.

— Jeszcze jedno — powiedziała.

— Co?

— Tym razem nie możemy pozwolić, żeby narzucili nam swoje warunki. Musimy żądać dowodu, że Tara żyje.

— Powiedzą, że włosy są dowodem.

— A my powiemy, że testy nie dają tej pewności.

— Myślisz, że to kupią?

— Nie wiem. Zapewne nie. — Szła dalej, z lekko uniesioną brodą. — Jednak właśnie to miałam na myśli, mówiąc o trudnych decyzjach. Ten facet we flanelowej koszuli, którego widziałeś w parku. To element ich gry. Chcą cię zdenerwować i zmiękczyć. Chcą, żebyś znów ślepo wykonywał ich polecenia. Tara to twoje dziecko. Jeśli znów chcesz im dać pieniądze, to twoja sprawa. Jednak nie radzę ci tego robić. Oni już raz nie dotrzymali umowy. Nie przypuszczam, żeby tym razem postąpili inaczej.

Weszliśmy na parking. Podałem parkingowemu mój kwit.

— A więc jakie masz propozycje? — zapytałem.

— Kilka. Po pierwsze, musimy żądać wymiany. Żadnych „Dawaj pieniądze, zadzwonimy później". My dostajemy twoją córkę, a oni pieniądze.

— A jeśli się nie zgodzą?

Popatrzyła na mnie tymi niesamowitymi oczami.

— Trudne decyzje. Rozumiesz?

Kiwnąłem głową.

— Ponadto chcę założyć elektroniczny podsłuch, żebym przez cały czas mogła utrzymywać z tobą kontakt. Chcę, żebyś miał na sobie kamerę światłowodową, żeby zobaczyć, jak wygląda ten facet. Nie mamy armii ludzi, ale mimo to możemy sobie poradzić.

— A jeśli się zorientują?

— A jeśli znowu znikną? — skontrowała. — Ryzyko zawsze istnieje, obojętnie co zrobimy. Próbuję się dowiedzieć, co stało się za pierwszym razem. Niczego nie mogę zagwarantować. Po prostu usiłuję zwiększyć nasze szanse.

Podjechał samochód. Wsiedliśmy i ruszyliśmy autostradą McCartera. Rachel nagle zamilkła. I znowu wydawało się, że minione lata odeszły w niebyt. Znałem to milczenie. Już widziałem ten wyraz twarzy.

— Co jeszcze? — spytałem.

— Nic.

— Rachel?

Coś w tonie mojego głosu sprawiło, że odwróciła głowę.

— Jest kilka spraw, o których powinieneś wiedzieć.

Czekałem.

— Dzwoniłam do Cheryl — powiedziała. — Przekazała ci większość szczegółów. Wiesz, że już nie pracuję w firmie.

— Tak.

— Mam ograniczone możliwości.

— Rozumiem. — Siedziała nieruchomo. Nadal z tą samą miną. — Co jeszcze?

— Powinieneś zdawać sobie sprawę z powagi sytuacji, Marc.

Przystanąłem na czerwonym świetle. Odwróciłem się i spojrzałem na nią, naprawdę po raz pierwszy. Jej oczy nadal były orzechowe w złote cętki. Wiedziałem, że przeżyła ciężkie chwile, lecz po jej oczach nie było tego widać.

— Szanse na to, że Tara żyje, są niewielkie — powiedziała.

— A test DNA? — skontrowałem.

— Zajmę się tym później.

— Zajmiesz się?

— Później — powtórzyła.

— Co to ma znaczyć, do licha? Wynik jest pozytywny. Edgar mówi, że ostateczne potwierdzenie to tylko formalność.

— Później — powtórzyła stanowczo. — Na razie możemy zakładać, że ona żyje. Powinniśmy dostarczyć porywaczom

150

okup, jakbyśmy oczekiwali, że oddadzą nam zdrowe dziecko. A jednocześnie chciałabym, byś zdawał sobie sprawę z tego, że to wszystko może być wyrafinowanym szwindlem.

— A jak ty uważasz?

— To bez znaczenia.

— Akurat. Chcesz powiedzieć, że zdołali zdobyć włosy o identycznym DNA?

— Wątpię. — Zaraz jednak dodała: — Chociaż nie można wykluczyć takiej możliwości.

— Jak to? Przecież porównano dwie próbki włosów.

— I te były identyczne jak poprzednie.

— Właśnie.

— A skąd wiesz, że pierwszy kosmyk, ten, który przysłali ci półtora roku temu, należał do Tary?

Dopiero po chwili ogarnąłem znaczenie tych słów.

— Czy porównaliście DNA tamtego kosmyka i sprawdziliście, czy DNA pasuje do twojego? — zapytała.

— Po co mielibyśmy to robić?

— A więc równie dobrze porywacze mogli przysłać ci włosy innego dziecka.

Potrząsnąłem głową.

— Mieli kawałek jej ubranka — powiedziałem. — Różowego śpioszka w czarne pingwiny. Jak to wyjaśnisz?

— Chyba nie myślisz, że sklep sprzedał tylko jedną sztukę tej odzieży? Posłuchaj, jeszcze nie wiem, co naprawdę się stało, więc nie snujmy jałowych rozważań. Skupmy się na tym, co mamy.

Wyciągnąłem się w fotelu. Zamilkliśmy. Zastanawiałem się, czy dobrze zrobiłem, dzwoniąc do Rachel. Dźwigaliśmy taki bagaż przeszłości. Jednak jej ufałem. Powinniśmy załatwić to jak zawodowcy, usystematyzować fakty.

— Ja po prostu chcę odzyskać córkę.

Rachel skinęła głową i otworzyła usta, jakby chciała coś powiedzieć, ale znów zamilkła. I wtedy odebrałem telefon z żądaniem okupu.

15

Lydia lubiła oglądać stare fotografie. Sama nie wiedziała dlaczego. Nie sprawiało jej to przyjemności. W najlepszym razie przynosiło jej to chwilową ulgę. Heshy nigdy nie myślał o przeszłości. Natomiast Lydia robiła to z powodów, których nie potrafiłaby wyjaśnić. To zdjęcie zostało zrobione, kiedy Lydia miała osiem lat. Czarno-białe zdjęcie z ukochanego i klasycznego telewizyjnego sitcomu *Rodzinne wpadki*. Puszczali go siedem lat, tak więc Lydia grała w nim od szóstego roku życia prawie do swych trzynastych urodzin. W *Rodzinnych wpadkach* były gwiazdor filmowy Clive Wilkins grał owdowiałego ojca trojga wspaniałych dzieci: bliźniaków Toda i Roda, którzy mieli jedenaście lat, kiedy zaczęto kręcić serial, oraz ich ładniutką młodszą siostrzyczkę o ujmującym imieniu Trixie, graną przez niezrównaną Larissę Dane. Tak, ten serial był co najmniej nieprzeciętny. Do tej pory powtarzano w telewizji stare odcinki.

Co jakiś czas w *Prawdziwej historii Hollywood* pokazują fragmenty z *Rodzinnych wpadek*. Clive Wilkins umarł na raka trzustki dwa lata po tym, jak program zszedł z anteny. Narrator twierdzi, że Clive w tym serialu był „jak prawdziwy ojciec", co według Lydii jest wierutną bzdurą. Facet pił i śmierdział jak popielniczka. Kiedy obejmowała go przed kamerami, musiała wykorzystywać wszystkie swoje umiejętności aktorskie, żeby nie porzygać się od tego smrodu.

Jarad i Stan Frankowie, prawdziwi bliźniacy, którzy grali Toda i Roda, po zdjęciu programu z anteny próbowali zrobić karierę jako piosenkarze. W *Rodzinnych wpadkach* występowali z amatorskim zespołem grającym cudze utwory, śpiewając cudze piosenki głosami tak wzmocnionymi i zniekształconymi przez syntezatory, że nawet Jarad i Stan, którym słoń na uszy nastąpił, uwierzyli, że naprawdę są prawdziwymi artystami. Teraz zbliżali się do czterdziestki, obaj najwidoczniej byli członkami klubu łysych i chociaż twierdzili, iż „są zmęczeni sławą", łudzili się, że lada dzień powrócą do świata gwiazd filmu i telewizji.

Jednak prawdziwą atrakcją serialu *Rodzinne wpadki* był owiany tajemnicą los ślicznej „Pixie-Trixie", czyli Larissy Dane. Oto co o niej wiadomo: w trakcie realizacji ostatnich odcinków serialu rodzice Larissy rozwodzili się i zaciekle walczyli o tantiemy. W końcu jej ojciec strzelił sobie w głowę. Jej matka ponownie wyszła za mąż za oszusta, który ulotnił się z pieniędzmi. Jak większość dziecięcych aktorów, Larissa Dane natychmiast została zapomniana. Krążyły pogłoski o jej ekscesach seksualnych i używaniu narkotyków, chociaż było to przed nawrotem zainteresowania jej osobą i nikogo tak naprawdę nie obchodziło. Mając piętnaście lat, o mało nie umarła z przedawkowania. Posłano ją do jakiegoś zakładu psychiatrycznego i zniknęła z powierzchni ziemi. Nikt nie wiedział, co się z nią stało. Wielu uważało, że umarła na skutek powtórnego przedawkowania narkotyków.

Jednak, oczywiście, tak się nie stało.

— Jesteś gotowa wykonać ten telefon, Lydio? — zapytał Heshy.

Nie odpowiedziała od razu. Zaczęła oglądać następne zdjęcia. Kolejny fotos z *Rodzinnych wpadek*, tym razem z piątej serii, ze sto dwunastego odcinka. Mała Trixie miała rękę w gipsie. Tod chciał narysować na niej struny gitary. Ojcu to się nie spodobało. Tod protestował: „Tato, przecież chciałem je tylko narysować, a nie grać!". Ryk śmiechu z taśmy. Mała Larissa nie rozumiała tego żartu. Dorosła Lydia również. Jednak dobrze pamiętała, w jaki sposób złamała sobie rękę. Typowy wypadek. Biegła i spadła ze schodów. Bolało ją okropnie, ale musieli dokończyć ten odcinek. Dlatego lekarz wytwórni nafaszerował ją Bóg wie czym, a dwaj scenarzyści poprawili scenariusz, uwzględniając w nim złamanie ręki. Kiedy kręcili, była pół-przytomna.

Och, proszę, tylko bez rzępolenia na skrzypcach.

Lydia przeczytała książkę Danny'ego Partridge'a. Słuchała narzekań Willisów w *Diff'rent Strokes*. Wiedziała wszystko o smutnym losie małej gwiazdy, o wykorzystywaniu, okradaniu i ciężkiej pracy. Oglądała wszystkie te programy, słyszała wszystkie skargi, widziała krokodyle łzy kolegów po fachu i zbierało jej się na mdłości.

Oto prawda o dramacie małej gwiazdy filmowej. Nie, nie chodzi o molestowanie seksualne. Chociaż gdy Lydia była młoda i na tyle głupia, by uwierzyć, że może jej pomóc psycholog, ten wciąż powtarzał, że powinna „zablokować" wspomnienie o tym, że prawdopodobnie została wykorzystana przez jednego z producentów. I nie składajcie tego na karb zaniedbań ze strony rodziców. Ani wprost przeciwnie, na ich nadmierne ambicje. Nie chodzi o brak przyjaciół, ciężką pracę, nieprzystosowanie społeczne czy wciąż zmieniających się nauczycieli. Nie, nic takiego.

Całkiem po prostu, powodem jest utrata statusu gwiazdy.

Kropka. Reszta to wymówki, gdyż nikt nie chce przyznać, że powód jest tak prozaiczny. Lydia zaczęła występować w serialu, mając sześć lat. Z czasów poprzedzających ten okres zachowała niewiele wspomnień. Tak więc jedyne co pamiętała, to że była gwiazdą. A gwiazda jest kimś. Jest członkiem królewskiej rodziny. Kimś w rodzaju kroczącego po ziemi bóstwa. Lydia nigdy nie zaznała niczego innego. Rodzice często wmawiają swoim dzieciom, że są nadzwyczajne, ale Lydia uznała to za fakt. Wszyscy uważali, że jest cudowna. Myśleli, że jest idealną córką, kochającą, dobrą, a jednocześnie odrobinkę krnąbrną. Ludzie patrzyli na nią z tęsknotą w oczach. Ludzie chcieli przebywać w pobliżu niej, poznać jej życie, spędzać z nią czas, całować rąbek jej sukni.

A potem, pewnego dnia, wszystko się skończyło.

Sława uzależnia bardziej niż heroina. Dorośli, którzy ją tracą — na przykład jednodniowe sławy — zazwyczaj wpadają w depresję, chociaż usiłują udawać, że są ponad to. Nie chcą się przyznać, jak naprawdę się czują. Całe ich życie jest kłamstwem, rozpaczliwym poszukiwaniem następnej dawki tego najsilniejszego narkotyku. Sławy.

Ci dorośli pokosztowali zaledwie łyk nektaru, zanim im go zabrano. Natomiast dla małej gwiazdy ten nektar jest mlekiem matki. Nigdy nie znała niczego innego. Nie potrafi pojąć, że sława jest ulotna i przeminie. Nie da się tego wytłumaczyć dziecku. Nie można przygotować go na nieuniknione. Lydia przywykła do nieustannej adoracji. A potem, niemal w ciągu jednej nocy, reflektory zgasły. Po raz pierwszy w życiu została sama, w ciemności.

Właśnie od tego dostaje się świra.

Teraz Lydia to rozumiała. Pomógł jej Heshy. To on raz na zawsze wyleczył ją z ćpania. Sama robiła sobie krzywdę, puszczała się, wąchała i wstrzykiwała niewyobrażalne ilości narkotyków. Nie robiła tego, próbując uciec. Postępowała tak, żeby się zemścić, zniszczyć coś lub kogoś. Jej błąd polegał na tym, co uświadomiła sobie w zakładzie po pewnym naprawdę strasznym i krwawym incydencie, że robiła krzywdę sobie. Sława wynosi cię nad innych. Pomniejsza ich. Dlaczego więc krzywdziła tę osobę, która powinna górować nad innymi? Dlaczego zamiast tego nie krzywdzić tych żałosnych mas, które ją podziwiały, które obdarzyły ją taką upajającą władzą, a potem zwróciły się przeciwko niej? Dlaczego szkodzić wyższej istocie, godnej tych wszystkich zaszczytów?

— Lydio?

— Hm?

— Myślę, że powinniśmy już zadzwonić.

Spojrzała na Heshy'ego. Poznali się w wariatkowie i natychmiast zaprzyjaźnili, jakby ich udręczone dusze wyciągnęły do siebie ręce i padły sobie w ramiona. Heshy uratował ją, kiedy dwaj pielęgniarze próbowali ją zgwałcić. Wtedy tylko ich odepchnął. Pielęgniarze grozili im obojgu, więc Heshy i Lydia obiecali, że nikomu o tym nie powiedzą. Jednak Heshy chciał tylko zyskać na czasie. Odczekał i dwa tygodnie później potrącił jednego z tych drani skradzionym samochodem. Potem cofnął wóz tak, że opona tylnego koła prawie dotknęła szyi rannego, i dodał gazu. Miesiąc później ciało drugiego pielęgniarza znaleziono w jego własnym domu. Brakowało mu czterech palców. Nie zostały odcięte czy odrąbane, lecz urwane. Tak orzekł anatomopatolog na podstawie uszkodzeń tkanek. Palce wykręcono tak, że w końcu popękały ścięgna i kości. Lydia wciąż miała jeden z tych palców schowany gdzieś w piwnicy.

Przed dziesięcioma laty uciekli oboje i zmienili nazwiska. Odrobinę zmienili też wygląd. I przystąpili do dzieła jak dwa anioły zemsty, pokiereszowane, lecz wciąż niepokonane, górujące nad motłochem. Lydia wyzbyła się autodestrukcyjnych tendencji. A przynajmniej dawała im upust w inny sposób.

Mieli trzy miejsca zamieszkania. Heshy pozornie mieszkał w Bronksie. Ona miała mieszkanie w Queens. Oboje mieli swoje biura i telefony. Jednak była to tylko przykrywka. Legenda, jeśli ktoś woli. Nie chcieli, żeby ktoś wiedział, że tworzą zespół, pracują razem i są kochankami. Lydia, używając przybranego nazwiska, cztery lata temu kupiła ten pomalowany na jasnożółto dom. Miał dwie sypialnie i półtorej łazienki. Kuchnię, w której teraz siedział Heshy, przestronną i przyjemną. Dom stał nad jeziorem, na samym krańcu Morris County w stanie New Jersey. Tu było tak spokojnie. Uwielbiali patrzeć na zachody słońca.

Lydia nadal oglądała fotosy „Pixie-Trixie". Usiłowała sobie przypomnieć, jak się wtedy czuła. Te wspomnienia prawie zatarły się w jej pamięci. Heshy stał za nią i czekał, jak zawsze cierpliwie. Niektórzy byliby skłonni twierdzić, że ona i Heshy są parą zimnych morderców. Lydia szybko zdała sobie sprawę z tego, że to jeszcze jeden mit, stworzony przez Hollywood. Tak samo jak cudowna „Pixie-Trixie". Nikt nie wchodzi do tego interesu wyłącznie z chęci zysku. Są łatwiejsze sposoby zarabiania na życie. Możesz udawać zawodowca. Możesz trzymać emocje na wodzy. Możesz nawet łudzić się, że to po prostu twoja praca, lecz kiedy spojrzysz na to z boku, zrozumiesz, że robisz to dlatego, ponieważ to lubisz. Lydia zdawała sobie z tego sprawę. Ranić kogoś, zabijać, patrzeć, jak gaśnie światło w oczach... nie, nie potrzebowała tego. Nie tęskniła za tym tak jak za minioną sławą. Jednak nie ulegało wątpliwości, że odczuwała przy tym dreszcz podniecenia i na moment zapominała o swoim cierpieniu.

— Lydio?

— Już, Misiaczku.

Podniosła skradziony telefon komórkowy i scrambler. Odwróciła się i spojrzała na Heshy'ego. Był odrażający, ale ona tego nie zauważała. Skinął głową. Włączyła zniekształcanie głosu i wystukała numer.

Kiedy usłyszała głos Marca Seidmana, powiedziała:

— Spróbujemy jeszcze raz?

16

Zanim odebrałem telefon, Rachel położyła swoją dłoń na mojej.

— To negocjacje — powiedziała. — Strach i groźby są środkami nacisku. Musisz być silny. Jeśli naprawdę zamierzają ją wypuścić, będą skłonni do ustępstw.

Przełknąłem ślinę i włączyłem telefon. Powiedziałem: „Halo".

— Spróbujemy jeszcze raz?

Ten sam elektronicznie zniekształcony głos. Krew zaczęła mi szybciej krążyć w żyłach. Zamknąłem oczy i odparłem:

— Nie.

— Słucham?

— Chcę mieć pewność, że Tara żyje.

— Przecież dostaliście włosy, czyż nie?

— Owszem.

— I co?

Spojrzałem na Rachel. Skinęła głową.

— Wyniki badań nie są jednoznaczne.

— Świetnie — powiedział głos. — No, to zaraz mogę się rozłączyć.

— Zaczekaj — powiedziałem.

— Tak?

— Poprzednim razem odjechaliście.

— Owszem.

— Skąd mam wiedzieć, że nie zrobicie tak teraz?

— Czy tym razem zawiadomiliście policję?

— Nie.

— No, to nie macie powodów do niepokoju. Oto co masz zrobić.

— Nic z tego — powiedziałem.

— Co takiego?

Zacząłem się trząść jak w febrze.

— Robimy wymianę. Nie dostaniecie pieniędzy, dopóki ja nie dostanę córki.

— W pana sytuacji nie może pan stawiać warunków.

— Ja dostanę córkę — mówiłem powoli, z trudem wyrzucając z siebie każde słowo — wy dostaniecie pieniądze.

— Nic z tego.

— No cóż — powiedziałem, siląc się na stanowczość. — W takim razie koniec rozmowy. Nie chcę, żebyście znowu uciekli, a potem zażądali więcej pieniędzy. Dokonamy wymiany i na tym będzie koniec.

— Doktorze Seidman?

— Tak.

— Niech pan uważnie mnie posłucha.

Zapadła nieznośnie długa chwila ciszy.

— Jeśli teraz się rozłączę, nie zadzwonię przez kolejne osiemnaście miesięcy.

Zamknąłem oczy i ścisnąłem słuchawkę.

— Niech pan przez chwilę zastanowi się nad konsekwencjami. Czy nie myśli pan o tym, gdzie podziała się pana córka? O tym, co się z nią dzieje? Jeśli się rozłączę, nie będzie pan miał o niej żadnych wieści przez następne osiemnaście miesięcy.

Miałem wrażenie, że na mojej piersi zaciska się stalowa obręcz. Nie mogłem złapać tchu. Popatrzyłem na Rachel. Odpowiedziała mi dodającym otuchy spojrzeniem.

— Ile będzie miała wtedy lat, doktorze Seidman? Oczywiście, jeśli jeszcze będzie żyła.

— Proszę.

— Jest pan gotowy mnie wysłuchać?

Zamknąłem oczy.

— Chcę tylko mieć pewność.

— Przysłaliśmy próbkę włosów.

— Dam wam pieniądze. Wy oddacie mi córkę. Dostaniecie pieniądze, kiedy ją zobaczę.

— Chce pan nam dyktować warunki, doktorze Seidman? Mechaniczny głos zaczął zabawnie seplenić.

— Nie obchodzi mnie, kim jesteście — odparłem — ani dlaczego to robicie. Ja tylko chcę odzyskać moją córkę.

— W takim razie zrobi pan to, co mówię.

— Nie — odparłem. — Nie bez gwarancji.

— Doktorze Seidman?

— Słucham.

— Żegnam.

Telefon zamilkł.

17

Nerwy miałem napięte jak postronki. Teraz puściły.
Nie, nie zacząłem wrzeszczeć. Wprost przeciwnie. Ogarnął
mnie niewiarygodny spokój. Odjąłem telefon od ucha i spojrzałem nań jak na jakiś zagadkowy przedmiot, który właśnie
zmaterializował się w mojej dłoni.

— Marc?

Popatrzyłem na Rachel.

— Rozłączyli się.

— Jeszcze zadzwonią.

Pokręciłem głową.

— Powiedzieli, że dopiero za osiemnaście miesięcy.

Rachel uważnie mi się przyjrzała.

— Marc?

— Tak?

— Chcę, żebyś uważnie mnie wysłuchał.

Czekałem.

— Postąpiłeś właściwie.

— Dzięki. Od razu mi lepiej.

— Mam doświadczenie w takich sprawach. Jeśli Tara jeszcze
żyje, a oni zamierzają ją oddać, ustąpią. Nie zgodzą się na twój
warunek tylko wtedy, gdy nie będą mieli ochoty albo nie będą
mogli jej uwolnić.

Nie będą mogli. Ta maleńka część mojego umysłu, która zachowała zdolność do racjonalnego myślenia, rozumiała to. Przypomniałem sobie o moim zawodowym opanowaniu. Zachować spokój.

— I co teraz?

— Przygotujemy się, tak jak zaplanowaliśmy. Zabrałam ze sobą wyposażenie. Założę ci podsłuch. Jeśli znowu zadzwonią, będziemy gotowi.

Machinalnie kiwnąłem głową.

— W porządku.

— Nie rozpoznałeś tego głosu? A może przypomniałeś sobie jakiś nowy szczegół związany z mężczyzną we flanelowej koszuli, furgonetką lub czymś innym?

— Nie — odparłem.

— Przez telefon wspomniałeś o jakiejś płycie kompaktowej, którą znalazłeś w piwnicy.

— Tak.

Pospiesznie opowiedziałem jej o tej płytce opatrzonej nazwą firmy MVD. Wyjęła notes i zanotowała to.

— Masz przy sobie ten kompakt?

— Nie.

— Nieważne — powiedziała. — Jesteśmy w Newark. Równie dobrze możemy sprawdzić, czy nie uda nam się czegoś dowiedzieć w ich siedzibie.

18

Lydia machnęła w powietrzu sig-sauerem P226.

— Nie podoba mi się zakończenie tej rozmowy — powiedziała.

— Rozegrałaś to jak należy — rzekł Heshy. — Zamykamy sprawę. Zwijamy interes.

Spojrzała na pistolet. Miała straszną ochotę nacisnąć spust.

— Lydio?

— Słyszałam.

— Zrobiliśmy to, ponieważ to było proste.

— Proste?

— Tak. Uznaliśmy, że to będą łatwo zarobione pieniądze.

— Mnóstwo pieniędzy.

— Racja.

— Nie możemy tak po prostu tego zakończyć.

Heshy dostrzegł błysk w jej oczach. Wiedział, że nie chodzi jej o pieniądze.

— On i tak cierpi męki — rzekł.

— Wiem.

— Pomyśl o tym, co właśnie zrobiłaś — powiedział Heshy. — Jeśli już nigdy nie otrzyma od nas żadnej wiadomości, przez resztę życia będzie się zadręczał i obwiniał.

Uśmiechnęła się.

— Czyżbyś próbował mnie przekabacić?

Lydia usiadła Heshy'emu na kolanach i wtuliła się w niego jak kociak. On przez chwilę obejmował ją swymi potężnymi łapami. Lydia uspokoiła się. Poczuła się bezpieczna. Zamknęła oczy. Uwielbiała to uczucie. I wiedziała — równie dobrze jak on — że to nigdy nie trwa długo. I nigdy nie będzie miała go dość.

— Heshy?

— Tak?

— Chcę mieć te pieniądze.

— Wiem, że chcesz.

— I myślę, że będzie najlepiej, jeśli on potem umrze.

Heshy przytulił ją do siebie.

— Tak się stanie.

19

Nie wiem, co spodziewałem się zobaczyć w siedzibie Most Valuable Detection. Może drzwi z szybą z matowego szkła à la Sam Spade czy Philip Marlow. Zaniedbany budynek z wyblakłej cegły. Na pewno bez windy. Z kiepsko utlenioną sekretarką o wydatnym biuście.

Jednak w siedzibie Most Valuable Detection nie było niczego takiego. Budynek był czysty i wyremontowany w ramach programu „odnowy śródmieścia" Newark. Wciąż słyszę o odnawianiu Newark, ale jakoś tego nie widzę. Owszem, jest tu kilka okazałych biurowców — takich jak ten — oraz wspaniałe Performing Arts Center, bardzo dogodnie usytuowane, tak że ci, których stać na bilety (czyli ci, którzy nie mieszkają w Newark), mogą odwiedzać je, nie przejeżdżając przez całe miasto. Jednak te piękne budowle są jak kwiaty wśród chwastów lub nieliczne gwiazdy na czarnym niebie. Nie wpływają na miejscowy koloryt. Nie zmieniają otoczenia. Pozostają osamotnione. Ich sterylne piękno nie jest zaraźliwe.

Wyszliśmy z windy. Nadal niosłem torbę z dwoma milionami dolarów. Dziwnie się czułem, trzymając ją w ręku. Za szklaną taflą siedziały trzy recepcjonistki ze słuchawkami na głowach. Od petentów oddzielał je ponadto wysoki kontuar. Podaliśmy

nasze nazwiska przez interkom. Rachel pokazała starą legitymację agentki FBI. Wpuszczono nas do środka.

Rachel weszła pierwsza. Ja za nią. Byłem przybity i znużony,
ale jakoś funkcjonowałem. Wstrząs spowodowany tym, co się
stało — przerwaną rozmową — był tak wielki, że zamiast
paraliżu wywołał stan ożywienia. Ponownie porównałem to do
zachowania na sali operacyjnej. Kiedy do niej wchodzę, prze-
kraczam jakąś granicę i zapominam o całym świecie. Kiedyś
miałem pacjenta, sześcioletniego chłopca. Podczas rutynowego
zabiegu spojenia rozszczepienia podniebienia nagle dostał zapa-
ści. Serce przestało mu bić. Nie wpadłem w panikę, lecz
w rodzaj transu, podobnie jak teraz. Chłopiec przeżył.

Wciąż pokazując legitymację, Rachel wyjaśniła, że chcemy
zobaczyć się z kimś z kierownictwa. Recepcjonistka uśmiechała
się i kiwała głową, tak jak robią to ludzie, kiedy nie słuchają.
Nawet nie zdjęła z uszu słuchawek. Nacisnęła kilka guzików na
konsoli. Pojawiła się następna kobieta. Poprowadziła nas korytarzem do gabinetu.

Przez chwilę nie wiedziałem, czy mamy do czynienia z kobietą, czy z mężczyzną. Na stojącej na biurku tabliczce z brązu
zobaczyłem nazwisko: Conrad Dorfman. Wniosek: to mężczyzna. Wstał z wystudiowaną gracją. Zbyt szczupły, w gang-
sterskim granatowym garniturze w szerokie prążki, zwężonym
w talii tak, że lekko rozchodzący się dół marynarki można było
wziąć za spódniczkę. Miał wypielęgnowane paznokcie, włosy
ulizane jak Julie Andrews w *Wiktor czy Wiktoria* oraz brzosk-
winiową cerę, jaka zawsze kojarzy mi się z reklamami kos-
metyków.

— Witam — rzekł afektowanym głosem. — Nazywam się
Conrad Dorfman. Jestem wiceprezesem MVD.

Uścisnęliśmy jego dłoń. Przytrzymał nasze ręce odrobinę za
długo, ściskając je oburącz i bystro zaglądając nam w oczy.
Potem poprosił, żebyśmy usiedli. Zrobiliśmy to. Zapytał, czy
mamy ochotę na filiżankę herbaty. Rachel przejęła ciężar kon-
wersacji i powiedziała, że owszem.

166

Jeszcze przez kilka minut gawędziliśmy o wszystkim i niczym. Conrad zadał Rachel kilka pytań związanych z jej pracą w FBI. Rachel odpowiadała wymijająco. Zasugerowała, że ona również pracuje teraz jako prywatny detektyw i jako jego koleżanka po fachu oczekuje zawodowej uprzejmości. Ja nic nie mówiłem, pozwalając jej działać. Rozległo się pukanie do drzwi. Do gabinetu, pchając stolik na kółkach, weszła kobieta, która nas tu przyprowadziła. Conrad zaczął nalewać herbatę. Rachel przeszła do sedna sprawy.

— Mieliśmy nadzieję, że możecie nam pomóc — powiedziała. — Żona doktora Seidmana była waszą klientką.

Conrad Dorfman skupił się na nalewaniu herbaty. Używał jednej z tych, tak popularnych obecnie zaparzaczek z sitkiem. Wytrząsnął z niego trochę liści i powoli napełnił filiżanki.

— Wasza firma dała jej płytkę kompaktową zabezpieczoną hasłem. Chcemy odczytać jej zawartość.

Conrad najpierw podał filiżankę Rachel, a potem mnie. Opadł na fotel i pociągnął łyk.

— Przykro mi — powiedział. — Nie mogę wam pomóc. Klient sam podaje hasło.

— Ta klientka nie żyje.

Conrad Dorfman nawet nie mrugnął okiem.

— To niczego nie zmienia.

— Jej mąż jest jej najbliższym krewnym. Tak więc ta płytka jest jego własnością.

— Nie wiem — rzekł Conrad. — Nie znam się na prawie spadkowym. Jednak to nie nasza sprawa. Jak już powiedziałem, klient sam ustala hasło. Być może dostała od nas tę płytkę — w tym momencie nie potwierdzam tego ani nie zaprzeczam — jednak nie wiemy, jakie cyfry lub litery wprowadziła jako hasło.

Rachel zaczekała chwilkę. Patrzyła na Conrada Dorfmana. On patrzył na nią, ale pierwszy odwrócił wzrok. Podniósł filiżankę i upił następny łyk.

— Czy możemy się dowiedzieć, po co w ogóle do was przyszła?

— Bez nakazu sądowego? Nie, nie wydaje mi się.

— Ten wasz kompakt — powiedziała — na pewno ma tylne drzwi.

— Przepraszam?

— Każda firma je ma — odparła Rachel. — Te informacje nie są stracone na zawsze. Wasza firma ma własne hasło do programu, zapewniające dostęp do każdego kompaktu.

— Nie wiem, o czym pani mówi.

— Pracowałam w FBI, panie Dorfman.

— I co z tego?

— To, że znam się na tych sprawach. Proszę nie obrażać mojej inteligencji.

— Nie miałem takiego zamiaru, pani Mills. Po prostu nie mogę pani pomóc.

Spojrzałem na Rachel. Zdawała się zastanawiać.

— Nadal mam przyjaciół, panie Dorfman. W mojej dawnej firmie. Mogą zadawać pytania. Mogą węszyć. Federalni niezbyt lubią prywatnych detektywów. Wie pan o tym. Nie chcę sprawiać kłopotów. Chcę tylko wiedzieć, co jest na tej płytce.

Dorfman odstawił filiżankę. Zaczął bębnić palcami o blat biurka. Usłyszeliśmy pukanie do drzwi i stanęła w nich ta sama kobieta. Skinęła na Conrada Dorfmana. Wstał, znów zbyt wystudiowanym ruchem i niemal skoczył do drzwi.

— Przepraszam na chwilę.

Kiedy opuścił gabinet, popatrzyłem na Rachel. Nie odwróciła się do mnie.

— Rachel?

— Zobaczymy, co z tego wyjdzie, Marc.

Nic jednak nie wyszło. Conrad wrócił do gabinetu. Przeszedł przez pokój i stanął nad Rachel, usiłując w ten sposób zmusić ją, żeby podniosła głowę. Nie dała mu tej satysfakcji.

— Prezes naszej firmy, Malcolm Deward, też jest byłym federalnym. Wiedziała pani o tym?

Rachel nie odpowiedziała.

— Kiedy tak sobie gawędziliśmy, wykonał kilka telefonów. — Conrad odczekał chwilę. — Pani Mills?

Rachel w końcu spojrzała na niego.

— Pani groźby są bez pokrycia. Nie ma pani przyjaciół w firmie. Natomiast ma ich pan Deward. Wynoście się z mojego gabinetu. Natychmiast.

20

— O co mu chodziło, do diabła? — spytałem.

— Mówiłam ci, że już nie pracuję w FBI.

— Co się stało, Rachel?

Patrzyła prosto przed siebie.

— Od dawna nie byłeś częścią mojego życia.

Nie wiedziałem, co na to powiedzieć. Teraz prowadziła Rachel. Ja trzymałem w ręku telefon komórkowy, usiłując siłą woli zmusić go, żeby zadzwonił. Kiedy wróciliśmy do mojego domu, zapadł zmrok. Weszliśmy do środka. Zastanawiałem się, czy nie zadzwonić do Ticknera lub Regana, ale co by to teraz dało?

— Musimy sprawdzić wyniki badań DNA — zdecydowała Rachel. — Może moja teoria wydaje się niewiarygodna, ale czy to możliwe, żeby tak długo przetrzymywali twoją córkę?

Tak więc zadzwoniłem do Edgara. Powiedziałem mu, że chcę przeprowadzić dodatkowe badania przysłanych włosów. Nie miał nic przeciwko temu. Rozłączyłem się, nie mówiąc mu o tym, że już naraziłem operację przekazania okupu, zwracając się o pomoc do byłej agentki FBI. Im mniej będzie wiedział, tym lepiej. Rachel zadzwoniła do jakiegoś swojego znajomego, żeby odebrał próbkę włosów od Edgara i pobrał ode mnie krew do badań. Powiedziała mi, że ten człowiek prowadzi prywatne laboratorium. Dowiemy się czegoś w ciągu dwudziestu czterech, najdalej czterdziestu ośmiu godzin, tak więc ze względu na termin wyznaczony przez porywaczy za późno.

Umościłem się w fotelu w salonie. Rachel usiadła na podłodze. Otworzyła torbę i zaczęła wyjmować rozmaite elektroniczne urządzenia. Jako chirurg sprawnie posługuję się palcami, lecz jeśli chodzi o takie produkty zaawansowanej technologii, jestem do niczego. Ostrożnie rozłożyła zawartość torby na dywanie, poświęcając tej czynności całą swoją uwagę. Znów przypomniało mi się, jak to samo robiła z podręcznikami, kiedy chodziliśmy do college'u. Sięgnęła do torby i wyjęła brzytwę.

— Torba z pieniędzmi? — zapytała.

Wręczyłem ją jej.

— Co zamierzasz zrobić?

Otworzyła ją. Pieniądze były w paczkach. Studolarowe banknoty, zapakowane po pięćdziesiąt sztuk, w czterdziestu paczkach. Wzięła jedną z nich i powoli wyciągnęła pieniądze, nie rozrywając banderoli. Ułożyła banknoty jak talię kart.

— Co robisz? — spytałem.

— Wytnę w nich otwór.

— W banknotach?

— Taak.

Zrobiła to brzytwą. Wycięła owalny otwór o średnicy srebrnej jednodolarówki, mający może pół centymetra głębokości. Przejrzała swoje gadżety, znalazła czarne urządzenie o mniej więcej takich rozmiarach, po czym umieściła to w otworze. Potem znów wsunęła banknoty w banderolę. Teraz urządzenie było całkowicie niewidoczne.

— Lokalizator — wyjaśniła mi. — To nadajnik GPS.

— Skoro tak twierdzisz.

— GPS to skrót od Global Positioning System. Krótko mówiąc, dzięki niemu namierzymy pieniądze. Drugi taki ukryję pod podszewką torby, ale większość przestępców zna ten sposób. Zazwyczaj przekładają pieniądze do własnej torby. Jednak nie będą w stanie natychmiast sprawdzić każdej z tylu paczek.

— Jak duże bywają te urządzenia?

— Lokalizatory?

— Tak.

— Mogłyby być jeszcze mniejsze, ale potrzebna jest bateria. I na tym polega problem. Ten nadajnik musi mieć zasięg co najmniej trzynastu kilometrów. To powinno wystarczyć.

— A z czym się łączy?

— Pytasz, w jaki sposób odbieram sygnał?

— Tak.

— Przeważnie laptopem, ale ten to istne cacko. — Rachel pokazała mi jedno z tych urządzeń, które widuję aż za często. W rzeczy samej mam wrażenie, że jestem jedynym lekarzem na kuli ziemskiej, który go nie posiada.

— Palm Pilot?

— Ze specjalnym ekranem do namierzania. Będę miała go przy sobie na wypadek, gdybym musiała się przemieszczać.

Wróciła do pracy.

— A te wszystkie pozostałe graty? — zapytałem.

— To też sprzęt do obserwacji. Nie wiem, czy zdołam go wykorzystać, ale chciałabym umieścić nadajnik w twoim bucie. I zamontować kamerę w samochodzie. Chętnie przyczepiłabym ją do twojego ubrania, ale to byłoby zbyt ryzykowne. — Zaczęła przygotowywać sprzęt i całkowicie się na tym skupiła. Nie podnosząc głowy, powiedziała: — Chciałabym wyjaśnić ci jeszcze coś.

Nadstawiłem ucha.

— Czy pamiętasz, kiedy moi rodzice się rozwiedli? — zapytała.

— Taak, pewnie.

Wtedy się poznaliśmy.

— Chociaż byliśmy ze sobą, nigdy o tym nie rozmawialiśmy.

— Zawsze miałem wrażenie, że nie masz na to ochoty.

— Nie miałam — odparła zbyt pospiesznie.

Ja też nie, pomyślałem. Byłem egoistą. Podobno byliśmy zakochaną parą przez dwa lata, a ja nigdy nawet nie próbowałem jej skłonić, żeby wyrzuciła to z siebie. Nie powstrzymywało mnie tylko „wrażenie", że tego nie chciała. Domyślałem się, że za jej milczeniem kryje się jakaś mroczna i ponura prawda, która ją zżera. Nie chciałem poruszać tego tematu, żeby nie budzić licha i nie skierować jej gniewu przeciwko sobie.

— Do rozwodu doszło z winy mojego ojca.

O mało nie powiedziałem czegoś głupiego w rodzaju „wina nigdy nie leży tylko po jednej stronie" lub „każdy medal ma dwie strony", lecz na szczęście rozsądnie się powstrzymałem. Rachel nadal nie podnosiła głowy.

— Mój ojciec wykończył moją matkę. Zniszczył ją. Wiesz, w jaki sposób?

— Nie.

— Zdradzał ją.

Podniosła głowę i napotkała moje spojrzenie. Nie odwróciłem wzroku.

— To było błędne koło. Zdradzał ją, a przyłapany przysięgał, że już nigdy więcej tego nie zrobi. Jednak robił. To dręczyło moją matkę, wykańczało ją. — Rachel przełknęła ślinę i znów zajęła się swoimi elektronicznymi gadżetami. — Dlatego, kiedy byłam we Włoszech i dowiedziałam się, że byłeś z inną...

Przychodziło mi do głowy milion słów, które mogłem powiedzieć, ale żadne z nich nie miały znaczenia. Prawdę mówiąc, tak samo jak to, co mi wyznała. Zapewne to wszystko wyjaśniało, ale o wiele za późno. Nie ruszyłem się z fotela.

— Zareagowałam zbyt emocjonalnie.

— Byliśmy młodzi.

— Po prostu chciałam... Powinnam powiedzieć ci o tym wtedy.

Wyciągała do mnie rękę na zgodę. Chciałem odpowiedzieć, ale coś mnie powstrzymało. Zbyt szybko. Wszystko działo się zbyt szybko. Minęło zaledwie sześć godzin od telefonu z żądaniem okupu. Zegar mojego serca odmierzał sekundy bolesnym łomotem w piersi.

Drgnąłem, słysząc telefon, lecz dzwonił stacjonarny aparat, a nie komórka dostarczona przez porywaczy. Podniosłem słuchawkę. To był Lenny.

— Co się stało? — zapytał bez ogródek.

Spojrzałem na Rachel. Potrząsnęła głową. Skinąłem moją na znak, że rozumiem.

— Nic — odparłem.

— Twoja mama powiedziała mi, że spotkałeś się w parku z Edgarem.

— Nie martw się.

— Wiesz, że ten stary drań cię wykołuje.

Z Lennym nie można było rozsądnie rozmawiać na temat Edgara Portmana. Może jednak miał rację.

— Wiem.

Na chwilę zapadła cisza.

— Dzwoniłeś do Rachel — powiedział.

— Tak.

— Po co?

— Bez żadnego ważnego powodu.

Znów chwilę milczeliśmy. Potem Lenny zauważył:

— Wciskasz mi kit, no nie?

— Jak naganiacz z Las Vegas.

— No dobra. Nadal jesteśmy umówieni na squasha jutro rano?

— Lepiej to odwołajmy.

— Nie ma sprawy. Marc?

— Taak?

— Gdybyś mnie potrzebował...

— Dzięki, Lenny.

Rozłączyłem się. Rachel była zajęta swoimi elektronicznymi zabawkami. Słowa, które powiedziała wcześniej, straciły swoją wagę, rozwiały się jak dym. Podniosła głowę i widocznie wyczytała coś z mojej twarzy.

— Marc?

Milczałem.

— Jeśli twoja córka żyje, sprowadzimy ją do domu. Obiecuję.

Po raz pierwszy nie byłem pewien, czy jej wierzę.

21

Specjalny agent Tickner spoglądał na raport. Sprawa Seidmanów zeszła na daleki plan. W ostatnich latach FBI przeszeregowała priorytety. Pierwsze miejsce na liście przeciwników zajmował terroryzm. Miejsca od drugiego do dziesiątego również. Przypadkiem Seidmanów Tickner zajmował się tylko dlatego, że doszło do porwania. Wbrew temu, co pokazują w telewizji, policja bardzo chętnie korzysta z pomocy FBI. Federalni mają ludzi i środki. Zbyt późne wezwanie ich może kosztować życie zakładnika. Regan był dostatecznie rozsądny, żeby nie zwlekać.

Kiedy jednak sprawa porwania została — chociaż w tym przypadku niechętnie używał tego określenia — „rozwiązana", Tickner (przynajmniej nieoficjalnie) musiał się wycofać i pozostawić ją miejscowym. Wciąż wiele o niej myślał, bo nie zapomina się dziecinnego ubranka porzuconego obok zwłok, mimo to uznał tę historię za zamkniętą.

Zmienił zdanie pięć minut temu.

Teraz po raz trzeci przeczytał zwięzły raport. Nie próbował powiązać faktów. Jeszcze nie. Wszystko to było zbyt dziwne. Co usiłował zrobić, co miał nadzieję osiągnąć, to znaleźć jakiś punkt zaczepienia, który mógłby wykorzystać. Jednak to mu się nie udawało.

Rachel Mills. Skąd ona wzięła się w tej sprawie?

Młody podwładny — Tickner nie pamiętał, czy jego nazwisko to Kelly, czy też Fitzgerald, w każdym razie jakieś irlandzkie — stał przed jego biurkiem, nie wiedząc, co zrobić z rękami. Tickner wygodnie wyciągnął się w fotelu i założył nogę na nogę. Postukał piórem o dolną wargę.

— Ci dwoje muszą być jakoś powiązani — powiedział do Seana lub Patricka.

— Podała się za prywatnego detektywa.

— Ma licencję?

— Nie, proszę pana.

Tickner pokręcił głową.

— Coś się za tym kryje. Sprawdź rachunki telefoniczne, znajdź ich znajomych, cokolwiek. Zajmij się tym.

— Tak, proszę pana.

— Zadzwoń do tej agencji detektywistycznej. Do MVD. Uprzedź ich, że do nich jadę.

— Tak, proszę pana.

Młody Irlandczyk wyszedł. Tickner zapatrzył się w przestrzeń. Razem z Rachel przeszedł szkolenie w Quantico. Mieli tego samego instruktora. Tickner zastanawiał się, co robić. Chociaż nie zawsze ufał lokalnej policji, lubił Regana. Facet miał dość oleju w głowie, żeby być cennym sprzymierzeńcem. Tickner podniósł słuchawkę telefonu i wystukał numer komórki Regana.

— Detektyw Regan.

— Kopę lat.

— Ach, agent federalny Tickner. Wciąż w ciemnych okularach?

— A pan wciąż drapie się po tym swoim zaroście — i nie tylko?

— Tak. Może.

Tickner słyszał w tle hinduską muzykę.

— Zajęty?

— Skądże. Tylko medytowałem.

— Jak Phil Jackson?

— Właśnie. Tylko że ja nie mam tylu paskudnych pucharów co on. Powinien pan kiedyś się do mnie przyłączyć.

— Taak, wpiszę to na swoją listę spraw do załatwienia.

— Odprężyłby się pan, agencie Tickner. Po tonie pańskiego głosu poznaję, że jest pan bardzo spięty. — I zaraz dodał: — Zakładam, że dzwoni pan do mnie z konkretnego powodu?

— Pamięta pan naszą ulubioną sprawę?

Przez chwilę na linii panowała cisza.

— Tak.

— Od jak dawna nie wpadliśmy na żaden nowy ślad?

— Nie wydaje mi się, żebyśmy kiedykolwiek na jakiś wpadli.

— No cóż, może udało nam się to teraz.

— Zamieniam się w słuch.

— Właśnie otrzymaliśmy dziwny telefon od byłego agenta FBI. Niejakiego Dewarda. Teraz jest prywatnym detektywem w Newark.

— I co?

— Wygląda na to, że nasz dobry znajomy, doktor Seidman, złożył mu dziś wizytę. W dość niezwykłym towarzystwie.

Lydia ufarbowała sobie włosy na czarno, żeby lepiej wtopić się w mrok.

Plan, jak zawsze, był prosty.

— Przekonamy się, czy ma pieniądze — powiedziała Heshy'emu. — Potem go zabiję.

— Jesteś pewna?

— Oczywiście. A najlepsze jest to, że morderstwo automatycznie zostanie powiązane z tamtą strzelaniną. — Lydia uśmiechnęła się. — Nawet jeśli coś pójdzie nie tak, nie będą nas szukać.

— Lydio?

— Coś cię niepokoi?

Heshy wzruszył szerokimi ramionami.

— Nie sądzisz, że byłoby lepiej, gdybym ja go zabił?

— Ja lepiej strzelam, Misiaczku.

— Jednak... — Zawahał się i znów wzruszył ramionami. —
Ja nie potrzebuję broni.

— Próbujesz mnie chronić — domyśliła się.

Nic nie powiedział.

— To słodkie.

I tak też było. Jednak chciała to zrobić sama między innymi
dlatego, żeby osłonić Heshy'ego. To on najbardziej się narażał.
Lydia nigdy nie przejmowała się tym, że może zostać złapana.
Częściowo z powodu nadmiernej pewności siebie. Tylko głupcy
dają się złapać, ostrożni nigdy. Co więcej, wiedziała, że nawet
gdyby ją schwytano, nigdy nie zostałaby skazana. Nie tylko ze
względu na swój niewinny wygląd, choć ten też niewątpliwie
by jej pomógł. Żaden oskarżyciel nie poradziłby sobie z łzawym
melodramatem w stylu Ophry, w jaki zmieniłaby rozprawę.
Lydia przypomniałaby sędziom o swojej „tragicznej" przeszłości. Podałaby się za wielokrotnie molestowaną. Wypłakiwałaby
się przed kamerami. Plotłaby bzdury o strasznym losie dziecię-
cej gwiazdy, o tym jak zmuszano ją, żeby grała „Pixie-Trixie".
Wyglądałaby ponętnie i niewinnie. I opinia publiczna — nie
mówiąc o sędziach — ochoczo przełknęłaby ten kit.

— Sądzę, że tak będzie lepiej — powiedziała. — Gdyby
zobaczył ciebie, mógłby... no cóż, rzucić się do ucieczki.
Tymczasem jeśli zauważy taką kruszynkę jak ja...

Lydia zamilkła i nieznacznie wzruszyła ramionami.

Heshy kiwnął głową. Miała rację. To będzie bułka z masłem.
Lydia pogłaskała go po policzku i wręczyła mu kluczyki do
samochodu.

— Czy Pavel wie, co ma robić? — zapytała.

— Wie. Spotka się z nami na miejscu. I tak będzie miał na
sobie flanelową koszulę.

— No, to możemy już ruszać — zdecydowała. — Zadzwonię do doktora Seidmana.

Heshy pilotem otworzył drzwi samochodu.

— Och — powiedziała Lydia. — Zanim ruszymy, muszę jeszcze coś sprawdzić.

Otworzyła tylne drzwi. Dziecko mocno spało na foteliku. Sprawdziła, czy jest dobrze przymocowane pasami.

— Lepiej usiądę z tyłu, Misiaczku — oznajmiła. — Na wypadek, gdyby dziecko się obudziło.

Heshy wcisnął się za kierownicę. Lydia wyjęła telefon i scrambler, po czym wystukała numer.

22

Zamówiliśmy pizzę i chyba popełniliśmy błąd. Późno zamawiana pizza to typowe jedzenie z czasów college'u. Kolejne niezbyt subtelne skojarzenie z przeszłością. Wciąż spoglądałem na telefon komórkowy, pragnąc, aby zadzwonił. Rachel milczała, co mi odpowiadało. Zawsze dobrze milczało nam się razem. To również było niesamowite. Pod wieloma względami czas się cofnął, wracaliśmy do tego, co było. Jednak z rozmaitych powodów byliśmy obcymi sobie ludźmi, połączonymi wątłą więzią dawnego związku.

Najdziwniejsze było to, że moje wspomnienia nagle stały się niewyraźne. Myślałem, że kiedy znowu ją zobaczę, wszystko powróci. Tymczasem przypominałem sobie niedużo szczegółów. Raczej uczucia, emocje, zapamiętane w taki sam sposób, w jaki pozostał w mojej pamięci rześki chłód Nowej Anglii. Nie wiem, dlaczego nie zdołałem ich przywołać. I nie byłem pewien, co to oznaczało.

Rachel marszczyła brwi, bawiąc się swoimi elektronicznymi urządzeniami. Ugryzła kawałek pizzy i orzekła:

— Nie jest tak dobra jak ta od Tony'ego.

— Jego pizza była okropna.

— Trochę tłusta — przyznała.

— Trochę? Do dużej porcji powinien dodawać talon na darmowe przetykanie żył.

— Była trochę ciężkostrawna, to fakt.

Popatrzyliśmy po sobie.

— Rachel?

— Taak?

— A jeśli nie zadzwonią?

— To by oznaczało, że wcale jej nie mają, Marc.

Nie rozwijałem tego tematu. Pomyślałem o Connerze, synku Lenny'ego, o tym, co robił i mówił, próbując wyobrazić sobie dziecko, które ostatni raz widziałem w kołysce. Nie udało mi się, ale to nie miało znaczenia. Pojawił się przebłysk nadziei. Tylko to się liczyło. Wiedziałem, że jeśli moja córeczka nie żyje, jeśli telefon nigdy nie zadzwoni, ta niewczesna nadzieja mnie zabije. Mimo to nie przejmowałem się tym. Lepsze to niż wieczna niepewność.

Tak więc żywiłem nadzieję. Ja, wieczny cynik, pozwoliłem sobie wierzyć, że wszystko będzie dobrze.

Kiedy telefon w końcu zadzwonił, była prawie dziesiąta. Nawet nie zerknąłem na Rachel i nie czekałem na jej zgodę. Nacisnąłem palcem włącznik, zanim jeszcze przebrzmiał pierwszy dzwonek.

— Halo?

— W porządku — rzekł elektroniczny głos. — Zobaczysz ją.

Zaparło mi dech. Rachel przysunęła się i przyłożyła ucho do słuchawki.

— Dobrze — powiedziałem.

— Masz pieniądze?

— Tak.

— Całą sumę?

— Tak.

— Zatem słuchaj uważnie. Nie wykonasz naszych poleceń, to znikniemy. Rozumiesz?

— Tak.

— Sprawdziliśmy nasze źródła. Na razie dobrze. Wygląda na to, że nie skontaktowaliście się z władzami. Musimy jednak mieć pewność. Pojedziesz sam w kierunku mostu George'a Washingtona. Kiedy tam dojedziesz, będziemy w zasięgu. Nawiążesz łączność przez komórkę. Powiem ci, dokąd masz jechać i co robić. Zostaniesz obszukany. Jeśli będziesz miał założony jakiś podsłuch, znikniemy. Rozumiesz?

Usłyszałem, że Rachel wstrzymuje oddech.

— Kiedy zobaczę moją córkę?

— Kiedy się spotkamy.

— Skąd mam wiedzieć, że dotrzymacie słowa?

— A skąd możesz wiedzieć, że po prostu nie odłożę słuchawki?

— Już jadę — powiedziałem. I pospiesznie dodałem: — Jednak nie dam wam pieniędzy, dopóki nie zobaczę Tary.

— No, to umowa stoi. Masz godzinę. Zadzwonisz, jak będziesz na miejscu.

23

Conrad Dorfman nie wyglądał na uszczęśliwionego tym, że ściągnięto go do biura o tak późnej porze. Tickner się tym nie przejął. Gdyby Seidman przybył tutaj sam, byłby to ważny trop, co do tego nie było cienia wątpliwości. Jednak fakt, że towarzyszyła mu Rachel Mills, która w jakiś sposób była powiązana z tą sprawą, no cóż... Można rzec, że to obudziło głębokie zaciekawienie Ticknera.

— Czy pani Mills okazała jakąś legitymację? — zapytał.

— Tak — odparł Dorfman. — Jednak z pieczątką „na emeryturze".

— I towarzyszyła doktorowi Seidmanowi?

— Tak.

— Przybyli tu razem.

— Tak sądzę. Chcę powiedzieć, że owszem, weszli tutaj razem.

Tickner kiwnął głową.

— Czego chcieli?

— Hasła. Do CD.

— Nie wiem, czy nadążam.

— Twierdzili, że mają CD, którą dostarczyliśmy klientce. Nasze płytki kompaktowe są zabezpieczone hasłem. Chcieli, żebyśmy podali im hasło dostępu.

— I zrobiliście to?

Dorfman udał wstrząśniętego.

— Oczywiście, że nie. Zadzwoniliśmy do waszej agencji. Wyjaśnili nam... no cóż, właściwie to nigdy niczego nam nie wyjaśniają. Po prostu nalegali na to, żebyśmy w żadnym razie nie współpracowali z agentką Mills.

— Była agentką — sprostował Tickner.

W jaki sposób? — zastanawiał się Tickner. W jaki sposób Rachel Mills spiknęła się z Seidmanem? W jej przypadku starał się stosować zasadę domniemanej niewinności. W przeciwieństwie do swoich kolegów dobrze znał Rachel Mills i widział ją w akcji. Była dobrą, a może nawet wspaniałą agentką. Teraz jednak miał wątpliwości. Zastanawiał go ten dziwny zbieg okoliczności. Po co tu przyszła? Dlaczego pokazała legitymację i próbowała naciskać?

— Czy powiedzieli panu, w jaki sposób weszli w posiadanie CD?

— Twierdzili, że należała do żony doktora Seidmana.

— A należała?

— Owszem, tak sądzę.

— Czy wiadomo panu, że żona doktora Seidmana nie żyje od półtora roku, panie Dorfman?

— Teraz już o tym wiem.

— A nie wiedział pan, kiedy tutaj byli?

— Właśnie.

— Dlaczego doktor Seidman czekał osiemnaście miesięcy, żeby zapytać o hasło?

— Nie powiedział.

— A pytał go pan?

Dorfman niespokojnie poruszył się na fotelu.

— Nie.

Tickner uśmiechnął się przyjaźnie.

— Nie miał pan powodu go pytać — rzekł z udawaną serdecznością. — Czy udzielił im pan jakichkolwiek informacji?

— Żadnych.

— Nie powiedział im pan, dlaczego pani Seidman wynajęła waszą firmę?

— Zgadza się.

— W porządku, doskonale. — Tickner nachylił się i oparł łokcie o kolana. Zamierzał zadać następne pytanie, kiedy zadzwonił jego telefon komórkowy. — Przepraszam — rzekł, sięgając do kieszeni.

— Czy to jeszcze długo potrwa? — spytał Dorfman. — Mam plany na ten wieczór.

Tickner nie raczył odpowiedzieć. Wstał i przyłożył telefon do ucha.

— Tickner.

— Mówi agent O'Malley — powiedział młody Irlandczyk.

— Znalazłeś coś?

— O tak.

— Słucham.

— Sprawdziliśmy wykazy rozmów telefonicznych z ostatnich trzech lat. Seidman nigdy do niej nie dzwonił — a przynajmniej nie z domu i nie z biura — aż do dziś.

— Czy zaraz usłyszę „ale"?

— Właśnie. Ale Rachel Mills dzwoniła do niego — raz.

— Kiedy?

— Przed dwoma laty, w czerwcu.

Tickner szybko policzył w myślach. Wyszło mu prawie trzy miesiące przed morderstwem i porwaniem.

— Masz jeszcze coś?

— Myślę, że coś dużego. Kazałem jednemu z naszych agentów sprawdzić mieszkanie Rachel Mills w Falls Church. Jeszcze je przeszukuje, ale niech pan zgadnie, co znalazł w szufladzie nocnej szafki?

— Wydaje ci się, że to teleturniej, O'Ryan?

— O'Malley.

Tickner potarł nasadę nosa.

— No i co znalazł ten agent?

— Zdjęcie z immatrykulacji.

— Co takiego?

— Właściwie nie wiem, czy na pewno z immatrykulacji. W każdym razie z tego rodzaju uroczystości. To zdjęcie sprzed około piętnastu, dwudziestu lat. Ona ma wytapirowane włosy i taki bukiecik przypięty do sukni.

— Co, do diabła, to ma...

— Facet na tym zdjęciu.

— Co z nim?

— Nasz agent jest pewien. Na tym zdjęciu jest — towarzyszy jej — nasz doktor Seidman.

Tickner poczuł dreszcz podniecenia.

— Szukajcie dalej — polecił. — Zadzwoń, kiedy znajdziesz więcej.

— Jasne.

Rozłączył się. Rachel i Seidman razem na rozdaniu dyplomów? Jak to możliwe? Ona była z Vermont, jeśli dobrze pamiętał. Seidman mieszkał w New Jersey. Nie chodzili razem do liceum. Może do college'u? Trzeba będzie to sprawdzić.

— Coś się stało?

Tickner odwrócił się. Spojrzał na Dorfmana.

— Sprawdźmy, czy dobrze to zrozumiałem, panie Dorfman. CD należała do Moniki Seidman?

— Tak nam powiedziano.

— Tak czy nie, panie Dorfman?

Wiceprezes odkaszlnął.

— Uważamy, że tak.

— A zatem była waszą klientką?

— Tak, to zdołaliśmy potwierdzić.

— Krótko mówiąc, ofiara morderstwa była waszą klientką.

Dorfman milczał.

— Jej nazwisko było we wszystkich gazetach wychodzących w tym stanie — ciągnął Tickner, mierząc go zimnym spojrzeniem. — Jak to się stało, że nie zgłosiliście nam tego?

— Nie wiedzieliśmy.

Tickner wciąż przeszywał go wzrokiem.

— Facet, który prowadził tę sprawę, już u nas nie pracuje — dorzucił pospiesznie Dorfman. — Widzi pan, odszedł mniej więcej wtedy, kiedy pani Seidman została zamordowana. Nikt z nas się nie zorientował.

Gość przeszedł do obrony. Tickner był zadowolony. Wierzył mu, ale nie powiedział tego. Niech facet stara się być użyteczny.

— Co było na CD?

— Sądzimy, że fotografie.

— Sądzicie?

— Zazwyczaj tak jest. Nie zawsze. Wykorzystujemy płytki kompaktowe do magazynowania zdjęć, ale czasem zeskanowanych dokumentów. Naprawdę nie potrafię powiedzieć.

— Dlaczego, do diabła?

Dorfman rozłożył ręce.

— Nie ma obawy. Zawsze robimy kopie. Tylko że wszystkie pliki starsze niż rok przechowujemy w piwnicy. Wprawdzie biuro było zamknięte, ale kiedy dowiedziałem się, o co chodzi, kazałem komuś się tym zająć. Właśnie przegląda materiał na zapasowej kopii.

— Gdzie?

— Na parterze. — Dorfam spojrzał na zegarek. — Do tego czasu powinien już skończyć. Chce pan zejść na dół i rzucić okiem?

Tickner wstał.

— Chodźmy.

24

— Mimo to możemy coś zrobić — powiedziała Rachel. — Zakładanie podsłuchu to sztuka. Nawet jeśli cię obszukają, mogą niczego nie znaleźć. Mam kuloodporną kamizelkę z miniaturową kamerą w środkowym guziku.

— I sądzisz, że jej nie znajdą, kiedy mnie obszukają?

— No dobrze, posłuchaj, wiem, że się tego obawiasz, ale bądźmy realistami. Najprawdopodobniej to po prostu naciągacze. Nie dawaj im pieniędzy, dopóki nie zobaczysz Tary. Nie daj się zwabić w odludne miejsce. Nie przejmuj się nadajnikiem. Jeśli oni zamierzają dotrzymać umowy, odzyskamy Tarę, zanim zdążą przejrzeć taką masę forsy. Wiem, że to trudna decyzja, Marc.

— Nie, masz rację. Poprzednio próbowałem rozegrać to bezpiecznie. Myślę, że tym razem trzeba zaryzykować. Mimo to kamizelka nie wchodzi w grę.

— W porządku, oto co zrobimy. Będę w bagażniku. Oni mogą sprawdzić, czy ktoś nie schował się z tyłu. W bagażniku będę niewidoczna. Rozłączę przewody, tak żeby nie zapaliło się światło, kiedy otworzę pokrywę. Postaram się być w pobliżu, ale pewnie będę musiała trzymać się w bezpiecznej odległości. Nie zrozum mnie źle. Nie jestem Cudowną Kobietą z komiksów. Może cię zgubię, ale pamiętaj: nie szukaj mnie. Nie rozglądaj się odruchowo. Ci ludzie zapewne są zawodowcami. Zauważą to.

— Rozumiem. — Miała na sobie czarne ubranie. Powiedziałem: — Wyglądasz tak, jakbyś szła na pogrzeb w Village.

— Amen, Panie. Gotowy?

Oboje usłyszeliśmy podjeżdżający samochód. Wyjrzałem przez okno i przeraziłem się.

— Niech to szlag! — zakląłem.

— Co jest?

— To Regan, gliniarz prowadzący tę sprawę. Nie widziałem go ponad miesiąc. — Spojrzałem na nią. Jej blada jak płótno twarz kontrastowała z czarnym ubraniem. — Przypadek? — zapytałem.

— To nie przypadek.

— Do licha, skąd dowiedział się o żądaniu okupu?

Odeszła od okna.

— Zapewne nie przyjechał tu z tego powodu.

— A z jakiego?

— Domyślam się, że ci z MVD zawiadomili ich, że tam byłam.

Zmarszczyłem brwi.

— I co z tego?

— Nie ma czasu na wyjaśnienia. Posłuchaj, pójdę do garażu i schowam się tam. On będzie o mnie pytał. Powiedz mu, że wróciłam do Waszyngtonu. Gdyby naciskał, wyjaśnij mu, że jestem twoją starą znajomą i nic więcej. Będzie chciał cię przesłuchać.

— Dlaczego?

Ona już wychodziła.

— Po prostu nie daj mu się i spław go. Zaczekam na ciebie przy samochodzie.

Nie podobało mi się to, lecz nie była to odpowiednia chwila na spory.

— W porządku.

Rachel ruszyła w kierunku drzwi wiodących do garażu. Zaczekałem, aż zniknie mi z oczu. Kiedy Regan dochodził do mojego ganku, otworzyłem drzwi, usiłując go zaskoczyć.

Regan uśmiechnął się.

— Spodziewał się pan mojej wizyty? — zapytał.

— Usłyszałem pański samochód.

Pokiwał głową, jakbym powiedział coś, co należy dokładnie przeanalizować.

— Ma pan chwilę, doktorze Seidman?

— Prawdę mówiąc, nie bardzo.

— Och. — Regan nie stracił animuszu. Prześlizgnął się do przedsionka, rozglądając się wokół bystrym wzrokiem — Wychodzi pan, tak?

— Czego pan chce, detektywie?

— Uzyskaliśmy kilka nowych informacji.

Czekałem, aż powie więcej.

— Nie chce pan wiedzieć jakich?

— Oczywiście, że chcę.

Regan miał dziwną, niemal uduchowioną minę. W zadumie spoglądał na sufit, jakby się zastanawiał, na jaki kolor go pomalować.

— Gdzie był pan dzisiaj?

— Proszę, niech pan już idzie.

Nadal patrzył na sufit.

— Dziwi mnie pańskie wrogie nastawienie.

Mimo to wcale nie wyglądał na zdziwionego.

— Powiedział pan, że macie nowe informacje. Jeśli tak, proszę mi je wyjawić. Jeżeli nie, niech się pan wynosi. Nie mam ochoty być przesłuchiwany.

Udał zaskoczenie.

— Słyszeliśmy, że odwiedził pan prywatną agencję detektywistyczną w Newark.

— I co z tego?

— Co pan tam robił?

— Powiem panu coś, detektywie. Zamierzam pana wyprosić, ponieważ wiem, że rozmowa z panem ani na krok nie przybliży mnie do córki.

Spojrzał na mnie.

— Jest pan tego pewien?

— Uprzejmie pana proszę o opuszczenie mojego domu. Natychmiast.

— Jak pan chce. — Regan ruszył do drzwi. Kiedy do nich doszedł, zapytał: — Gdzie jest Rachel Mills?

— Nie wiem.

— Nie ma jej tu?

— Nie.

— I nie ma pan pojęcia, gdzie ona może być?

— Sądzę, że mogła wrócić do Waszyngtonu.

— Hm. Skąd właściwie się znacie?

— Dobranoc, detektywie.

— Pewnie, jasne. Jeszcze tylko jedno pytanie.

Powstrzymałem westchnienie.

— Oglądał pan zbyt wiele odcinków *Columbo*, detektywie.

— Istotnie. — Uśmiechnął się. — Mimo to pozwoli pan, że je zadam.

Bezradnie rozłożyłem ręce.

— Czy pan wie, jak umarł jej mąż?

— Został zastrzelony — odparłem zbyt szybko i natychmiast tego pożałowałem. Nachylił się do mnie, patrząc mi prosto w oczy.

— A wie pan, kto go zastrzelił?

Stałem i nie ruszałem się.

— Wie pan, Marc?

— Dobranoc, detektywie.

— To ona go zabiła, Marc. Wpakowała mu kulę w głowę z bliskiej odległości.

— Bzdura.

— Naprawdę? Jest pan tego pewien?

— Jeśli go zabiła, to czemu nie siedzi w więzieniu?

— Dobre pytanie — odparł Regan. A kiedy znalazł się na chodniku, dodał: — Może powinien pan ją o to zapytać.

25

Rachel była w garażu. Spojrzała na mnie. Nagle wydała mi się drobna. Dostrzegłem lęk w jej oczach. Bagażnik był otwarty. Ruszyłem w kierunku drzwiczek po stronie kierowcy.

— Czego chciał? — zapytała.

— Tego, czego się spodziewałaś.

— Wiedział o płytce kompaktowej?

— Wiedział, że byliśmy w MVD. Nie wspomniał o płytce.

Usiadłem za kierownicą. Rachel nie podjęła tematu. To nie była odpowiednia chwila na roztrząsanie innych problemów. Oboje to wiedzieliśmy. Mimo to ponownie zadałem sobie pytanie, czy podjąłem słuszną decyzję. Moja żona została zamordowana. Moja siostra także. Ktoś usilnie próbował mnie zabić. A ja zaufałem kobiecie, której prawie nie znałem. Powierzyłem jej nie tylko moje życie, ale także życie córki. Kiedy się nad tym zastanowić, chyba zbyt pochopnie. Lenny miał rację. To nie było takie proste. Prawdę mówiąc, nie miałem pojęcia, jaka teraz jest Rachel. Chyba łudziłem się, biorąc ją za kogoś, kim nie była. Zastanawiałem się, czy ta pomyłka nie będzie mnie drogo kosztować.

Jej głos wyrwał mnie z zadumy.

— Marc?

— Co?

— Nadal uważam, że powinieneś założyć kuloodporną kamizelkę.

— Nie.

Powiedziałem to bardziej stanowczo, niż zamierzałem. A może nie. Rachel weszła do bagażnika i zamknęła go. Położyłem brezentową torbę z pieniędzmi na sąsiednim fotelu. Nacisnąłem przycisk umieszczonego pod osłoną przeciwsłoneczną pilota otwierającego drzwi i uruchomiłem silnik. Ruszyliśmy.

Kiedy Tickner miał dziewięć lat, matka kupiła mu książeczkę z ilustracjami ukazującymi różne złudzenia optyczne. Był w niej, na przykład, rysunek staruszki z wielkim nosem. Patrzyłeś na nią przez chwilę i nagle zmieniała się w dziewczynę z obróconą głową. Tickner uwielbiał tę książkę. Kiedy był starszy, potrafił cierpliwie wpatrywać się w kalejdoskop, żeby zobaczyć, jak kolorowe kryształki ułożą się w sylwetkę konia lub czegoś innego. Czasem trwało to bardzo długo. Aż człowiek zaczynał się zastanawiać, czy coś tam w ogóle jest. A potem nagle pojawiał się obraz.

Teraz też.

Tickner wiedział, że niemal w każdej sprawie przychodzi taki moment, który wszystko zmienia — jak w kalejdoskopie. Spoglądasz na jedną rzeczywistość, a ona nagle, pod wpływem jakiegoś bodźca, całkowicie się zmienia. I nic już nie jest takie jak przedtem.

Nigdy tak naprawdę nie wierzył w żadną z wysuwanych teorii w sprawie morderstwa i porwania Seidmanów. Wszystkie za bardzo przypominały mu czytanie książki z brakującymi stronami.

W ciągu wieloletniej pracy Tickner niezbyt często miał do czynienia z morderstwami. Przeważnie pozostawiano te śledztwa lokalnej policji. Jednak znał wielu policjantów z wydziałów zabójstw. Najlepsi byli zawsze trochę eksentryczni, często skłonni do teatralnych gestów, zawsze obdarzeni bujną wyobraźnią. Nieraz słyszał, jak mówili o punkcie zwrotnym sprawy, w którym ofiara „mści się" zza grobu. O ofiarach, które „mówią" do nich, wskazując mordercę. Tickner słuchał tych bzdur i uprzejmie kiwał głową. Zawsze uważał to za przesadną hiperbolę, jeden z tych nonsensów wygłaszanych przez policjantów dla uwielbiającej to opinii publicznej.

Drukarka wciąż warczała. Tickner obejrzał już dwanaście zdjęć.

— Ile jeszcze? — zapytał.

Dorfman oderwał wzrok od monitora.

— Zostało sześć.

— Takie same jak te?

— Tak, prawie. Chcę powiedzieć, że pokazują tę samą osobę.

Tickner spojrzał na fotografie. Tak, na wszystkich widniała ta sama osoba. I wszystkie były czarno-białe, zrobione bez wiedzy fotografowanego, zapewne z oddali przez teleobiektyw.

To gadanie o ofierze przemawiającej zza grobu już nie wydawało się takie głupie. Monica Seidman nie żyła od osiemnastu miesięcy. Jej morderca wymknął się sprawiedliwości. A teraz, kiedy wydawało się, że tak pozostanie, martwa jakby powstała z grobu i pokazała go palcem. Tickner ponownie spojrzał na zdjęcia, usiłując to zrozumieć.

Osobą widoczną na wszystkich fotografiach, osobą, na którą wskazywała Monica Seidman, była Rachel Mills.

Jeśli pojedziesz wschodnią odnogą New Jersey Turnpike na północ, ujrzysz na horyzoncie nocną panoramę Manhattanu. Jak większość ludzi oglądających to prawie codziennie, kiedyś nie zwracałem na ten widok uwagi. Już nie. Przez jakiś czas po tragedii wydawało mi się, że wciąż widzę wieże WTC. Tak jakby były dwoma jasnymi światłami, na które spoglądałem przez tak długi czas, że widziałem je nadal nawet wtedy, kiedy zamknąłem oczy. Jednak jak wszystkie plamki światła, powoli zaczęły gasnąć. Teraz jest inaczej. Kiedy tamtędy przejeżdżam, wciąż ich wypatruję. Robiłem to nawet teraz. Tylko że czasem nie mogę sobie przypomnieć, gdzie dokładnie stały. A to okropnie mnie irytuje.

Z przyzwyczajenia pojechałem dolnym poziomem mostu George'a Washingtona. O tej porze nie było ruchu. Przejechałem przez punkt kontrolny. Starałem się nie myśleć o tym, co mnie czeka. Zmieniałem stacje, słuchając na przemian dwóch audycji radiowych. Jedną był program sportowy, w którym do studia dzwonili faceci przedstawiający się na przykład jako „Vinny z Bayside", żeby ponarzekać na niekompetentnych trenerów i dowodzić, że na ich miejscu spisaliby się znacznie lepiej. W drugim występowali dwaj zdziecinniali, kiepscy naśladowcy Howarda Sterna, którzy opowiadali żarciki w stylu „student dzwoni do domu i mówi matce, że ma raka jądra". Obaj byli średnio zabawni, ale przynajmniej zajmujący.

Rachel jechała w bagażniku, co — jeśli się nad tym zastanowić — było dość upiorne. Wyjąłem telefon komórkowy i włączyłem. Dwukrotnie nacisnąłem palcem przycisk wywołania i niemal natychmiast mechaniczny głos powiedział:

— Jedź na północ autostradą Henry'ego Hudsona.

Przysunąłem komórkę do ust, jak krótkofalówkę.

— W porządku.

— Powiedz, kiedy będziesz na Hudson.

— Dobrze.

Przejechałem na lewy pas. Wiedziałem, jak jechać. Znałem tę okolicę. Odrabiałem staż w New York Presbyterian, znajdującym się jakieś dziesięć przecznic na południe. Zia i ja dzieliliśmy gabinet z kardiologiem o nazwisku Lester, w secesyjnym budynku na końcu Fort Washington Avenue, w raczej kiepskiej części Manhattanu. Kiedy tu mieszkałem, ta dzielnica miasta była znana jako północne przedmieście Washington Heights. Teraz zauważyłem, że niektórzy agenci biur nieruchomości nazywali ją Hudson Heights, jakby chcieli oddzielić grubą kreską standard oraz ceny tutejszych mieszkań dawniej i dziś.

— W porządku, jestem na Hudson — zameldowałem.

— Wybierz pierwszy zjazd.

— Fort Tryon Park?

— Tak.

To miejsce też znałem. Fort Tryon unosi się niczym chmura nad rzeką Hudson. Cichy i spokojny na stromym brzegu rzeki, mając od zachodu New Jersey, a od wschodu Riverdale-Bronx. Ten park to gmatwanina rozległych tarasów, wybrukowanych kamieniami alejek, zwierząt z minionej ery, murków z cegieł i cementu, gęstych zarośli, kamienistych zboczy i rozległych trawników. Na tych ostatnich spędziłem wiele letnich dni, ubrany w szorty i koszulkę z krótkimi rękawami, w towarzystwie Zii oraz podręczników medycznych. Moją ulubioną porą był letni wieczór. Skąpany w pomarańczowym blasku park wyglądał po prostu nieziemsko.

Włączyłem migacz i zjechałem z autostrady. Nie widziałem żadnych świateł ani samochodów. Park był zamknięty na noc, ale ulica pozostała otwarta dla przejeżdżających tędy samochodów. Wjechałem na górę stromą ulicą do tego, co przypominało mi średniowieczny zamek. Przede mną wznosiły się zabudowania The Cloisters, dawnego pseudofrancuskiego klasztoru, obecnie będącego częścią Metropolitan Museum of Art. Znajduje się w nich wspaniała kolekcja średniowiecznych dzieł sztuki. A przynajmniej tak mi mówiono. Byłem w tym parku setki razy. Nigdy nie zwiedziłem The Cloisters.

Pomyślałem, że to idealne miejsce na przekazanie okupu: ciemne, odludne, pełne krętych alejek, skalnych urwisk, gęstych zarośli, brukowanych i nieutwardzonych ścieżek. Można się tutaj zgubić. Można ukrywać się długo i nie obawiać wykrycia.

Mechaniczny głos zapytał:

— Jesteś tam na miejscu?

— Tak, jestem w Fort Tryon.

— Zaparkuj w pobliżu kawiarni. Wysiądź i podejdź do kręgu.

Jazda w bagażniku była hałaśliwa i męcząca. Rachel wyścieliła go grubym kocem, ale nic nie mogła poradzić na hałas.

Nie wyjmowała latarki. Nie zamierzała jej włączać. Ciemność nigdy nie przeszkadzała Rachel.

Wzrok potrafi mylić. Ciemność pomaga zebrać myśli.

Starała się rozluźnić mięśnie i zamortyzować wstrząsy. Myślała o zachowaniu Marca na moment przed wyjazdem z garażu. Ten gliniarz, który przyszedł do jego domu, niewątpliwie powiedział coś, co nim wstrząsnęło. Coś na jej temat? Prawdopodobnie. Zastanawiała się, co też takiego powiedział i jak powinna zareagować.

Teraz to nie miało znaczenia. Jechali na miejsce. Powinna skoncentrować się na swoim zadaniu.

Rachel szybko wchodziła w dobrze znaną sobie rolę. Poczuła ukłucie żalu. Brakowało jej FBI. Lubiła tę pracę. No tak, chyba dlatego, że tylko ją miała. Praca była czymś więcej niż ucieczką — była jedynym zajęciem, jakie naprawdę ją cieszyło. Niektórzy ludzie męczyli się od dziewiątej do piątej, żeby potem pójść do domu i zapomnieć o wszystkim. Rachel wprost przeciwnie.

Po tych wszystkich latach, jakie przeżyli z daleka od siebie, nadal coś łączyło ją i Marca: oboje wykonywali pracę, którą lubili. Zastanawiała się nad tym. Czy naprawdę był to przypadek, czy też praca stała się dla nich substytutem miłości? A może za bardzo się w to zagłębiała?

Marc nadal miał swoją pracę. Ona nie. Czy dlatego była bardziej zdesperowana niż on?

Nie. Jemu porwano dziecko. Gem, set, mecz.

W ciemnościach bagażnika posmarowała twarz czarną farbą, żeby była niewidoczna w mroku. Samochód zaczął wjeżdżać pod górę. Rachel miała pod ręką torbę ze sprzętem.

Myślała o Hugh Reillym, tym sukinsynu.

Jej zerwanie z Markiem — i wszystko co wydarzyło się później — było jego winą. Hugh był jej najlepszym kumplem w college'u. Mówił jej, że tylko tego chciał. Być jej przyjacielem. Bez zobowiązań. Przecież wie, że ona ma chłopaka. Czy Rachel naprawdę była tak naiwna, czy tylko udawała? Mężczyźni, którzy chcą być „tylko przyjaciółmi", robią to w nadziei, że kiedyś przyjdzie kolej na nich, jakby przyjaźń była jakimś placem treningowym, na którym można przygotować się do wyjścia na boisko. Tamtej nocy Hugh zadzwonił do niej do Włoch, oczywiście mając jak najlepsze intencje. „Jako twój przyjaciel, uznałem, że powinnaś o tym wiedzieć". No właśnie. I powiedział jej, co Marc zrobił na jakiejś idiotycznej prywatce. Cóż, dość obwiniania siebie. Marca. I Hugh Reilly'ego. Gdyby ten sukinsyn się nie wtrącał, jak potoczyłoby się jej życie? Nie miała pojęcia. A jak wyglądało teraz? Na to łatwiej było odpowiedzieć. Za dużo piła. Zbyt łatwo wpadała w złość. Żołądek dokuczał jej bardziej niż powinien. Zbyt dużo czasu spędzała, czytając program telewizyjny. No i nie zapominajmy o *pièce de résistance*: wpakowała się w autodestrukcyjny związek i uwolniła od niego w najgorszy z możliwych sposobów.

Samochód gwałtownie skręcał i piął się tak ostro w górę, że Rachel musiała przekręcić się na plecy. Po chwili zatrzymał się. Rachel podniosła głowę. Zapomniała o tych nieprzyjemnych sprawach.

Zaczynała się gra.

Z wieży widokowej fortu, wznoszącej się około osiemdziesięciu metrów nad poziomem rzeki Hudson, Heshy napawał się jednym z najpiękniejszych widoków na Jersey Palisades, rozpościerający się od mostu Tappan Zee po prawej, aż po most Washingtona po lewej. Nawet oglądał go przez chwilę, zanim zajął się tym, po co tu przyszedł.

Jak za naciśnięciem guzika, samochód Seidmana zjechał z autostrady Henry'ego Hudsona. Nikt za nim nie jechał. Heshy spoglądał na szosę. Żaden samochód nie zwolnił. Żaden nie przyspieszył. Nikt nie usiłował udawać, że nie śledzi doktora.

Heshy odwrócił się, na moment stracił wóz z oczu, a potem zobaczył go znowu, gdy samochód znalazł się w jego polu widzenia. Za kierownicą siedział Seidman. Heshy nie dostrzegł nikogo innego. To jeszcze niczego nie oznaczało, gdyż ktoś mógł leżeć na podłodze z tyłu, ale zawsze to coś.

Seidman zaparkował samochód. Zgasił silnik i otworzył drzwi. Heshy podniósł mikrofon do ust.

— Pavel, jesteś gotowy?

— Tak.

— Jest sam — powiedział, zwracając się jednocześnie do Lydii. — Do roboty.

— Zaparkuj w pobliżu kawiarni. Wysiądź i podejdź do kręgu.

Wiedziałem, że chodziło o Margaret Corbin Circle. Kiedy wyszedłem na tę otwartą przestrzeń, pomimo ciemności od razu zauważyłem jaskrawe kolory urządzeń placu zabaw dla dzieci, w pobliżu Fort Washington Avenue i Sto Dziewięćdziesiątej Ulicy. Nadal biły w oczy. Zawsze lubiłem ten plac zabaw, lecz tego wieczoru irytowały mnie jego żółte i niebieskie barwy. Uważam się za chłopca z miasta. Kiedy mieszkałem w pobliżu, wyobrażałem sobie, że nigdy się stąd nie wyprowadzę — zbyt wyrafinowany, żeby zamieszkać na jakimś zapadłym przedmieściu — a to oznaczało, że będę przyprowadzał moje dzieci do tego parku. Teraz uznałem to za znak, tylko nie wiedziałem jaki.

Telefon zapiszczał.

— Po lewej jest stacja metra.

— Tak.

— Zejdź po schodach na dół, w kierunku windy.

Mogłem się tego spodziewać. Każe mi wsiąść do windy, a potem do metra. Śledzenie mnie będzie bardzo utrudnione, jeśli nie wręcz niemożliwe.

— Jesteś na schodach?

— Tak.

— Na dole po prawej zobaczysz bramę.

Wiedziałem, gdzie ona jest. Prowadziła do mniejszego parku i otwierano ją tylko w weekendy. Zrobiono tam coś w rodzaju

niewielkiego terenu rekreacyjnego. Ustawiono stoły do ping-
-ponga, chociaż trzeba było przynieść własną siatkę i rakietki,
żeby zagrać. Były tam ławki i stoły. Czasem dzieciaki urządzały
sobie urodziny.

Pamiętałem, że ta zrobiona z kutego żelaza brama jest zawsze
zamknięta.

— Już jestem na miejscu — powiedziałem.

— Upewnij się, że nikt cię nie widzi. Pchnij bramę. Prze-
ślizgnij się przez nią i szybko zamknij ją za sobą.

Zerknąłem do środka. W parku było ciemno. Nikły blask
odległych latarni ulicznych ledwie rozjaśniał mrok. Brezentowy worek był ciężki. Poprawiłem go na ramieniu. Obejrzałem się za siebie. Nikogo. Popatrzyłem w lewo. Windy
metra były puste. Oparłem dłoń o bramę. Kłódka była prze-
cięta. Jeszcze raz rozejrzałem się wokół, ponieważ tak kazał
mi mechaniczny głos.

Ani śladu Rachel.

Popchnięta przeze mnie brama otworzyła się, przeciągle
skrzypiąc. Ten dźwięk odbił się echem w nocnej ciszy. Prześlizgnąłem się przez nią i wtopiłem w mrok.

Rachel poczuła, jak samochód zakołysał się, kiedy Marc
wysiadł.

Odczekała całą minutę, która wydawała się trwać dwie
godziny. Kiedy uznała, że to bezpieczne, uniosła na pół centymetra pokrywę bagażnika i zerknęła.

Nie zauważyła nikogo.

Miała broń, używany przez federalnych pistolet półautoma-
tyczny Glock 22, kaliber 40, oraz wojskowy noktowizor, typ
Rigel 3501. Palm Pilot, dzięki któremu mogła zlokalizować
sygnał schowanego w banknotach nadajnika, spoczywał w jej
kieszeni.

Wątpiła, by ktoś zdołał ją zobaczyć, a mimo to uniosła klapę
bagażnika tylko na tyle, żeby prześlizgnąć się przez szparę.

Przypadła do ziemi. Następnie sięgnęła ręką i wyjęła pistolet oraz noktowizor. Potem cicho zamknęła bagażnik.

Zawsze najbardziej lubiła akcje w terenie — a przynajmniej przygotowania do nich. Bardzo niewiele operacji wymagało takiego rekonesansu w stylu płaszcza i szpady. Przeważnie wykorzystywano zdobycze techniki. Furgonetki ze sprzętem podsłuchowym, samoloty szpiegowskie i mikrokamery. Rzadko trzeba było skradać się w ciemnościach w czarnym ubraniu i twarzą pomalowaną farbą.

Przycisnęła się do tylnego koła samochodu. W oddali dostrzegła Marca, który szedł drogą w górę. Wepchnęła broń do kabury i przymocowała gogle do paska. Nisko pochylona, Rachel wpadła w wysoką trawę. Tu jeszcze było jasno. Na razie nie musiała używać noktowizora.

Promień księżyca przeszył chmury. Tej nocy nie było widać gwiazd. Rachel zobaczyła, że Marc trzyma przy uchu telefon. Na ramieniu niósł brezentowy worek z pieniędzmi. Rachel rozejrzała się, lecz nie dostrzegła nikogo. Czy porywacze tu zechcą odebrać pieniądze? Całkiem niezłe miejsce, jeśli przygotowali sobie trasę ucieczki. Zaczęła analizować sytuację.

Fort Tryon znajduje się na pagórkowatym terenie. W takim razie powinna wejść wyżej. Zaczęła wspinać się na wzgórze i już miała zająć stanowisko, gdy zobaczyła, że Marc wychodzi z parku.

Niech to szlag. Znowu musiała zmienić pozycję.

Poczołgała się w dół stoku. Trawa była kłująca i pachniała sianem, zapewne, domyśliła się Rachel, z powodu ostatnich ograniczeń w dostawach wody. Starała się nie spuszczać Marca z oczu, ale zgubiła go, kiedy opuścił park. Zaryzykowała i przebiegła przez trawnik. Przy bramie schowała się za kamienną kolumnę.

Marc był tam. Jednak tylko chwilę.

Trzymając telefon przy uchu, skręcił w lewo i zniknął na schodach wiodących w dół, na stację metra.

Nieco dalej Rachel zauważyła jakąś parę spacerującą z psem.

Mogli brać w tym udział, równie dobrze mogli być przypadkowymi przechodniami, spacerującymi z psem. Marca nadal nie było w polu widzenia. Nie ma czasu do namysłu. Przycisnęła się do kamiennej ściany.

Sunąc wzdłuż niej, ruszyła w kierunku schodów.

Tickner pomyślał, że Edgar Portman wygląda jak postać stworzona przez Noëla Cowarda. Pod czerwonym i starannie zawiązanym szlafrokiem nosił jedwabną pidżamę. Na nogach miał atłasowe kapcie. Natomiast jego brat Carson wyglądał przy nim jak łazęga. Miał krzywo zapiętą pidżamę. Rozczochrane włosy i przekrwione oczy.

Obaj bracia nie odrywali oczu od fotografii znalezionych na CD.

— Edgarze — powiedział Carson. — Nie wyciągajmy przedwczesnych wniosków.

— Nie wyciągajmy...? — Edgar zwrócił się do Ticknera. — Dałem mu pieniądze.

— Tak, proszę pana — powiedział Tickner. — Półtora roku temu. Wiemy o tym.

— Nie. — Edgar chciał warknąć gniewnie, lecz zabrakło mu sił. — Dałem mu je teraz. Ściśle mówiąc, dzisiaj.

Tickner podskoczył.

— Ile?

— Dwa miliony dolarów. Otrzymaliśmy nowe żądanie okupu.

— Dlaczego nie skontaktowaliście się z nami?

— No właśnie! — prychnął gniewnie Edgar. — Przecież tak wspaniale spisaliście się poprzednim razem.

Tickner poczuł, że krew zaczyna szybciej krążyć mu w żyłach.

— Chce pan powiedzieć, że dał pan zięciowi następne dwa miliony dolarów?

— Przecież mówię.

Carson Portman wciąż spoglądał na fotografie. Edgar zerknął na brata, a potem znów na Ticknera.

— Czy Marc Seidman zabił moją córkę?

Carson wyprostował się.

— Dobrze wiesz, że nie.

— Nie pytam ciebie, Carson.

Teraz obaj spojrzeli na Ticknera. Ten nie miał ochoty na takie zabawy.

— Wspomniał pan, że spotkał się dziś ze swoim zięciem?

Jeśli Edgar był zirytowany tym, że agent nie odpowiedział na jego pytanie, to tego nie okazał.

— Wcześnie rano — odparł. — W Memorial Park.

— A ta kobieta ze zdjęć. — Tickner wskazał na fotografie. — Była z nim?

— Nie.

— Czy któryś z panów widział ją przedtem?

Obaj zaprzeczyli. Edgar podniósł jedno ze zdjęć.

— Czy moja córka wynajęła detektywa, żeby je zrobił?

— Tak.

— Nie rozumiem. Kim jest ta kobieta?

Tickner ponownie zignorował pytanie.

— List z żądaniem okupu przysłano do pana, tak jak poprzednio?

— Tak.

— Nie jestem pewien, czy rozumiem. Skąd pan wiedział, że to nie oszustwo? Skąd miał pan pewność, że ma do czynienia z prawdziwymi porywaczami?

Odpowiedział mu Carson.

— Sądziliśmy, że to oszustwo — rzekł. — Przynajmniej z początku.

— A dlaczego zmieniliście zdanie?

— Znów przysłali jej włosy.

Carson zwięźle wyjaśnił kwestię analizy DNA i powiedział, że doktor Seidman zażądał dodatkowych badań.

— Daliście mu wszystkie te włosy, tak?

— Owszem — odparł Carson.

Edgar znowu przyglądał się fotografiom.

— Ta kobieta — prychnął. — Czy Seidman był z nią związany?

— Nie mogę odpowiedzieć na to pytanie.

— A z jakiego innego powodu moja córka kazałaby ją śledzić?

Zadzwonił telefon komórkowy. Tickner przeprosił i przycisnął aparat do ucha.

— Trafiony, zatopiony — powiedział O'Malley.

— Co jest?

— Mamy numer karty Seidmana. Pięć minut temu przejechał przez most Washingtona.

Mechaniczny głos nakazał mi:

— Idź dalej alejką.

Było jeszcze dostatecznie jasno, żebym widział pierwsze stopnie. Zacząłem schodzić. Mrok gęstniał, otaczał mnie. Zacząłem ostrożniej stawiać kroki, jak ślepiec bez laski. Nie podobało mi się to. Wcale mi się nie podobało. Znów zastanowiłem się, co z Rachel. Czy jest w pobliżu? Starałem się trzymać ścieżki. Skręciła w lewo. Potknąłem się o jakiś sterczący kamień.

— W porządku — powiedział głos. — Stań.

Zrobiłem to. Nic nie widziałem. Z ulicy, która pozostała daleko w tyle, dochodził tylko nikły blask. Po prawej miałem strome zbocze. Powietrze miało tę charakterystyczną woń miejskiego parku: zmieszanych rześkich i nieświeżych zapachów. Nasłuchiwałem, lecz słyszałem tylko cichy szum przejeżdżających w oddali samochodów.

— Zostaw pieniądze na ziemi.

— Nie — powiedziałem. — Chcę zobaczyć moją córkę.

— Zostaw pieniądze.

— Zawarliśmy umowę. Wy dostajecie pieniądze, ja moją córkę.

Żadnej odpowiedzi. Krew zaczęła mi szumieć w uszach. Czułem obezwładniający strach. Nie, nie podobało mi się to. Byłem zbyt odsłonięty. Obejrzałem się przez ramię. Mogłem jeszcze rzucić się do ucieczki, wrzeszcząc jak szaleniec. Ta okolica była gęściej zamieszkana niż większość Manhattanu. Może ktoś wezwie policję.

— Doktorze Seidman?

— Tak?

Nagle oślepiło mnie światło latarki. Zamrugałem i podniosłem rękę, osłaniając twarz. Zmrużyłem oczy, usiłując coś dostrzec. Ten ktoś zaraz poświecił niżej. Mój wzrok błyskawicznie przystosował się do zmiany oświetlenia, ale nie było powodu do takiego pośpiechu. I tak zobaczyłbym tę jasno oświetloną sylwetkę. Nie miałem żadnych wątpliwości. Natychmiast to zobaczyłem.

Przede mną stał mężczyzna. Może nawet zauważyłem flanelową koszulę, sam nie wiem. Jak już powiedziałem, widziałem tylko sylwetkę. Nie mogłem dostrzec rysów twarzy ani koloru ubrania. Tak więc, być może, ten szczegół był tylko wytworem mojej wyobraźni. Jednak reszta — nie. Widziałem dość, żeby mieć pewność.

Obok mężczyzny, trzymając go za nogę tuż nad kolanem, stało małe dziecko.

26

Lydia żałowała, że jest tak ciemno. Bardzo chciała zobaczyć wyraz twarzy, jaki w tym momencie przybrał doktor Seidman. Ta jej chęć nie miała nic wspólnego z okrutnym czynem, jaki zamierzała popełnić. Kierowała nią ciekawość. Głębsza od tej cechy ludzkiej natury, która każe zwolnić, żeby przyjrzeć się ofiarom wypadku samochodowego. Wyobraźcie sobie. Temu człowiekowi porwano dziecko. Przez półtora roku zastanawiał się, jaki los spotkał jego córeczkę, nie śpiąc po nocach, dręczony przez koszmary, które powinny pozostać w najciemniejszych zakamarkach ludzkiej podświadomości.

Teraz ją zobaczył.

Byłoby nienormalne, gdyby Lydia nie miała ochoty ujrzeć wyrazu jego twarzy.

Płynęły sekundy. Tak miało być. Chciała zwiększyć napięcie, przycisnąć go do granic wytrzymałości, zmiękczyć przed decydującym ciosem.

Wyjęła sig-sauera i trzymając go w opuszczonej ręce, wyjrzała zza krzaków. Oceniła odległość dzielącą ją od Seidmana na dziesięć, może dwanaście metrów. Znów przyłożyła aparat do ust i szepnęła do mikrofonu. Nie miało żadnego znaczenia, czy szeptała, czy krzyczała. Scrambler odpowiednio wzmacniał lub tłumił jej głos.

— Otwórz torbę z forsą.

Ze swojego stanowiska obserwowała poruszającego się jak w transie Seidmana. Zrobił, co kazała, nie zadając żadnych pytań. Teraz ona zapaliła latarkę. Skierowała strumień światła na jego twarz, a potem na torbę.

Pieniądze. Zobaczyła paczki. Kiwnęła głową. Można kończyć.

— W porządku — powiedziała. — Zostaw forsę na ziemi. Powoli idź ścieżką. Tara będzie czekała na ciebie na jej końcu.

Patrzyła, jak doktor Seidman rzuca torbę na ziemię. Spoglądał w kierunku ścieżki, na której spodziewał się znaleźć swoją córkę. Poruszał się sztywno, zapewne dlatego, że wciąż był lekko oślepiony światłem latarek. To także ułatwi sprawę.

Lydia zamierzała strzelać z bliskiej odległości. Dwie kule w głowę na wypadek, gdyby nosił kuloodporną kamizelkę. Była dobrym strzelcem. Zapewne mogłaby trafić go w głowę nawet stąd. Jednak chciała mieć pewność. Nie popełnić żadnego błędu. Nie dać mu żadnej szansy ucieczki.

Seidman ruszył w jej kierunku. Już był niecałe dziesięć metrów dalej. Potem osiem. Kiedy znalazł się zaledwie cztery metry od niej, Lydia uniosła broń i wycelowała.

Rachel wiedziała, że jeśli Marc wsiądzie do metra, ona prawdopodobnie nie będzie w stanie niepostrzeżenie mu towarzyszyć.

Pospieszyła w kierunku schodów. Kiedy tam dotarła, spojrzała w dół, w ciemność. Marc zniknł. Do licha. Rozejrzała się wokół. Zauważyła znaki wskazujące drogę do wind. A po prawej bramę z kutego żelaza. Nic więcej.

Z pewnością zjeżdżał windą na peron metra.

I co teraz?

Za plecami usłyszała kroki. Prawą ręką pospiesznie starła farbę z twarzy, mając nadzieję, że w ten sposób przywróci jej w miarę normalny wygląd. Lewą ręką schowała za siebie noktowizor.

Po schodach zbiegli dwaj mężczyźni. Jeden pochwycił jej spojrzenie i uśmiechnął się. Ponownie otarła twarz i odpowiedziała mu uśmiechem. Mężczyźni truchtem zbiegli po schodach i skręcili w kierunku wind.

Rachel pospiesznie rozważyła możliwości. Mogła wykorzystać tych dwóch mężczyzn jako swoją osłonę. Mogła pójść za nimi, wsiąść do tej samej windy, wysiąść z nimi, może nawet nawiązać z nimi rozmowę. Kto by ją wtedy podejrzewał? Miejmy nadzieję, że Marc jeszcze nie odjechał. Bo jeśli tak... no cóż, takie ponure rozważania nie mają sensu.

Rachel już miała ruszyć w ślad za biegaczami, lecz nagle stanęła jak wryta. Brama z kutego żelaza. Ta, którą widziała po prawej. Była zamknięta. Napis na niej głosił: „OTWARTE TYLKO W NIEDZIELE I ŚWIĘTA".

Tymczasem Rachel dostrzegła w krzakach błysk latarki.

Wyciągnęła szyję. Próbowała dostrzec coś przez ogrodzenie, lecz ujrzała tylko migotanie latarki. Zarośla były zbyt gęste. Z lewej doleciał ją brzęk windy i szmer rozsuwających się drzwi. Mężczyźni wsiedli do kabiny. Nie było czasu na wyjmowanie Palm Pilota i sprawdzanie GPS. Ponadto winda i miejsce, w którym błysnęło światło latarki, znajdowały się zbyt blisko siebie. Trudno byłoby ustalić położenie nadajnika.

Mężczyzna, który uśmiechnął się do niej, oparł dłoń o drzwi, nie dając im się zamknąć. Rachel zastanawiała się, co robić.

Światło latarki zgasło.

— Jedzie pani? — zapytał mężczyzna.

Rachel spoglądała w mrok, wypatrując błysku latarki. Nie doczekała się. Potrząsnęła głową.

— Nie, dziękuję.

Pospiesznie ruszyła schodami w górę, szukając najciemniejszego miejsca. Noktowizor działa tylko w mroku. Ten model miał wbudowany czujnik oświetlenia, chroniący patrzącego przed oślepieniem, lecz Rachel wiedziała z doświadczenia, że im mniej sztucznego światła, tym lepiej. Z poziomu ulicy miała dobry widok na cały park. Zajęła niezłą pozycję, ale z ulicy wciąż padało zbyt jasne światło.

Przeszła pod kamienną ścianę budynku, w którym mieściły się windy. Po lewej znalazła miejsce, w którym — gdyby przywarła do muru — byłaby skryta w mroku. Doskonale. Wprawdzie gęste krzaki i drzewa nadal częściowo zasłaniały jej widok, ale lepszego punktu obserwacyjnego tu nie znajdzie.

Noktowizor był stosunkowo lekki, ale i tak jej ciążył. Powinna była kupić nie gogle, ale model przykładany do oczu, podobny do lornetki. Większością noktowizorów można posługiwać się w taki sposób. Tym modelem nie. Nie dało się go przytknąć do oczu. Trzeba było założyć go jak maskę. Miał jednak pewną oczywistą zaletę: założywszy go jak maskę, miało się wolne ręce.

Kiedy zakładała gogle, w krzakach znów ujrzała błysk latarki. Usiłowała wypatrzyć, skąd dochodził. Miała wrażenie, że tym razem zobaczyła go w innym miejscu niż poprzednio. Bardziej po prawej. I bliżej.

Nagle, zanim zdążyła je zlokalizować, światło zgasło.

Rachel wpatrywała się w miejsce, w którym przed chwilą widziała błysk. Było ciemno. Bardzo ciemno. Nadal nie odrywając oczu od krzaków, założyła gogle. Noktowizor nie potrafi zdziałać cudów. Nie przeniknie kompletnych ciemności. Układ optyczny tego urządzenia po prostu wzmacnia światło zastane, nawet najsłabsze. Tego tu prawie nie było. Kiedyś byłby to poważny problem, lecz teraz większość dobrych firm produkowała modele standardowo wyposażone w lampę emitującą podczerwień. Ta ostatnia rzucała snop światła, które jest niewidzialne dla ludzkiego oka.

Jednak nie dla noktowizora.

Rachel włączyła podczerwień. Ciemność rozświetliła się na zielono. Rachel nie patrzyła przez obiektyw, lecz na fosforyzujący ekran, nieco podobny do takiego, jaki znajduje się w telewizorze. Wizjer powiększał obraz — cyfrowy, a nie rzeczywisty — który miał zieloną barwę, ponieważ ludzkie oko potrafi odróżnić więcej odcieni zieleni niż jakiejkolwiek innej barwy. Rachel popatrzyła na park.

Zobaczyła coś.

Obraz był zamglony, ale Rachel wydawało się, że widzi jakąś niską kobietę, która ukrywała się za krzakami. Trzymała coś przy ustach. Może telefon. Tego rodzaju noktowizory nie umożliwiają panoramicznego widzenia, chociaż producent twierdzi, że kąt widzenia wynosi trzydzieści siedem stopni. Rachel musiała obrócić głowę w prawo i zobaczyła Marca, który właśnie rzucił na ziemię torbę z dwoma milionami dolarów.

Zaczął iść w kierunku kobiety. Szedł powoli, zapewne nie chcąc potknąć się w ciemnościach na wyboistej alejce.

Rachel obróciła głowę, przesuwając spojrzenie na Marca i znowu na kobietę w krzakach. Marc szedł dróżką, zbliżając się do niej. Kobieta wciąż kryła się w krzakach. Marc nie mógł jej widzieć. Rachel zmarszczyła brwi, zastanawiając się, o co tu chodzi.

Nagle kobieta podniosła rękę.

Rachel nie widziała jej dokładnie, gdyż zasłaniały ją gałęzie krzaków i drzew, ale kobieta jakby wskazywała palcem na nadchodzącego. Marc był już bardzo blisko. Rachel wpatrywała się w ekran noktowizora. I wtedy uświadomiła sobie, że kobieta wcale nie wskazuje nadchodzącego palcem. Obraz był na to zbyt duży.

To był pistolet. Kobieta wycelowała broń w głowę Marca.

Jakiś cień przemknął w polu widzenia Rachel. Drgnęła i chciała ostrzec Marca, lecz wielka jak szufla dłoń zacisnęła się na jej ustach, tłumiąc krzyk.

Tickner i Regan jechali po New Jersey Turnpike. Tickner prowadził. Regan siedział obok niego i gładził się po brodzie.

Tickner pokręcił głową.

— Nie mogę uwierzyć, że wciąż nosisz tę namiastkę zarostu.

— Nie podoba ci się?

— Myślisz, że jesteś Enrique Iglesiasem?

— Kim?

— No właśnie.

— Co masz przeciwko takim brodom?

— To tak, jakbyś nosił koszulkę z napisem „W 1998 przeszedłem kryzys wieku średniego".

Regan zastanowił się.

— Tak, w porządku, rozumiem w czym rzecz. A skoro o tym mowa, te okulary przeciwsłoneczne, które zawsze nosisz. Zastanawiałem się, czy to standardowe wyposażenie FBI.

Tickner uśmiechnął się.

— Pomagają mi rwać laski.

— Tak, te okulary i paralizator. — Regan wygodniej usiadł na fotelu. — Lloyd?

— Uhm.

— Nie wiem, czy wszystko kapuję.

Już nie rozmawiali o okularach przeciwsłonecznych i fryzurach.

— Jeszcze nie mamy wszystkich kawałków układanki — rzekł Tickner.

— Jednak jesteśmy blisko?

— O tak.

— No to podsumujmy, co mamy, dobrze?

Tickner kiwnął głową.

— Po pierwsze, jeśli laboratorium, z którego usług korzystał Edgar Portman, poprawnie wykonało badanie DNA, to dziecko wciąż żyje.

— Co jest niezwykłe.

— Bardzo. Jednak wiele wyjaśnia. Kto prawdopodobnie zachowałby porwaną dziewczynkę przy życiu?

— Jej ojciec — rzekł Regan.

— I czyja broń tajemniczo znikła z miejsca zbrodni?

— Jej ojca.

Tickner wycelował wskazujący palec w Regana i naciągnął wyimaginowany kurek.

— Właśnie.

— No, to gdzie było dziecko przez cały ten czas? — spytał Regan.

— Ukryte gdzieś.

— O rany, to naprawdę nam pomoże.

— Właśnie. Posłuchaj tylko. Przyglądamy się Seidmanowi. Dokładnie go sprawdzamy. On o tym wie. U kogo mógł schować swoją córkę?

Regan zrozumiał, do czego tamten zmierza.

— U dziewczyny, o której nic nie wiemy.

— Co więcej, u dziewczyny, która pracowała w FBI. Takiej, która dobrze zna nasze metody pracy. I wie, jak podjąć okup. Jak ukryć dziecko. Która mogła znać siostrę Seidmana i namówić ją, żeby jej w tym pomogła.

— W porządku, załóżmy, że wierzę w to wszystko. Popełnili tę zbrodnię. Dostali dwa miliony dolarów i dziecko. I co? Czekali osiemnaście miesięcy, a dopiero potem doszli do wniosku, że potrzebują więcej forsy? Tak?

— Musieli trochę poczekać, żeby nie budzić podejrzeń. Może czekali na wynik postępowania spadkowego. Albo potrzebowali jeszcze dwóch milionów dolarów, żeby uciec za granicę. Nie wiem.

Regan zmarszczył brwi.

— Nadal usiłujemy wyjaśnić jeden zasadniczy fakt.

— Jaki?

— Jeśli Seidman stał za tym, to dlaczego o mało nie zginął? To nie był postrzał typu „zrań mnie, żeby to dobrze wyglądało przed sądem". Leżał w śpiączce. Kiedy przywieźli go do szpitala, sanitariusze byli przekonani, że wiozą nieboszczyka. Do diabła, sami przez prawie dziesięć dni mówiliśmy po cichu o podwójnym zabójstwie.

Tickner kiwnął głową.

— Na tym polega problem.

— Co więcej, dokąd on teraz zmierza? Pytam o to, dlaczego przejeżdża przez most Washingtona. Sądzisz, że postanowił dać nogę z dwoma milionami dolców?

— Możliwe.

— Gdybyś ty uciekał, zapłaciłbyś kartą przy wjeździe na autostradę?

— Nie, ale on mógł nie wiedzieć, że tak łatwo to wytropić.

— Człowieku, każdy wie, jak łatwo wytropić transakcje kartą płatniczą. Bank przysyła rachunki pocztą. Można z nich odczytać, o której godzinie byłeś przy której kasie. A nawet gdyby był taki głupi, żeby o tym zapomnieć, wasza koleżanka, Rachel Jakaśtam, na pewno by o tym pamiętała.

— Rachel Mills. — Tickner powoli pokiwał głową. — Słuszna uwaga.

— Dziękuję.

— Zatem do jakiego dochodzimy wniosku?

— Takiego, że nadal nie mamy pojęcia, co się, do cholery, dzieje — odparł Regan.

Tickner uśmiechnął się.

— Miło znaleźć się na dobrze znanym terenie.

Zadzwonił telefon komórkowy. Tickner odebrał. Dzwonił O'Malley.

— Gdzie jesteście? — zapytał.

— Półtora kilometra przed mostem Washingtona — rzekł Tickner.

— Dodajcie gazu.

— Dlaczego? Co się stało?

— Policja właśnie zauważyła samochód Seidmana — powiedział O'Malley. — Stoi zaparkowany przy Fort Tryon Park. Półtora, może dwa i pół kilometra od mostu.

— Znam to miejsce — powiedział Tickner. — Będziemy tam za niecałe pięć minut.

Heshy pomyślał, że wszystko idzie zbyt gładko.

Widział, jak doktor Seidman wysiadł z samochodu. Zaczekał chwilę. Nikt inny nie pojawił się w ślad za przybyłym. Heshy zaczął schodzić w kierunku wieży starego fortu.

213

Wtedy zauważył kobietę.

Przystanął i patrzył, jak idzie schodami na dół, w kierunku wind na stację metra. Za nią szli dwaj mężczyźni. Nic podejrzanego. Kiedy jednak po chwili kobieta wbiegła z powrotem na schody, tym razem sama, wtedy wszystko się zmieniło.

Heshy miał ją na oku. Gdy weszła w ciemność, zaczął się za nią skradać.

Wiedział, że jego wygląd budzi strach. Wiedział również, że niektóre procesy myślowe zachodzące w jego mózgu przebiegają po prostu nieprawidłowo. Wcale się tym nie przejmował, co zapewne stanowiło część problemu. Niektórzy powiedzieliby, że Heshy jest wcieleniem zła. W swoim życiu zabił szesnaście osób, z czego czternaście powoli. Pozostawił przy życiu sześć innych, które bardzo tego żałowały.

Uważa się, że tacy jak Heshy nie wiedzą, co czynią. Nie potrafią zrozumieć cierpienia innych. W jego przypadku tak nie było. Ból ofiar nie był dla niego czymś niezrozumiałym. Heshy dobrze wiedział, co to ból. I miłość. Kochał Lydię. Kochał ją w sposób, jakiego większość ludzi nie potrafiłaby pojąć. Mógł dla niej zabijać. Potrafiłby umrzeć. Oczywiście, zakochani ludzie często tak twierdzą, ale ilu jest skłonnych wcielić te słowa w czyn?

Kobieta w ciemności miała przymocowaną do twarzy lornetkę. Noktowizor. Heshy widział coś takiego na filmach. Nosili je żołnierze na polu bitwy. Fakt, że go miała, niekoniecznie oznaczał, że była policjantką. Większość rodzajów broni i różnych wojskowych zabawek bez trudu można zamówić telefonicznie, jeśli tylko dysponuje się odpowiednią gotówką. Heshy obserwował nieznajomą. Tak czy inaczej, z policji czy nie, jeśli ten noktowizor działa, kobieta zaraz stanie się świadkiem morderstwa popełnionego przez Lydię.

Tak więc trzeba ją uciszyć.

Podkradał się powoli. Chciał sprawdzić, czy z kimś nie rozmawiała, czy nie utrzymuje łączności radiowej z innymi. Jednak kobieta milczała. Dobrze. Może nawet była tu sama.

Znajdował się zaledwie metr od niej, gdy nagle kobieta drgnęła i otworzyła usta. Heshy zrozumiał, że musi natychmiast ją uciszyć.

Rzucił się na nią, poruszając się zaskakująco zwinnie jak na swoją tuszę. Wyciągnął rękę i zacisnął palce na jej ustach. Dłoń miał tak szeroką, że jednocześnie zatkał jej nos, odcinając dopływ powietrza. Drugą dłoń oparł na jej potylicy. Zacisnął.

I trzymając ją oburącz za głowę, Heshy uniósł kobietę w powietrze.

27

Jakiś szmer sprawił, że zastygłem. Obróciłem się w prawo.
Wydawało mi się, że usłyszałem dźwięk dobiegający z ciemności, od strony ulicy. Usiłowałem coś dostrzec, lecz oczy ośle-
pione światłem latarki jeszcze nie oswoiły się z mrokiem.
Ponadto wszystko zasłaniały drzewa. Czekałem, nasłuchując
kolejnego szmeru. Nic. Wokół panowała cisza. To i tak nie było
ważne. Tara powinna czekać na mnie na końcu alejki. Cokolwiek się tu działo, nie miało żadnego znaczenia.

Skup się, pomyślałem. Tara, na końcu alejki. Wszystko inne
się nie liczy.

Ponownie ruszyłem, nawet nie oglądając się za siebie, żeby
sprawdzić, co się stało z brezentową torbą z dwoma milionami
dolarów. One również, tak jak wszystko inne prócz Tary, były
nieistotne. Usiłowałem przywołać wspomnienie tej małej syl-
wetki, widzianej przez moment w świetle latarki. Ostrożnie
stawiałem kroki. Moja córeczka. Powinna być tam, kilka kroków
dalej. Otrzymałem drugą szansę, mogłem ją uratować. Skup
się. Myśl. Niech nic cię nie powstrzyma.

Szedłem dalej alejką.

Pracując w Federal Bureau of Investigation, Rachel ćwiczyła
umiejętności posługiwania się wszelkimi rodzajami broni i walki

wręcz. Wiele się nauczyła podczas czteromiesięcznego szkolenia w Quantico. Wiedziała, że prawdziwa walka nie ma nic wspólnego z tym, co pokazują w telewizji. Musisz zapomnieć o takich wygłupach, jak kopanie przeciwnika w głowę. I nigdy nie wolno ci odwracać się do niego plecami, wykonywać obrotów lub podskoków.

Skuteczna walka wręcz sprowadza się do przestrzegania kilku reguł. Celować w czułe miejsca. Na przykład w nos; po uderzeniu przeciwnikowi staną łzy w oczach. Oczywiście w oczy. Szyja też jest dobrym celem; każdy, kto kiedyś został uderzony w krtań wie, że taki cios potrafi odebrać ochotę do walki. Rzecz jasna, krocze. Wszyscy tak twierdzą. Jednakże krocze jest trudnym celem, być może dlatego, że mężczyzna przywykł je chronić. Zazwyczaj lepiej wykorzystać je do pozorowanego ciosu. Udać, że w nie celujesz, a potem uderzyć w którąś z bardziej odsłoniętych czułych punktów.

Były jeszcze inne miejsca: splot słoneczny, śródstopie, kolano. Jednak nie jest tak łatwo w nie trafić. Na filmach mniejszy z walczących może pokonać większego. W rzeczywistości również może się to zdarzyć, lecz jeśli kobieta jest tak drobna jak Rachel, a jej przeciwnik tak ogromny, szanse na to są naprawdę niewielkie. A jeżeli napastnik wie, co robi, nie ma mowy nawet o niewielkich.

Ponadto jej szanse zmniejszał fakt, że walka nigdy nie toczy się tak jak na filmach. Przypomnijcie sobie, jak wyglądała bójka, jaką mogliście widzieć w jakimś barze, na boisku albo na placu zabaw. Niemal zawsze starcie kończy się szamotaniną na ziemi. Jasne, w telewizji lub na ringu jest inaczej. Przeciwnicy stoją i okładają się pięściami. W życiu jeden z nich rzuca się na drugiego, łapie go, po czym obaj padają na ziemię. A wtedy umiejętności nie mają już takiego znaczenia. Gdyby starcie przeszło w tę fazę, Rachel nie zdołałaby pokonać równie dużego napastnika.

A ponadto, chociaż została dobrze wyszkolona i regularnie ćwiczyła, również obronę w symulowanych starciach — w Quantico nawet zbudowano w tym celu makietę miasteczka — jeszcze nigdy nie musiała wykorzystać swoich umiejętności. Nie była przygotowana na nagłe ukłucie strachu, na to niespodziewane i nieprzyjemne odrętwienie, na to jak połączone działanie adrenaliny i lęku pozbawia cię sił.

Nie mogła złapać tchu. Poczuła dłoń, zaciskającą się na jej ustach i popełniła błąd, reagując instynktownie. Zamiast natychmiast kopnąć przeciwnika, starając się trafić w kolano lub śródstopie, Rachel odruchowo oburącz spróbowała oderwać jego dłoń od swoich ust. Nie udało jej się to.

W mgnieniu oka mężczyzna drugą ręką złapał ją za potylicę, ściskając jak w imadle. Poczuła, jak jego palce wbijają się w jej dziąsła, naciskając na zęby. Miał tak silne ręce, że Rachel wydawało się, że zaraz zgniecie jej czaszkę jak skorupkę jajka. Nie zgniótł. Zamiast tego podniósł ją w powietrze. Miała wrażenie, że pękają jej mięśnie karku, że zaraz urwie jej głowę. Zaciśnięta na ustach i nosie dłoń nie dopuszczała powietrza do płuc. Podniósł ją wyżej. Stopy oderwały się od ziemi. Złapała go za przeguby i próbowała rozerwać chwyt, zmniejszyć obciążenie mięśni szyi.

I wciąż nie mogła oddychać.

Szumiało jej w uszach. Kłuło w płucach. Wierzgała nogami. Te kopniaki trafiały w cel, lecz były tak słabe, że nawet nie próbował się przed nimi zasłaniać. Jego twarz była teraz tuż przy jej karku. Rachel czuła jego cuchnący oddech. Noktowizor przekrzywił się, ale nie spadł. Wciąż zasłaniał jej oczy.

Od ucisku łomotało jej w skroniach. Przypomniawszy sobie to, czego ją uczono, Rachel wbiła paznokcie w splot nerwów pod nasadą jego kciuka. Bezskutecznie. Kopnęła mocniej. Też nic. Brakowało jej powietrza. Czuła się jak ryba na wędce, wisząca w powietrzu, bliska śmierci. Wpadła w panikę.

Pistolet.

Powinna skorzystać z broni. Jeśli zdoła opanować strach, zebrać całą odwagę i puścić jego przegub, wtedy może uda jej się sięgnąć do kieszeni, wyjąć broń i strzelić. To była jej jedyna szansa. Niedotleniony mózg zaczynał odmawiać posłuszeństwa. Powoli traciła przytomność.

Mając wrażenie, że głowa zaraz rozleci się jej na kawałki, Rachel opuściła lewą rękę. Mięśnie karku miała tak naciągnięte, że była pewna, że zaraz pękną jak zbyt naciągnięta gumowa taśma. Znalazła kaburę. Jej palce dotknęły kolby.

Jednak mężczyzna zorientował się, co Rachel zamierza zrobić. Wciąż trzymając ją w powietrzu jedną ręką, drugą mocno uderzył ją w plecy na wysokości lewej nerki. Poczuła przeszywający ból. Oczy wyszły jej z orbit. Mimo to nie zrezygnowała. Chwyciła kolbę pistoletu. Przeciwnik nie miał innego wyjścia. Puścił ją.

Powietrze.

W końcu znowu mogła oddychać. Próbowała tego nie robić, ale jej płuca miały inny pogląd na tę sprawę. Nie zdołała utrzymać zamkniętych ust.

Poczuła krótkotrwałą ulgę, ale straciła bezcenną sekundę. Mężczyzna jedną ręką unieruchomił ją, a drugą zadał szybki cios w krtań. Rachel krztusząc się, upadła na ziemię. Wyrwał jej pistolet i cisnął go w krzaki. Potem opadł na nią całym ciężarem ciała. Znów wydusił z jej płuc tę odrobinę powietrza, jaką zdołała złapać. Usiadł na jej piersi i zacisnął obie ręce na szyi.

Wtedy ulicą przemknął radiowóz.

Mężczyzna puścił szyję Rachel. Chciała to wykorzystać i się wydostać, ale był zbyt ciężki. Wyrwał z kieszeni telefon komórkowy i przyłożył do ust. Ochrypłym szeptem powiedział:

— Kończ! Gliny!

Rachel usiłowała zrzucić go z siebie, zrobić coś. Nie zdołała. Zdążyła tylko zobaczyć, jak napastnik zamierza się do ciosu. Próbowała się uchylić, ale nie mogła.

Otrzymała silne uderzenie pięścią w twarz. Zapadła w ciemność.

Kiedy Marc ją minął, Lydia wyszła zza krzaków, unosząc broń. Wycelowała w tył jego głowy i położyła palec na spuście. Słowa „Kończ! Gliny!" w słuchawce, którą miała w uchu, przeraziły ją tak, że o mało nie pociągnęła za spust. Jednak zareagowała błyskawicznie. Seidman odchodził alejką. Lydia natychmiast pojęła, co należy zrobić. Bez chwili wahania odrzuciła broń. Jeśli nie znajdą przy niej broni, niczego nie zdołają jej udowodnić. Jeżeli nie będzie miała pistoletu przy sobie, w żaden sposób nie będą mogli powiązać go z jej osobą. Jak większość takiej broni, miał usunięte numery. A ona, oczywiście, nosiła rękawiczki, więc nie będzie odcisków palców.

A jednocześnie — jej umysł pracował na najwyższych obrotach — dlaczego nie miałaby zabrać pieniędzy?

Była uczciwą obywatelką, która wybrała się na wieczorny spacer po parku. Mogła natknąć się na tę brezentową torbę, no nie? Jeśli złapią ją z pieniędzmi, to cóż, przecież chciała tylko pomóc. Z samego rana z pewnością zaniosłaby tę torbę na policję. Nie ma mowy o żadnym przestępstwie. Zero ryzyka.

Z pewnością warto spróbować, zważywszy, że w tej torbie są dwa miliony dolarów.

Szybko rozważyła wszystkie za i przeciw. Prosta sprawa, jeśli się chwilę zastanowić. Zabierze pieniądze. Jeśli ją z nimi złapią, to co z tego? W żaden sposób nie zdołają powiązać jej z tą sprawą. Odrzuciła broń. Pozbyła się telefonu komórkowego. Pewnie, ktoś może go znaleźć. Ten sprzęt i tak nie doprowadzi ich do niej i Heshy'ego.

Usłyszała tupot. Marc Seidman, który odszedł już jakieś dziesięć metrów, pobiegł w ciemność. Niech biegnie, żaden problem. Lydia ruszyła w kierunku pieniędzy. Zza zakrętu wyłonił się Heshy. Lydia dołączyła do niego. Nie zatrzymując się, podniosła torbę z okupem.

Potem poszli razem alejką i znikli w ciemnościach.

Po omacku szedłem przed siebie. Moje oczy powoli oswajały się z ciemnością, ale potrzebowały jeszcze kilku minut, żeby do niej przywyknąć. Alejka wiodła w dół. Była wybrukowana

220

małymi kamykami. Starałem się nie potknąć. Zrobiło się jeszcze bardziej stromo, pozwoliłem więc nieść się sile bezwładu. Teraz podążałem znacznie szybciej, mimo że nie biegłem.

Po prawej dostrzegłem urwisko górujące nad Bronksem. U jego podnóża migotało morze świateł.

Usłyszałem płacz.

Przystanąłem. Szloch nie był głośny, ale z całą pewnością wydobył się z ust małego dziecka. Słyszałem szelest gałęzi. I znów szloch. Tym razem nieco dalej. Szelest ucichł, ale teraz usłyszałem miarowy tupot nóg. Ktoś biegł. Uciekał z dzieckiem. Oddalał się.

O nie!

Rzuciłem się w pogoń. Unosząca się nad miastem poświata rozjaśniała mi drogę. Przede mną wyrosło ogrodzenie z siatki. Ta brama zawsze była zamknięta. Kiedy do niej dotarłem, zobaczyłem, że ktoś poprzecinał druty. Przecisnąłem się przez dziurę i znów znalazłem się na brukowanej alejce. Spojrzałem w lewo, w kierunku parku.

Nikogo.

Do diabła, co się stało? Próbowałem rozważyć to na zimno. Skup się. W porządku. Dokąd bym pobiegł na miejscu uciekającego? To proste. Skręciłbym w prawo. W labirynt ciemnych i krętych alejek. Tam bez trudu można ukryć się w krzakach. Tam właśnie bym się skierował, gdybym był porywaczem. Jeszcze przez moment stałem, mając nadzieję, że znów rozlegnie się płacz dziecka. Niestety, wokół panowała cisza. Nagle jednak usłyszałem, jak ktoś mówi „Hej!" z lekkim zdziwieniem w głosie.

Nadstawiłem ucha. Ten dźwięk istotnie dobiegał z prawej strony. Znów rzuciłem się przed siebie, wypatrując człowieka we flanelowej koszuli. Nic. Zbiegałem po zboczu. Potknąłem się i o mało nie upadłem. Z czasów gdy mieszkałem w pobliżu, pamiętałem, że bezdomni często nocowali na bocznych ścieżkach, zbyt stromych dla przypadkowych przechodniów. Robili sobie szałasy z gałęzi. Od czasu do czasu słyszałem szelesty zbyt głośne, żeby mogła to być wiewiórka. Taki bezdomny potrafił wyłonić się jak spod ziemi — długowłosy, brodaty, obdarty i cuchnący. Niedaleko stąd była uliczka, na której męskie dziwki czekały na biznesmenów wysiadających z metra. Kiedyś w spokojne ranki uprawiałem bieg wokół parku. W alejkach często widziałem puste opakowania po prezerwatywach. Biegłem dalej, wypatrując i nasłuchując. Dotarłem do rozwidlenia. Niech to szlag. Ponownie zadałem sobie pytanie: którędy mógł uciec? Nie wiedziałem. Już miałem wybrać prawe odgałęzienie, gdy usłyszałem coś.

Szelest w krzakach.

Bez zastanowienia wpadłem w nie. Zobaczyłem dwóch mężczyzn. Jeden miał na sobie garnitur. Drugi, znacznie od niego młodszy, był ubrany w dżinsy i klęczał na ziemi. Starszy gniewnie zaklął. Nie wycofałem się. Słyszałem już ten głos. Przed chwilą.

To on zawołał „Hej!".

— Czy przechodził tędy mężczyzna z małą dziewczynką?

— Wynoś się do cho...

Doskoczyłem do niego i trzasnąłem go w twarz.

— Widziałeś ich?

Był bardziej zaskoczony niż wstrząśnięty. Wskazał na lewo.

— Tamtędy. On niósł dziecko.

Wyskoczyłem z powrotem na dróżkę. W porządku, zgadza się. Zmierzali z powrotem do parku. Gdyby nadal podążali w tym kierunku, wyszliby w pobliżu miejsca, gdzie zaparkowałem samochód. Znowu zacząłem biec, rytmicznie machając rękami. Minąłem męskie dziwki siedzące rzędem na murku. Jeden z nich, młodzian w niebieskiej chustce na głowie, ruchem głowy dał mi znak, żebym trzymał się ścieżki. Podziękowałem mu. Wciąż biegłem. W oddali widziałem latarnie na parkingu. Nagle dostrzegłem mężczyznę we flanelowej koszuli, przemykającego przez krąg światła rzucanego przez latarnię i niosącego Tarę.

— Stój! — krzyknąłem. — Niech ktoś go zatrzyma!

Oni jednak już znikli.

Pobiegłem za nimi alejką, wciąż wzywając pomocy. Nikt się nie pojawił ani nie odkrzyknął. Kiedy dotarłem do punktu widokowego, z którego zakochani często podziwiali wschody słońca, znów dostrzegłem faceta we flanelowej koszuli. Przeskoczył przez murek i znikł w zaroślach. Ruszyłem za nim, lecz kiedy minąłem zakręt, usłyszałem czyjś krzyk:

— Stój!

Obejrzałem się. To był policjant. W ręku trzymał rewolwer.

— On ma moje dziecko!

— Doktorze Seidman?

Znajomy głos dochodził z prawej. Regan.

Co do...?

— Słuchajcie, chodźcie ze mną.

— Gdzie pieniądze, doktorze Seidman?

— Nic pan nie rozumie — powiedziałem. — Właśnie przeskoczył przez ten murek.

— Kto?

Pojąłem, do czego to zmierza. Dwaj policjanci wycelowali we mnie rewolwery. Regan spoglądał na mnie i nie ruszał się z miejsca. Za jego plecami pojawił się Tickner.

— Porozmawiajmy o tym, dobrze?

Nie ma mowy. Nie będą strzelać. A nawet jeśli, nic mnie to nie obchodziło. Znów zacząłem biec. Ruszyli za mną. Policjanci byli młodsi i z pewnością w lepszej formie niż ja. Mimo to miałem nad nimi przewagę. Byłem bliski szaleństwa. Przeskoczyłem przez ogrodzenie i potoczyłem się po stromym zboczu. Gliniarze zrobili to samo, ale znacznie wolniej, zachowując ostrożność.

— Stój! — krzyknął ten sam policjant.

Z trudem łapałem oddech, nie mogłem więc im niczego wyjaśnić. Chciałem, żeby biegli za mną, tylko nie zamierzałem dać im się złapać.

Zwinąłem się w kłębek i stoczyłem po zboczu. Zeschnięta trawa przyczepiała mi się do ubrania i włosów. Wokół wzbił się tuman kurzu. Zakrztusiłem się. Znowu poderwałem się na nogi i wpadłem na pień drzewa. Niemal usłyszałem głuchy łoskot, z jakim rąbnąłem w nie klatką piersiową. Jęknąłem, zaparło mi dech, ale jakoś zdołałem się pozbierać. Zbiegłem jeszcze kilka kroków i znalazłem się na ścieżce. Za mną migotały światła latarek. Policjanci deptali mi po piętach, ale wciąż miałem nad nimi przewagę. Doskonale.

Pędząc dróżką, rozejrzałem się na boki. Ani śladu faceta we flanelowej koszuli lub Tary. Ponownie usiłowałem się domyślić, w którą stronę uciekli. Nic nie przychodziło mi do głowy. Zwolniłem. Policjanci zaczęli zmniejszać dystans.

— Stój! — ponownie krzyknął gliniarz.

Uda się albo nie.

Już miałem skręcić w lewo i znów zniknąć w mroku, gdy nagle zobaczyłem tego młodzieńca w niebieskiej chustce, który wcześniej wskazał mi drogę. Tym razem pokręcił głową i pokazał w przeciwną stronę.

— Dziękuję — zawołałem.

Może coś odpowiedział, lecz ja tego nie usłyszałem. Rzuciłem się z powrotem do ogrodzenia i przecisnąłem przez tę samą dziurę wyciętą w siatce. Za plecami słyszałem odgłosy pogoni, ale odległe. Spojrzałem w górę i znów zobaczyłem mężczyznę we flanelowej koszuli. Stał opodal zejścia na stację metra. Wydawało się, że usiłuje złapać oddech.

Zwiększyłem tempo.

On też.

Dzieliło nas najwyżej dwadzieścia metrów. Jednak on niósł dziecko. Powinienem go dogonić. Zacząłem zmniejszać dystans. Ten sam gliniarz krzyknął „Stać!”, zapewne dla odmiany. Mogłem się tylko modlić o to, żeby nie zaczął strzelać.

— Wybiegł na ulicę! — wrzasnąłem. — Ma moją córkę!

Nie wiem, czy mnie słyszeli, czy nie. Dotarłem do schodów i zacząłem po nich zbiegać, przeskakując po trzy stopnie naraz. Ponownie wybiegłem z parku, z powrotem na Fort Washington Avenue przy Margaret Corbin Circle. Popatrzyłem na plac zabaw. Nic się tam nie poruszało. Spojrzałem na Fort Washington Avenue i zauważyłem kogoś przebiegającego obok szkoły średniej imienia matki Cabrini, w pobliżu kaplicy.

Czasem pamięć podsuwa dziwne wspomnienia. Kaplica Cabrini była jednym z najdziwniejszych miejsc na całym Manhattanie. Zia zaciągnęła mnie tam kiedyś na mszę, żebym sam zobaczył, dlaczego ta kaplica jest jedną z turystycznych atrakcji. Natychmiast zrozumiałem powód. Matka Cabrini umarła w 1901 roku, lecz jej zabalsamowane ciało jest przechowywane w czymś, co wygląda jak blok lodu. Ten jest ołtarzem. Ksiądz odprawia mszę nad jej zwłokami. Nie, wcale nie zmyślam. Ciałem matki Cabrini zajmował się ten sam facet, który zabalsamował zwłoki Lenina w Rosji. Kaplica jest otwarta dla zwiedzających. Jest tam nawet sklepik z pamiątkami.

Nogi miałem jak z ołowiu, ale wciąż mogłem nimi poruszać. Już nie słyszałem krzyków policjantów. Zerknąłem przez ramię. Światła latarek pozostały daleko w tyle.

— Tutaj! — krzyknąłem. — Przy liceum Cabrini!

Znowu pomknąłem sprintem. Dobiegłem do drzwi kaplicy. Były zamknięte. Nigdzie nie zauważyłem śladu gościa we flanelowej koszuli. Z przerażeniem rozejrzałem się wokół. Zgubiłem ich. Uciekli.

— Tutaj! — wrzasnąłem, mając nadzieję, że usłyszą mnie policjanci i Rachel.

Jednak już podupadłem na duchu. Straciłem szansę. Moja córka znowu znikła. Ogromny ciężar przytłoczył mi pierś. Właśnie wtedy usłyszałem warkot zapuszczanego silnika.

Błyskawicznie spojrzałem w prawo. Obrzuciłem wzrokiem ulicę i pomknąłem przed siebie. Samochód ruszał. Był kilka metrów przede mną. Honda accord. Zapamiętałem numer na tablicy rejestracyjnej, chociaż wiedziałem, że to nic nie da. Kierowca usiłował wymanewrować spomiędzy dwóch innych zaparkowanych pojazdów. Nie widziałem, kto siedział za kierownicą. Mimo to nie zamierzałem ryzykować.

Honda o centymetry minęła tylny zderzak stojącego przed

nią samochodu i już miała przyspieszyć, gdy złapałem za klamkę drzwi po stronie kierowcy. Na szczęście nie zablokował ich. Pewnie nie zdążył, tak się spieszył.

Od tego momentu wydarzenia potoczyły się błyskawicznie. Otwierając drzwi, zajrzałem przez szybę do środka. Istotnie, za kierownicą siedział facet we flanelowej koszuli. Zareagował błyskawicznie. Złapał klamkę drzwi i próbował je zatrzasnąć. Pociągnąłem mocniej. Uchyliły się. Wdusił pedał gazu.

Próbowałem biec obok wozu, jak to robią na filmach. Problem w tym, że samochody poruszają się szybciej niż ludzie. Mimo to nie puszczałem. Słyszy się opowieści o ludziach, którzy w nadzwyczajnych okolicznościach doznają przypływu nadludzkich sił, o facetach, którzy podnoszą samochody, żeby uwolnić przygniecionych pod nimi bliskich. Zawsze negowałem prawdziwość takich historii. Wy pewnie też.

Wcale nie mówię, że podniosłem ten samochód. Jednak nie puściłem drzwi. Wepchnąłem palce w szparę między przednimi drzwiczkami a słupkiem. Zrobiłem to obiema rękami i zacisnąłem palce. Nie puszczę. Choćby nie wiem co.

Jeśli utrzymam, moja córka będzie żyła. Jeśli puszczę, umrze. Zapomnij o spokoju. Zapomnij o opanowaniu. To było proste równanie: życie albo śmierć.

Mężczyzna we flanelowej koszuli nadepnął na pedał gazu. Samochód zaczął przyspieszać. Próbowałem oderwać nogi od ziemi, ale nie miałem o co ich oprzeć. Zsunęły się po tylnych drzwiach samochodu i opadły na ziemię. Starłem sobie skórę z kostek. Próbowałem ponownie stanąć na nogi. Nie zdołałem. Bolało jak diabli, lecz to nie miało znaczenia. Nie puszczałem klamki.

Wiedziałem, że czas działa przeciwko mnie. Nie zdołam wytrzymać długo, obojętnie jak bardzo będę się starał. Musiałem coś zrobić. Spróbowałem dostać się do środka, ale zabrakło mi sił. Nie puszczając drzwi, zawisłem na wyprostowanych rękach. Teraz moje ciało przyjęło horyzontalną pozycję, równoległą do ziemi. Podskoczyłem, spróbowałem poderwać nogi i zaczepiłem

o coś prawą stopą. Antena radiowa. Czy utrzyma mój ciężar?
Wiedziałem, że nie. Przycisnąłem twarz do tylnej szyby. Zobaczyłem fotelik dla dziecka.

Pusty.

Znów poczułem przypływ panicznego lęku. Moje dłonie
zaczęły ześlizgiwać się z drzwiczek. Przebyliśmy najwyżej
osiem, może dziesięć metrów. Z twarzą przyciśniętą do szyby,
o którą tłukłem nosem, cały poobijany i podrapany, spojrzałem
na siedzące na przednim siedzeniu dziecko i uświadomiwszy
sobie straszliwą prawdę, rozluźniłem chwyt.

Jak już powiedziałem, umysł lubi płatać dziwne figle. W pierwszej chwili pomyślałem jak typowy lekarz: dziecko powinno
siedzieć w foteliku umocowanym z tyłu. Honda accord ma
poduszkę powietrzną po stronie pasażera. Dziecka poniżej
dwunastu lat nie wolno sadzać z przodu. Ponadto małe dzieci
powinny być przypięte pasami w specjalnym foteliku. W rzeczy
samej, takie są przepisy. Jazda na przednim siedzeniu i bez
fotelika... to podwójnie niebezpieczne.

Zabawna myśl. A może najzupełniej normalna. Tak czy
inaczej, to nie ta myśl odebrała mi wolę walki.

Mężczyzna we flanelowej koszuli gwałtownie obrócił kierownicę w prawo. Usłyszałem pisk hamulców. Samochód gwałtownie zarzucił i moje palce ześlizgnęły się z blachy. Puściłem
drzwiczki. Przeleciałem w powietrzu. Runąłem na bruk, szorując
po nim jak worek ziemniaków. Za plecami słyszałem syreny
policyjnych radiowozów. Pomyślałem, że będą ścigać hondę
accord. To jednak nie miało już żadnego znaczenia. Zdążyłem
tylko rzucić okiem do środka samochodu. To wystarczyło,
żebym poznał prawdę.

Dziecko na przednim siedzeniu nie było moją córką.

28

Znów znalazłem się w szpitalu, tym razem New York Presbyterian — na moich starych śmieciach. Jeszcze nie zrobili mi prześwietlenia, ale byłem pewien, że stwierdzą złamanie żebra. I tak nic nie da się z tym zrobić poza nafaszerowaniem mnie środkami przeciwbólowymi. Będzie bolało. Trudno. Cały byłem podrapany. Miałem ranę szarpaną na prawej łydce, wyglądającą jak po ataku rekina. Zdartą skórę na obu łokciach. Wszystko to było nieistotne.

Lenny przybył w rekordowo krótkim czasie. Wezwałem go, ponieważ nie wiedziałem, jak sobie z tym poradzić. W pierwszej chwili byłem prawie pewien, że się pomyliłem. Przecież dzieci szybko rosną, no nie? Nie widziałem Tary, od kiedy skończyła sześć miesięcy. W ciągu półtora roku mogła bardzo się zmienić. Z niemowlęcia stała się dwuletnią dziewczynką. A ponadto wisiałem na drzwiach jadącego samochodu. Ledwie zdążyłem rzucić na nią okiem.

Mimo to wiedziałem.

To dziecko na przednim siedzeniu wyglądało na chłopca. Raczej trzy-, a nie dwuletniego. Miało zbyt jasne włosy i cerę.

Nie było Tarą.

Zdawałem sobie sprawę, że Tickner i Regan chcą mi zadać wiele pytań. Zamierzałem z nimi współpracować. A także chciałem się dowiedzieć, skąd, do diabła, dowiedzieli się o żądaniu okupu. Ponadto jeszcze nie widziałem się z Rachel. Zastanawiałem się, czy była gdzieś w budynku. I nad tym, co się stało z pieniędzmi, hondą accord oraz mężczyzną we flanelowej koszuli. Czy go złapali? Czy to on porwał moją córkę, czy też poprzednie żądanie okupu również było oszustwem? A jeśli tak, to jaką rolę odegrała w tym moja siostra Stacy?

Krótko mówiąc, byłem zupełnie zagubiony. Stąd wezwanie Lenny'ego, pseudo Cujo.

Wpadł do izolatki ubrany w workowate bojówki i różową koszulkę Lacoste. Jego oczy miały ten przestraszony, nieprzytomny wyraz, który znów przywodził na myśl wspomnienia z naszego dzieciństwa. Przecisnął się obok pielęgniarki i podszedł do mojego łóżka.

— Co się stało, do diabła?

Chciałem streścić mu wydarzenia, ale powstrzymał mnie, ostrzegawczo unosząc palec. Odwrócił się do pielęgniarki i poprosił, żeby wyszła. Kiedy opuściła pokój, skinął na mnie, żebym mówił dalej. Opowiedziałem mu wszystko, począwszy od spotkania z Edgarem w parku, przez telefon do Rachel, jej przyjazd, przygotowania elektronicznego sprzętu, telefony od porywaczy, dostarczenie okupu i mój skok na samochód. Potem cofnąłem się w czasie i powiedziałem mu o płytce CD. Lenny przerywał mi, jak zawsze, ale nie tak często jak zwykle. Zauważyłem, że lekko marszczył brwi. Być może — nie chciałem przypisywać temu nadmiernego znaczenia — był urażony, że go nie wtajemniczyłem. Wkrótce jednak Lenny rozpogodził się i wziął w garść.

— Czy to możliwe, żeby Edgar cię wystawił? — zapytał.

— Po co? Przecież to on stracił cztery miliony dolarów.

— Nie, jeśli sam to ukartował.

Skrzywiłem się.

— To nie ma sensu.

— A gdzie jest teraz Rachel?

— Nie ma jej tu?

— Nie wydaje mi się.

— No to nie wiem, gdzie jest.

Obaj milczeliśmy przez chwilę.

— Może wróciła do mojego domu — powiedziałem.

— Taak — mruknął Lenny. — Może.

W jego głosie nie było ani odrobiny przekonania.

Drzwi otworzyły się i wszedł Tickner. Okulary przeciwsłoneczne zsunął na czubek wygolonej głowy, co sprawiało dość niepokojące wrażenie. Gdyby pochylił głowę i namalował sobie usta na środku czaszki, wyglądałoby to, jakby miał drugą twarz. Regan podążał za nim tanecznym krokiem hiphopowca — a może ta jego rzadka bródka sprawiała, że patrzyłem na niego w ten sposób. Tickner objął dowodzenie.

— Wiemy o żądaniu okupu — oznajmił. — Wiemy, że pański teść przekazał panu kolejne dwa miliony dolarów. Wiemy, że odwiedził pan prywatną agencję detektywistyczną, zwaną MVD, i prosił o hasło dostępu do płytki CD, która należała do pańskiej zamordowanej żony. Wiemy też, że towarzyszyła panu Rachel Mills, która wbrew temu, co powiedział pan detektywowi Reganowi, wcale nie wróciła do Waszyngtonu. Tak więc tę część możemy sobie darować.

Tickner podszedł bliżej. Lenny obserwował go, gotowy interweniować. Regan splótł ręce na piersi i oparł się o ścianę.

— Zacznijmy więc od pieniędzy — rzekł Tickner. — Gdzie one są?

— Nie wiem.

— Czy ktoś je zabrał?

— Nie wiem.

— Jak to pan nie wie?

— On kazał mi je zostawić.

— Co za on?

— Porywacz. Ten ktoś, kto rozmawiał ze mną przez telefon komórkowy.

— Gdzie je pan zostawił?

— W parku. Na ścieżce.

— I co potem?

— Kazał mi iść dalej ścieżką.

— Zrobił pan to?

— Tak.

— I co wtedy?

— Wtedy usłyszałem płacz dziecka i ktoś zaczął uciekać. Potem wszystko potoczyło się błyskawicznie.

— A co z pieniędzmi?

— Już mówiłem. Nie mam pojęcia, co się stało z pieniędzmi.

— A co z Rachel Mills? — zapytał Tickner. — Gdzie ona jest?

— Nie wiem.

Spojrzałem na Lenny'ego, ale on przyglądał się teraz Ticknerowi. Czekałem.

— Okłamał nas pan, mówiąc o jej powrocie do Waszyngtonu, zgadza się? — zapytał Tickner.

Lenny położył dłoń na moim ramieniu.

— Nie zaczynajmy od przekręcania wypowiedzi mojego klienta.

Tickner zrobił taką minę, jakby Lenny był ptasim gównem, które nagle spadło z sufitu. Lenny odpowiedział mu podobnym spojrzeniem.

— Powiedział pan detektywowi Reganowi, że pani Mills jest w drodze do Waszyngtonu, czyż nie?

— Powiedziałem, że nie wiem, gdzie ona jest — sprostowałem. — Mówiłem, że mogła wrócić do domu.

— A gdzie wtedy była?

— Nie odpowiadaj — poradził Lenny.

Dałem mu znak, że wszystko w porządku.

— Była w garażu.

— Dlaczego nie wyjawił pan tego detektywowi Reganowi?

— Ponieważ przygotowywaliśmy się do przekazania okupu. Nie chcieliśmy tracić czasu.

Tickner założył ręce na piersi.

— Nie wiem, czy rozumiem.

— No, to zadaj pan następne pytanie — warknął Lenny.

— Dlaczego Rachel Mills miała wziąć udział w przekazaniu okupu?

— Znamy się od dawna — odparłem. — Wiedziałem, że jest byłą agentką FBI.

— Aha — mruknął Tickner. — I uznał pan, że jej doświadczenie może się przydać?

— Tak.

— Nie zadzwonił pan do detektywa Regana ani do mnie?

— Zgadza się.

— Ponieważ...?

Lenny odpowiedział za mnie.

— Cholernie dobrze wiecie dlaczego.

— Ostrzegali mnie, żebym nie zawiadamiał policji — dodałem. — Tak jak poprzednim razem. Nie chciałem ryzykować. Dlatego zadzwoniłem do Rachel.

— Rozumiem. — Tickner spojrzał na Regana. Ten miał taką minę, jakby usiłował coś sobie przypomnieć. — Poprosił ją pan o pomoc, ponieważ jest byłą agentką FBI?

— Tak.

— I dlatego, że byliście... — Tickner nie wiadomo czemu rozłożył ręce. — ...sobie bliscy?

— Dawno temu — powiedziałem.

— Już nie?

— Nie. Już nie.

— Hm, już nie — powtórzył Tickner. — A mimo to postanowił pan poprosić ją o pomoc, kiedy chodziło o życie pańskiego dziecka. Ciekawe.

— Cieszę się, że tak pan uważa — rzekł Lenny. — Nawiasem mówiąc, czy te wszystkie pytania mają jakiś cel?

Tickner zignorował go.

— Przed dzisiejszym dniem, kiedy ostatnio widział się pan z Rachel Mills?

— A jakie to ma znaczenie? — warknął Lenny.

— Proszę o odpowiedź na moje pytanie.

— Nie, dopóki nie dowiemy się...

Teraz jednak ja położyłem dłoń na jego ramieniu. Wiedziałem, co robi. Odruchowo wszedł w swoją rolę adwokata. Doceniałem jego wysiłki, ale chciałem jak najszybciej mieć to już za sobą.

— Mniej więcej miesiąc temu — powiedziałem.

— W jakich okolicznościach?

— Wpadłem na nią w supermarkecie przy Northwood Avenue.

— Wpadł pan na nią?

— Tak.

— Chce pan powiedzieć, że przypadkowo? Nie wiedział pan, że ona tam będzie, tak niespodziewanie?

— Właśnie.

Tickner odwrócił się i spojrzał na Regana. Ten znieruchomiał. Już nie bawił się swoim loczkiem.

— A przedtem?

— Co przedtem?

— Zanim pan „wpadł" — głos Ticknera ociekał sarkazmem — na panią Mills w supermarkecie, kiedy widział ją pan poprzednio?

— Nie widziałem jej od ukończenia college'u — odparłem.

Tickner z niedowierzającą miną ponownie spojrzał na Regana. Kiedy znów odwrócił się do mnie, okulary spadły mu na nos. Z powrotem zsunął je na czubek głowy.

— Chce nam pan powiedzieć, doktorze Seidman, że od ukończenia college'u aż do dzisiejszego dnia spotkał pan Rachel Mills tylko raz, w tym supermarkecie?

— Właśnie to panu mówię.

Tickner przez moment wyglądał na zagubionego. Lenny miał taką minę, jakby chciał coś dodać, ale się powstrzymał.

— Czy rozmawialiście przez telefon? — zapytał Tickner.

— Przed dzisiejszym dniem?

— Tak.

— Nie.

— Ani razu? Nie rozmawiał pan z nią przez telefon aż do dziś? Nawet kiedy ze sobą chodziliście?

Lenny zdenerwował się.

— Jezu Chryste, co to za pytanie?

Tickner gwałtownie obrócił głowę w jego kierunku.

— Coś się panu nie podoba?

— Owszem, pańskie idiotyczne pytania.

Znowu zaczęli przeszywać się wzrokiem. Przerwałem milczenie.

— Nie rozmawiałem z Rachel przez telefon od czasów college'u.

Tickner odwrócił się i spojrzał na mnie z nieskrywanym niedowierzaniem. Popatrzyłem na Regana. Ten w zadumie kiwał głową. Widząc, że obaj wyglądają na wytrąconych z równowagi, spróbowałem nacisnąć.

— Czy znaleźliście tego mężczyznę i dziecko w hondzie accord? — zapytałem.

Tickner zastanawiał się przez chwilę. Obejrzał się na Regana, który obojętnie wzruszył ramionami.

— Znaleźliśmy ten samochód porzucony na Broadwayu, w pobliżu Piętnastej Ulicy. Został skradziony kilka godzin wcześniej. — Tickner wyjął notes, ale do niego nie zajrzał. — Kiedy zobaczyliśmy pana w parku, krzyczał pan coś o córce. Czy sądzi pan, że to ona była tym dzieckiem w samochodzie?

— Wtedy tak uważałem.

— A teraz już nie?

— Nie — odparłem. — To nie była Tara.

— Co sprawiło, że zmienił pan zdanie?

— Widziałem go. Mówię o tym dziecku.

— To był chłopiec?

— Tak sądzę.

— Kiedy go pan zobaczył?

— Gdy próbowałem dostać się do samochodu.

Tickner rozłożył ręce.

— Może zacznie pan od początku i opowie nam, co dokładnie się stało?

Powtórzyłem mu tę samą historię, którą wcześniej opowiedziałem Lenny'emu. Regan ani na chwilę nie zmienił pozycji. I nadal nie odezwał się słowem. Uznałem, że to dziwne. Kiedy mówiłem, Tickner sprawiał wrażenie coraz bardziej wzburzonego. Skóra na jego gładko wygolonej czaszce napięła się, w wyniku czego tkwiące na czubku głowy okulary przeciwsłoneczne zaczęły się zsuwać. Co chwila je poprawiał. Widziałem pulsującą żyłkę na jego skroni. Zaciskał zęby.

Kiedy skończyłem, Tickner rzekł:

— Pan kłamie.

Lenny wepchnął się między niego a moje łóżko. Przez chwilę myślałem, że dojdzie do wymiany ciosów, która z pewnością źle by się skończyła dla Lenny'ego. Jednak nie ustąpił ani na milimetr. Przypomniało mi się, jak w trzeciej klasie zaczepiał mnie Tony Merullo. Lenny chciał nas rozdzielić, dzielnie wszedł między nas i oberwał.

Teraz stał oko w oko ze znacznie większym od siebie mężczyzną.

— Do diabła, co się z panem dzieje, agencie Tickner?

— Pański klient jest kłamcą.

— Panowie, rozmowa skończona. Wynoście się.

Tickner nachylił się tak, że ich czoła prawie się stykały.

— Mamy dowód, że on kłamie.

— Ciekawe jaki — rzekł Lenny i zaraz dorzucił: — Nie, chwileczkę, zapomnijcie o tym. Nie chcę go poznać. Czy mój klient jest aresztowany?

— Nie.

— No, to zabierajcie swoje żałosne tyłki z tego pokoju.

— Lenny — uspokoiłem go.

Posławszy jeszcze jedno gniewne spojrzenie Ticknerowi, Lenny odwrócił się do mnie.

— Zakończmy to teraz — powiedziałem.

— On próbuje zrzucić winę na ciebie.

Wzruszyłem ramionami, ponieważ nic mnie to nie obchodziło. Sądzę, że Lenny to zrozumiał. Odsunął się. Kiwnąłem głową do Ticknera, żeby robił swoje.

— Widział pan Rachel przed dzisiejszym dniem.

— Już mówiłem wam...

— Jeśli nie widział pan Rachel Mills i nie rozmawiał z nią, to skąd pan wie, że była agentką FBI?

Lenny roześmiał się. Tickner błyskawicznie się do niego odwrócił.

— Dlaczego pan się śmieje?

— Ponieważ, tępaki, moja żona jest przyjaciółką Rachel Mills.

Tickner zbaraniał.

— Co?

— Moja żona i ja cały czas utrzymujemy kontakty z Rachel Mills. To my poznaliśmy ich ze sobą. — Lenny znów parsknął śmiechem. — To ma być ten dowód?

— Nie, nie to — warknął Tickner, przechodząc do obrony. — Ta bajeczka o żądaniu okupu i o tym, że nagle postanowił pan poprosić o pomoc byłą dziewczynę. Myśli pan, że w nią uwierzymy?

— A waszym zdaniem — zapytałem — co się zdarzyło? Tickner nie odpowiedział.

— Uważacie, że ja to zrobiłem, tak? Wymyśliłem kolejny skomplikowany plan, żeby wyłudzić następne dwa miliony dolarów od mojego teścia?

Lenny próbował mnie powstrzymać.

— Marc...

— Nie, pozwól, że coś im powiem. — Próbowałem nawiązać kontakt wzrokowy z Reganem, ale on wciąż wyglądał na nieobecnego duchem, popatrzyłem więc na Ticknera. — Naprawdę sądzicie, że to ukartowałem? Po co komplikowałbym wszystko tym spotkaniem w parku? Skąd miałem wiedzieć, że mnie tam znajdziecie? Do diabła, wciąż nie wiem, jak wam się to udało. Po co próbowałbym dostać się do ruszającego samochodu? Dlaczego nie miałbym po prostu wziąć pieniędzy, ukryć ich i wymyślić bajeczki dla Edgara? Gdybym sfingował to wszystko, to czy wynająłbym tego mężczyznę we flanelowej koszuli? Po co? Po co miałbym korzystać z czyjejś pomocy i skradzionego samochodu? Niech pan da spokój. To bez sensu.

Spojrzałem na Regana, który wciąż nie chwytał przynęty.

— Detektywie Regan?

On jednak powiedział tylko:

— Nie był pan z nami szczery, Marc.

— Ach tak? — mruknąłem. — W jakiej sprawie nie byłem z wami szczery?

— Twierdzi pan, że od czasu ukończenia college'u aż do dziś nie rozmawiał pan z Rachel Mills przez telefon.

— Tak.

— Mamy wykazy rozmów telefonicznych, Marc. Trzy miesiące przed zamordowaniem pana żony ktoś dzwonił z domu Rachel do waszego. Chce pan nam to wyjaśnić?

Spojrzałem na Lenny'ego, szukając u niego pomocy, ale on tylko na mnie patrzył. To nie miało sensu.

— Słuchajcie — powiedziałem. — Mam numer telefonu komórkowego Rachel. Zadzwońmy do niej i dowiedzmy się, gdzie ona jest.

— Niech pan to zrobi — zachęcił mnie Tickner.

Lenny podniósł słuchawkę telefonu, który stał na stoliku obok mojego łóżka. Podałem mu numer. Po szóstym sygnale usłyszałem głos Rachel, mówiący, że nie może odebrać telefonu i żebym zostawił wiadomość. Zrobiłem to.

Regan w końcu odszedł od ściany. Przysunął sobie krzesło i usiadł przy moim łóżku.

— Marc, co pan wie o Rachel Mills?

— Wystarczająco dużo.

— Chodziliście ze sobą w college'u?

— Tak.

— Jak długo?

— Dwa lata.

Regan rozłożył ręce i zrobił wielkie oczy.

— Widzi pan, agent Tickner i ja nadal nie rozumiemy, dlaczego pan do niej zadzwonił. No dobrze, chodziliście ze sobą w college'u. Skoro jednak tak długo nie utrzymywaliście żadnych kontaktów... — Wzruszył ramionami. — Dlaczego akurat ona?

Zastanawiałem się, jak to wyjaśnić i wybrałem najprostszy sposób.

— Nadal się rozumiemy.

Regan skinął głową, jakby to wszystko wyjaśniało.

— Wiedział pan, że wyszła za mąż?

— Cheryl, żona Lenny'ego, powiedziała mi o tym.

— I wiedział pan, że jej mąż został zastrzelony?

— Dowiedziałem się o tym dzisiaj. — Zaraz uświadomiłem sobie, że jest już po północy, i poprawiłem się: — A raczej wczoraj.

— Rachel powiedziała panu o tym?

— Usłyszałem o tym od Cheryl. — Przypomniały mi się słowa Regana, które wypowiedział podczas swojej późnej wizyty. — A potem pan powiedział, że to Rachel go zastrzeliła.

Regan znów spojrzał na Ticknera. Ten rzekł:

— Czy pani Mills wspomniała panu o tym?

— O czym, że zastrzeliła męża?

— Tak.

— Chyba pan żartuje?

— Nie wierzy pan w to, prawda?

Lenny wtrącił się:

— A co za różnica, w co wierzy?

— Przyznała się — rzekł Tickner.

Spojrzałem na Lenny'ego. Odwrócił wzrok. Spróbowałem usiąść na łóżku.

— No to czemu nie siedzi w więzieniu?

Tickner lekko spochmurniał. Zacisnął pięści.

— Twierdziła, że strzał padł przypadkowo.

— A pan w to nie wierzy?

— Jej mężowi wpakowano kulę w głowę z bardzo bliskiej odległości.

— Zatem powtarzam pytanie: dlaczego nie siedzi w więzieniu?

— Nie znam wszystkich szczegółów — wyznał Tickner.

— To znaczy?

— Tę sprawę prowadziła miejscowa policja, nie my — wyjaśnił Tickner. — Postanowili nie wysuwać oskarżenia.

Nie jestem policjantem ani nawet wytrawnym psychologiem, ale nawet ja widziałem, że Tickner coś ukrywa. Popatrzyłem na Lenny'ego. Jego twarz nie zdradzała żadnych uczuć, co — oczywiście — było zupełnie nie w jego stylu. Tickner odsunął się od mojego łóżka. Regan przejął pałeczkę.

— Powiedział pan, że wciąż dobrze się rozumiecie z Rachel? — zaczął.

— Mój klient już odpowiedział na to pytanie — wtrącił się Lenny.

— Czy nadal ją pan kocha?

Lenny nie mógł pozostawić tego bez komentarza.

— Czy prowadzi pan kącik złamanych serc, detektywie Regan? Do diabła, co to wszystko ma wspólnego z córką mojego klienta?

— Proszę o cierpliwość.

— Nie, detektywie, nie ścierpię tego dłużej. Te pytania są idiotyczne. — Znów położyłem dłoń na jego ramieniu. Lenny odwrócił się do mnie. — Oni chcą, żebyś potwierdził, Marc.

— Wiem o tym.

— Mają nadzieję dowieść, że zabiłeś swoją żonę z powodu Rachel.

— O tym też wiem. — Spojrzałem na Regana. Przypomniałem sobie, co czułem, kiedy zobaczyłem Rachel w supermarkecie.

— Wciąż pan o niej myśli? — spytał Regan.

— Tak.

— A ona o panu?

Lenny nie poddawał się.

— Skąd on ma wiedzieć, do diabła?

— Bob? — powiedziałem, po raz pierwszy zwracając się do niego po imieniu.

— Tak?

— Co właściwie chcesz udowodnić?

Regan powiedział cicho, prawie szeptem:

— Pozwól, że zapytam jeszcze raz. Czy przed spotkaniem w supermarkecie nie widziałeś Rachel Mills, od kiedy zerwaliście ze sobą w college'u?

— Jezu Chryste! — warknął Lenny.

— Nie.

— Na pewno?

— Ani razu.

— Nawet nie przekazywali sobie miłosnych liścików na sali wykładowej — powiedział Lenny. — Skończcie z tymi idiotyzmami.

Regan nachylił się do mnie.

— Odwiedziliście prywatną agencję detektywistyczną w Newark, pytając o płytkę CD.

— Tak.

— Dlaczego akurat dzisiaj?

— Nie rozumiem.

— Pana żona nie żyje od półtora roku. Skąd to nagłe zainteresowanie kompaktem?

— Dopiero go znalazłem.

— Kiedy?

— Przedwczoraj. Był schowany w piwnicy.

— A zatem nie miał pan pojęcia, że Monica wynajęła prywatnego detektywa?

Zwlekałem chwilę z odpowiedzią. Myślałem o tym, czego dowiedziałem się od śmierci mojej pięknej żony. Chodziła do psychiatry. Wynajęła prywatnego detektywa. Chowała różne rzeczy w piwnicy. Nie wiedziałem o tym. Myślałem o moim życiu, mojej ukochanej pracy, zamiłowaniu do podróży. Jasne, kochałem moją córeczkę. Nosiłem ją na rękach i podziwiałem. Mógłbym oddać za nią życie — i zabić, żeby ją chronić — lecz nie mogłem się okłamywać. Wiedziałem, że nie w pełni akceptowałem wszystkie te zmiany, jakie wniosła w moje życie.

Jakim byłem ojcem? Jakim mężem?

— Marc?

— Nie — powiedziałem cicho. — Nie miałem pojęcia, że wynajęła prywatnego detektywa.

— I nie domyśla się pan, dlaczego to zrobiła?

Przecząco pokręciłem głową. Regan zamilkł. Tickner wyjął grubą brązową kopertę.

— Co to takiego? — spytał Lenny.

— Zawartość CD. — Tickner znowu na mnie popatrzył. — Nigdy nie widział się pan z Rachel, tak? Dopiero w supermarkecie.

Nie chciało mi się odpowiadać.

Bez fanfar Tickner wyjął zdjęcie i podał mi je. Lenny pospiesznie założył połówkowe okulary do czytania i zerknął mi przez ramię. Musiał lekko odchylić głowę, żeby spojrzeć w dół. To była czarno-biała fotografia. Ukazywała Valley Hospital w Ridgewood. Na dole była wybita data. Zdjęcie zrobiono dwa miesiące przed napadem.

Lenny zmarszczył brwi.

— Naświetlenie prawidłowe, ale kompozycja budzi wątpliwości.

Tickner zignorował tę sarkastyczną uwagę.

— Pracuje pan w tym szpitalu, prawda, doktorze Seidman?

— Mamy tam gabinet, tak.

— My?

— Moja wspólniczka i ja. Zia Leroux.

Tickner skinął głową.

— Na dole widnieje data.

— Widzę.

— Był pan tego dnia w gabinecie?

— Naprawdę nie wiem. Musiałbym sprawdzić w moim kalendarzyku.

Regan wskazał na wejście do budynku.

— Widzi pan tę postać?

Przyjrzałem się dokładniej, ale niewiele zdołałem zobaczyć.

— Nie, nie widzę.

— Niech pan tylko zwróci uwagę na długość tego fartucha, dobrze?

— Dobrze.

Tickner pokazał mi następne zdjęcie. To zostało zrobione za pomocą teleobiektywu. Pod takim samym kątem. Na tym wyraźnie było widać twarz postaci w białym fartuchu. Nosiła ciemne okulary, ale nie miałem wątpliwości. To była Rachel.

Spojrzałem na Lenny'ego. Na jego twarzy też ujrzałem zdziwienie. Tickner wyjął następne zdjęcie. Potem jeszcze jedno. Wszystkie zostały zrobione przed szpitalem. Na ósmym Rachel wchodziła do budynku. Na dziewiątym, zrobionym godzinę później, ja wychodziłem — sam. Na dziesiątym, sześć minut później, Rachel opuszczała szpital tym samym wyjściem.

W pierwszej chwili nie byłem w stanie ogarnąć konsekwencji tego faktu. Ze zdumieniem wpatrywałem się w zdjęcia. Nie wiedziałem, co to ma znaczyć. Lenny też był zaskoczony, ale szybko doszedł do siebie.

— Wynoście się — powiedział.

— Nie zamierzcie nam wyjaśnić, skąd wzięły się te zdjęcia? Chciałem się spierać, ale byłem zbyt oszołomiony.

— Wynoście się — powtórzył Lenny, tym razem bardziej stanowczo. — Natychmiast.

29

Usiadłem na łóżku.

— Lenny?

Upewnił się, że drzwi są zamknięte.

— Tak — powiedział. — Oni uważają, że ty to zrobiłeś. Poprawka: myślą, że zrobiłeś to razem z Rachel. Mieliście romans. Ona zastrzeliła swojego męża — nie wiem, czy sądzą, że miałeś z tym coś wspólnego, czy nie — a potem razem zastrzeliliście Monicę, zrobiliście nie wiadomo co z Tarą i postanowiliście naciągnąć teścia.

— To nie ma sensu.

Lenny milczał.

— Zostałem postrzelony, pamiętasz?

— Tak.

— I co, sam się postrzeliłem?

— Nie wiem. Jednak nie wolno ci już z nimi rozmawiać. Teraz mają dowód. Możesz do upojenia zaprzeczać, że miałeś romans z Rachel. Jest faktem, że Monica podejrzewała cię o coś i wynajęła prywatnego detektywa. Jezu, tylko pomyśl. Ten prywatny detektyw zrobił swoje. Zrobił te zdjęcia i dostarczył je Monice. Potem twoja żona zginęła, córka została porwana, a teść stracił dwa miliony dolców. Minęło półtora roku. Teść znów traci dwa miliony, a ty i Rachel kłamiecie, że nie łączy was romans.

— Wcale nie kłamiemy.

Lenny nie patrzył mi w oczy.

— A co z tym, co powiedziałem — spróbowałem mu przypomnieć — że nikt nie robiłby czegoś takiego? Przecież mogłem po prostu zagarnąć te dwa miliony okupu, no nie? Nie musiałem wynajmować faceta z samochodem i dzieciakiem. A co z moją siostrą? Uważają, że ją też zamordowałem?

— Te zdjęcia — powiedział cicho Lenny.

— Nic o nich nie wiedziałem.

Prawie na mnie nie patrzył, ale to nie powstrzymało go od aluzji do naszego dzieciństwa.

— Taak, słowo skauta.

— Nie, naprawdę nic o nich nie wiedziałem.

— I nie widziałeś jej aż do tamtego spotkania w supermarkecie?

— Oczywiście, że nie. Przecież wiesz. Nie ukrywałbym tego przed tobą.

Nieco zbyt długo zastanawiał się nad tym stwierdzeniem.

— Mogłeś ukryć to przed Lennym przyjacielem.

— Nie, nie mogłem. A nawet gdybym mógł, to w żadnym razie nie zataiłbym tego przed Lennym prawnikiem.

— Nie powiedziałeś żadnemu z nich o żądaniu okupu — przypomniał łagodnie.

No tak.

— Nie chcieliśmy nikogo w to mieszać, Lenny.

— Rozumiem — skłamał. Nie mogłem mieć mu tego za złe. — Jeszcze jedno. W jaki sposób znalazłeś tę płytkę schowaną w piwnicy?

— Odwiedziła mnie Dina Levinsky.

— Stuknięta Dina?

— Było jej ciężko. Nie masz pojęcia jak bardzo.

Lenny zbył to machnięciem ręki.

— Nie rozumiem. Co ona robiła w twoim domu?

Opowiedziałem mu o jej wizycie. Lenny miał dziwną minę. Kiedy skończyłem, to ja zapytałem:

— No i co?

— Powiedziała ci, że już jej lepiej? I że jest mężatką?

— Tak.

— To bujda.

Zamarłem.

— Skąd wiesz?

— Prowadzę sprawy jej ciotki. Dina Levinsky wielokrotnie przebywała w zakładzie dla nerwowo chorych. Przed kilkoma laty odsiedziała kilka miesięcy za czynną napaść. Nigdy nie wyszła za mąż. I wątpię, żeby miała jakikolwiek wernisaż.

Nie wiedziałem, co o tym myśleć. Przypomniałem sobie udręczoną twarz Diny, jak pobladła, gdy spytała: „Ty wiesz kto cię postrzelił, prawda, Marc?".

Co chciała przez to powiedzieć, do licha?

— Musimy to przemyśleć — rzekł Lenny, drapiąc się po brodzie. — Zamierzam popytać tu i ówdzie. Zadzwoń do mnie, jeśli czegoś się dowiesz, dobrze?

— Taak, dobrze.

— I obiecaj mi, że już nie będziesz z nimi rozmawiał. Jest prawie pewne, że zechcą cię aresztować. — Podniósł rękę, uciszając mnie, zanim zdążyłem zaprzeczyć. — Mają dość dowodów, by uzyskać nakaz aresztowania, a może nawet wyrok skazujący. To prawda, że jeszcze nie dopięli sprawy na ostatni guzik. Pomyśl jednak o sprawie Skakela. Mieli jeszcze mniej dowodów, a jednak został skazany. Dlatego obiecaj mi, że nic im nie powiesz, jeśli tutaj wrócą.

Obiecałem, ponieważ policja znów była na złym tropie. Współpracując z nimi, nie odzyskałbym córeczki. Na tym stanęło. Lenny zostawił mnie samego. Poprosiłem, żeby zgasił światło. Spełnił moją prośbę. Mimo to w pokoju nie zrobiło się ciemno. W salach szpitalnych nigdy nie jest całkiem ciemno.

Usiłowałem zrozumieć, co się stało. Tickner zabrał ze sobą te dziwne zdjęcia. Żałowałem, że ich nie zostawił. Chciałem lepiej im się przyjrzeć, gdyż w żaden sposób nie potrafiłem wytłumaczyć sobie ich istnienia. Czy były prawdziwe? Nie można było wykluczyć fotomontażu, szczególnie teraz, w wieku cyfrowej fotografii i obróbki. Może to było właściwe wyjaśnienie? Może po prostu zostały zręcznie zmontowane? Ponownie zacząłem zastanawiać się nad wizytą Diny Levinsky. O co naprawdę jej chodziło? Dlaczego zapytała, czy kochałem Monicę? Dlaczego sądziła, że wiem, kto mnie postrzelił? Rozmyślałem nad tym wszystkim, kiedy otworzyły się drzwi.

— Czy w tym pokoju leży facet zwany Ogierem w Kitlu?
Przyszła Zia.

— Cześć.

Weszła i skwitowała moją horyzontalną pozycję niedbałym machnięciem ręki.

— To ma usprawiedliwić twoją nieobecność w pracy?

— Zeszłej nocy miałem być pod telefonem, tak?

— Uhm.

— Przepraszam.

— Ponieważ cię nie złapali, wyciągnęli mnie z wyra. Dodam, że przerwali mi przyjemny erotyczny sen. — Zia kciukiem wskazała drzwi. — Tamten wielki czarnoskóry facet na korytarzu.

— Ten z ciemnymi okularami zsuniętymi na czubek wygolonej głowy?

— To on. Policjant?

— Agent FBI.

— Jest nadzieja, że zdołasz nas poznać? Wynagrodziłbyś mi ten przerwany sen.

— Spróbuję to zrobić, zanim mnie aresztuje.

— Może być i potem.

Uśmiechnąłem się. Zia usiadła na brzegu łóżka. Opowiedziałem jej, co się stało. Nie wysuwała swoich teorii. Nie zadawała pytań. Tylko słuchała i kochałem ją za to.

Właśnie doszedłem do tego, że jestem teraz głównym podejrzanym, kiedy zadzwonił mój telefon komórkowy. Jako lekarze, oboje byliśmy zdziwieni. W szpitalu obowiązuje kategoryczny zakaz używania komórek. Pospiesznie chwyciłem aparat i przyłożyłem do ucha.

— Marc?

Dzwoniła Rachel.

— Gdzie jesteś?

— Jadę za pieniędzmi.

— Co?!

— Zrobili dokładnie tak, jak przewidywałam — powiedziała. — Wyrzucili torbę, ale nie znaleźli nadajnika w paczce banknotów. Teraz jadę w kierunku Harlem River Drive. Oni są najwyżej półtora kilometra przede mną.

— Musimy porozmawiać — powiedziałem.

— Czy znalazłeś Tarę?

— To było oszustwo. Widziałem to dziecko, które przywieźli. To nie była moja córka.

Zapadła chwila ciszy.

— Rachel?

— Kiepsko się czuję, Marc.

— Co ci jest?

— Zostałam pobita. W parku. Nic poważnego, ale potrzebuję twojej pomocy.

— Zaczekaj chwilę. Mój samochód został na parkingu. Czym za nimi jedziesz?

— Zauważyłeś furgonetkę zieleni miejskiej w pobliżu parku?

— Tak.

— Ukradłam ją. To stary grat, łatwo poszło. Pomyślałam, że do rana nikt nie zauważy jego braku.

— Oni uważają, że to nasza robota, Rachel. Podejrzewają, że mamy romans. Pokazali mi zdjęcia, które były na tym kompakcie. Jesteś na nich ty przed szpitalem, w którym pracuję.

Zapadła cisza, przerywana tylko szumem zakłóceń.

— Rachel?

— Gdzie jesteś? — zapytała.

— W szpitalu New York Presbyterian.

— Jesteś cały?

— Trochę potłuczony, ale owszem, cały.

— Jest tam policja?

— I federalni. Facet nazwiskiem Tickner. Znasz go?
Odparła cicho:
— Tak. — I zaraz dodała: — Jak chcesz to rozegrać?
— Co masz na myśli?
— Czy chcesz nadal ich śledzić? Czy też przekazać to Ticknerowi i Reganowi?

Wolałbym, żeby była przy mnie. Żebym mógł zapytać ją o zdjęcia i telefon do mojego domu.

— Nie jestem pewien, czy to ma jakieś znaczenie — odparłem. — Miałaś rację. To byli naciągacze. Pewnie przysłali włosy jakiegoś innego dziecka.

Znowu cisza.

— Co ty na to? — spytałem.
— Wiesz, jak wykonuje się badanie DNA? — zapytała.
— Nie bardzo.
— Nie mam czasu na wyjaśnianie ci tego, ale próby wykonuje się na kolejnych warstwach. Po pewnym czasie wyniki układają się w logiczną całość. Potrzeba co najmniej dwudziestu czterech godzin, zanim uzyskamy absolutnie pewny wynik.

— A więc?

— Właśnie dzwoniłam do mojego analityka. Zostało jeszcze osiem godzin. Jednak już teraz można powiedzieć, że ten drugi kosmyk, który przysłali Edgarowi...

— Co z nimi?

— Ich DNA jest zgodny z twoim. — Nie byłem pewien, czy się nie przesłyszałem. Rachel wydała dźwięk, który mógł być westchnieniem. — Inaczej mówiąc, nie wykluczył, że jesteś ojcem. A nawet wprost przeciwnie.

O mało nie upuściłem telefonu. Zia zauważyła to i przysunęła się bliżej. Znowu skupiłem się i wziąłem w garść. Opanuj się. Myśl. Rozważyłem możliwości. Tickner i Regan nigdy mi nie uwierzą. Nie wypuszczą mnie stąd. Pewnie nas aresztują. A przecież gdybym im powiedział, może zdołałbym dowieść naszej niewinności. Jednak dowodzenie mojej niewinności nie miało żadnego znaczenia.

Czy to możliwe, że moja córeczka jeszcze żyje?

Oto najważniejsze pytanie. Jeśli żyje, to powinienem trzymać się pierwotnego planu. Współpraca z przedstawicielami organów ścigania, szczególnie teraz, kiedy byłem ich głównym podejrzanym, była bez sensu. A załóżmy, że porywacze — jak twierdzili w swoich listach — naprawdę mieli wśród nich informatora? W tym momencie ten, kto zabrał torbę z pieniędzmi, nie wiedział, że Rachel go tropi. A co mogło się stać, gdybym wciągnął w to policję i FBI? Czy porywacze nie wpadną w panikę i nie popełnią jakiegoś głupstwa?

Powinienem zastanowić się nad jeszcze jedną sprawą. Czy nadal ufam Rachel? Te zdjęcia nadwątliły moje zaufanie. Już nie wiedziałem, w co wierzyć. Mimo to nie miałem innego wyjścia, jak uznać te wątpliwości za niepotrzebne. Powinienem skupić się na jednym: odzyskaniu Tary. Co da mi największe szanse na poznanie prawdy o jej losie?

— Bardzo jesteś poturbowana? — spytałem.

— Poradzimy sobie, Marc.

— Zatem już jadę.

Rozłączyłem się i spojrzałem na Zię.

— Musisz mi pomóc stąd się wydostać.

Tickner i Regan siedzieli w „saloniku lekarzy" na końcu korytarza. Ta nazwa nie pasowała do zbyt jasno oświetlonego, spartańskiego pomieszczenia z pokojową anteną stojącą na telewizorze. W kącie stała mała lodówka. Tickner wyjął z niej dwa brązowe pudełka śniadaniowe z wypisanymi na nich imionami. Reganowi przypomniały się czasy, kiedy chodził do podstawówki.

Tickner opadł na kanapę, która nie miała już ani jednej całej sprężyny.

— Myślę, że powinniśmy go aresztować.

Regan nic nie powiedział.

— Byłeś strasznie milczący, Bob. Coś cię dręczy?

Regan zaczął drapać się po brodzie.

— To, co powiedział Seidman.

— A konkretnie?

— Nie uważasz, że mógł mówić prawdę?

— Myślisz, że może być niewinny?

— Tak.

— Nie, nie sądzę. Ty to kupujesz?

— Sam nie wiem — odparł Regan. — Tylko po co zadawałby sobie tyle trudu ze sfingowanym przekazywaniem okupu? Nie mógł przewidzieć, że dowiemy się o CD, zaczniemy go szukać i znajdziemy w Fort Tryon Park. A nawet gdyby, to po co by to robił? Po co usiłował się wedrzeć do jadącego samochodu? Chryste, miał szczęście, że nie zginął. Znowu. W ten sposób wracamy do strzelaniny i naszego głównego problemu. Jeśli zrobił to razem z Rachel Mills, to dlaczego o mało nie zginął? — Regan potrząsnął głową. — Wciąż widzę tu zbyt wiele luk.

— Które zapełniamy, jedną po drugiej — przypomniał Tickner.

Regan pokręcił głową, na wpół potakująco, na wpół przecząco.

— Zobacz, ile zlikwidowaliśmy ich dzisiaj, kiedy dowiedzieliśmy się, że Rachel Mills brała w tym udział — rzekł Tickner. — Musimy tylko zamknąć ich oboje i przycisnąć.

Regan nadal milczał. Tickner potrząsnął głową.

— Co jeszcze?

— Rozbite okno.

— To na miejscu zbrodni?

— Taak.

— Co z nim?

Regan usiadł wygodniej.

— Pozwolisz, że będę głośno myślał, dobrze? Wróćmy do tamtego morderstwa i porwania.

— W domu Seidmanów?

— Właśnie.

— W porządku, mów.

— Okno zostało wybite od zewnątrz — przypomniał Regan. — W ten sposób intruz mógł dostać się do domu.

— Albo — powiedział Tickner — doktor Seidman sam je wybił, żeby nas zmylić.

— Mógł również mieć wspólnika, który to zrobił.

— Racja.

— Jednak w obu wypadkach doktor Seidman wiedziałby o wybitym oknie, prawda? Jeśli był w to zamieszany.

— Do czego zmierzasz?

— Cierpliwości, Lloyd. Uważamy, że Seidman był w to zamieszany. Ergo, musiał wiedzieć, że szyba została rozbita, żeby — sam nie wiem — upozorować przypadkowe włamanie. Zgadzasz się z tym?

— Chyba tak.

Regan uśmiechnął się.

— No, to czemu nic nie powiedział o wybitym oknie?

— Jak to?

— Przeczytaj jego zeznanie. Pamięta, że jadł batonik z muesli, a potem bach i nic. Żadnego dźwięku. Żadnych cichych kroków. Nic. — Regan rozłożył ręce. — Dlaczego nie wspomniał o rozbijanej szybie?

— Ponieważ sam ją wybił, żeby upozorować obecność intruza.

— Widzisz, w takim wypadku powiedziałby nam o niej. Pomyśl. Wybija okno, żeby przekonać nas, że jakiś intruz włamał się do domu i go postrzelił. Co byś zeznał na jego miejscu?

Teraz Tickner zrozumiał, do czego Regan zmierza.

— Zeznałbym, że usłyszałem trzask rozbijanej szyby, odwróciłem się i w tym momencie trafiły mnie kule.

— Właśnie. Tymczasem Seidman niczego takiego nie powiedział. Dlaczego?

Tickner wzruszył ramionami.

— Może zapomniał. Był ciężko ranny.

— A może, załóżmy na chwilę, mówi prawdę.

Otworzyły się drzwi. Do pokoju zajrzał zmęczony młody człowiek w chirurgicznym fartuchu. Spojrzał na obu policjantów, przewrócił oczami i zostawił ich samych. Tickner znów zwrócił się do Regana.

— Zaczekaj chwilkę, twoje pokrętne rozumowanie przypomina mi *Paragraf 22*.

— Dlaczego?

— Jeśli Seidman tego nie zrobił, jeśli naprawdę jakiś intruz rozbił szybę, to czemu on tego nie słyszał?

— Może nie pamięta. Widzieliśmy to setki razy. Facet zostaje postrzelony i w wyniku poważnych obrażeń ma częściową amnezję. — Regan uśmiechnął się, nabierając przekonania do swojej teorii. — Szczególnie jeśli zobaczył coś, co go zaszokowało, coś czego nie chce pamiętać.

— Na przykład jak ktoś rozbiera i zabija jego żonę?

— Na przykład — przytaknął Regan. — A może coś jeszcze gorszego.

— A co może być gorsze?

Z głębi korytarza nadleciał cichy pisk aparatury. Słyszeli odgłosy z pobliskiej dyżurki pielęgniarek. Ktoś narzekał na godziny albo rozkład dyżurów.

— Wiemy, że coś pominęliśmy — powiedział powoli Regan. — Wiemy o tym od początku. Może jednak jest wprost przeciwnie. Może coś dodaliśmy.

Tickner zmarszczył brwi.

— Przez cały czas zakładamy udział doktora Seidmana. Słuchaj, obaj znamy statystykę. W takich sprawach jak ta mąż zawsze jest zamieszany. Nie w dziewięciu przypadkach na dziesięć, lecz w dziewięćdziesięciu dziewięciu na sto. Każdy z rozpatrywanych przez nas scenariuszy zakładał udział Seidmana.

— Uważasz, że to błąd? — zapytał Tickner.

— Posłuchaj mnie jeszcze chwilę. Od początku mamy go na celowniku. Jego małżeństwo nie było sielanką. Ożenił się, ponieważ jego dziewczyna zaszła w ciążę. Wiem o tym. Nawet jednak gdyby jego małżeństwo było tak cholernie udane jak w *Ozzie i Harriet*, i tak powiedzielibyśmy: „Nie, nikt nie bywa aż tak szczęśliwy" i podejrzewalibyśmy go nadal. Tak więc cokolwiek odkryliśmy, próbowaliśmy dopasować do teorii, że Seidman brał w tym udział. Teraz tylko przez moment wyłączmy go z tej sprawy. Załóżmy, że jest niewinny.

Tickner wzruszył ramionami.

— W porządku. I co?

— Seidman mówił o swoim uczuciu do Rachel Mills. Twierdził, że przetrwało przez te wszystkie lata.

— Owszem.

— To brzmiało tak, jakby miał na jej tle lekką obsesję.

— Lekką?

Regan uśmiechnął się.

— Załóżmy, że to uczucie było obopólne. Nie, skreśl to. Załóżmy, że z jej strony było to coś więcej.

— W porządku.

— Pamiętaj, że zakładamy, iż Seidman tego nie zrobił. To oznacza, że mówił prawdę. O wszystkim. O tym, że przez długi czas nie widywał się z Rachel Mills. I o tych zdjęciach. Widziałeś jego minę, Lloyd. Seidman nie jest wielkim aktorem. Te zdjęcia zaskoczyły go. Nie wiedział o nich.

Tickner zmarszczył brwi.

— Trudno powiedzieć.

— No cóż, kiedy patrzyłem na te zdjęcia, jeszcze coś rzuciło mi się w oczy.

— Co?

— Jak to możliwe, że prywatny detektyw nie zrobił im żadnego zdjęcia razem? Jest fotka jej przed szpitalem. Jego wychodzącego z budynku. I jej opuszczającej szpital. Jednak nie ma wspólnego zdjęcia.

— Byli ostrożni.

— Ostrożni? Ona kręciła się w jego miejscu pracy. Gdyby byli ostrożni, nigdy by tego nie zrobiła.

— Jaką masz teorię?

Regan uśmiechnął się.

— Tylko pomyśl. Rachel musiała wiedzieć, że Seidman jest w budynku. Tylko czy on na pewno wiedział, że ona jest na zewnątrz?

— Poczekaj chwilę — rzekł Tickner. Jego wargi powoli rozciągnęły się w uśmiechu. — Myślisz, że ona go śledziła?

— To możliwe.

Tickner pokiwał głową.

— No tak. A nie mamy do czynienia z przeciętną kobietą. Mówimy o dobrze wyszkolonej byłej agentce FBI.

— Tak więc, ona umiałaby przeprowadzić takie profesjonalne porwanie — dodał Regan, podnosząc jeden palec. Podniósł drugi. — Wiedziałaby, jak kogoś zabić tak, żeby uszło jej to na sucho. Wiedziałaby też, jak zatrzeć ślady. Mogła znać siostrę Marca, Stacy. I wreszcie — ciągnął Regan, wystawiając kciuk — mogła wykorzystać swoje stare kontakty, żeby ją odnaleźć i wystawić.

— Jezu Chryste. — Tickner popatrzył na niego. — I to, co powiedziałeś przed chwilą. O tym, że Seidman zobaczył coś tak strasznego, że wyrzucił to z pamięci.

— Na przykład ukochaną, która do niego strzela. Albo do jego żony. Lub...

Obaj zamilkli.

— Tara — powiedział Tickner. — Jaką rolę odrywa w tej sprawie dziewczynka?

— Narzędzia wykorzystywanego do wymuszania okupu...

Niezbyt podobało im się takie wyjaśnienie. Jednak wszystkie inne były jeszcze mniej przyjemne.

— Możemy dodać do tego jeszcze jeden fakt — powiedział Tickner.

— Jaki?

— Zaginiona trzydziestka ósemka Seidmana.

— Co z nią?

— Broń była zamknięta w kasetce w jego szafie — przypomniał Tickner. — Tylko ktoś z jego najbliższego otoczenia mógł wiedzieć, gdzie jest schowana.

— Albo — dodał Regan, dostrzegając inną możliwość — Rachel Mills przyniosła swoją trzydziestkę ósemkę. Pamiętaj, że strzelano z dwóch.

— To rodzi kolejne pytanie: dlaczego potrzebowała dwóch rewolwerów?

Obaj zastanowili się, rozważyli kilka nowych teorii, a potem doszli do tego samego wniosku.

— Wciąż czegoś nam brakuje — orzekł Regan.

— Taa.

— Musimy zacząć od początku i poszukać odpowiedzi na kilka pytań.

— Na przykład?

— Na przykład jak Rachel uniknęła oskarżenia o zabójstwo męża.

— Mogę popytać — zaproponował Tickner.

— Zrób to. I niech ktoś pilnuje Seidmana. Ona ma teraz cztery miliony dolarów. Niewykluczone, że zechce pozbyć się jedynej osoby, która może powiązać ją z tą sprawą.

30

Zia wyjęła z szafy moje ubranie. Dżinsy były poplamione krwią, więc zdecydowaliśmy wykorzystać fartuch chirurga. Wyszła na korytarz i po chwili znalazła mi go. Krzywiąc się z bólu, włożyłem fartuch i zawiązałem pasek. To będzie powolny marsz. Zia sprawdziła, czy horyzont jest czysty. Przygotowała awaryjny plan na wypadek, gdyby federalni obserwowali izolatkę. Jej przyjaciel, doktor David Beck, przed kilkoma laty był zamieszany w poważną sprawę. Wtedy poznał Ticknera. Beck miał właśnie dyżur. Teraz czekał w pobliżu, żeby w razie potrzeby podejść do agenta i odwrócić jego uwagę, nawiązując rozmowę.

Jednak nie musieliśmy korzystać z pomocy doktora Becka. Po prostu wyszliśmy. Nikt nas nie zatrzymał. Przeszliśmy przez Harkness Pavilion i na dziedziniec, na północ od Fort Washington Avenue. Samochód Zii stał na parkingu na rogu Sto Sześćdziesiątej Piątej i Fort Washington. Poruszałem się ostrożnie. Byłem piekielnie obolały, ale w zasadzie cały. Nie wziąłbym udziału w maratonie ani zawodach w podnoszeniu ciężarów, ale byłem w stanie jakoś znieść ten ból i w miarę swobodnie się poruszać. Zia wsunęła mi do kieszeni fiolkę z tabletkami przeciwbólowymi w pięćdziesięciomiligramowych dawkach, dla dużych chłopców. Vioxx bardzo mi się przyda, bo nie powoduje senności.

— Gdyby ktoś pytał — oznajmiła — powiem, że zostawiłam samochód pod domem i skorzystałam z komunikacji miejskiej. W ten sposób zyskasz trochę czasu.

— Dzięki — odparłem. — Czy moglibyśmy jeszcze zamienić się na telefony komórkowe?

— Jasne, tylko po co?

— Nie jestem pewien, ale mogą próbować namierzyć mój aparat.

— Da się to zrobić?

— Nie mam pojęcia.

Wzruszyła ramionami i wyjęła swoją komórkę. Była maleńka, wielkości puderniczki.

— Naprawdę sądzisz, że Tara żyje?

— Nie wiem.

Pospiesznie weszliśmy po cementowych schodach parkingu. Klatka schodowa jak zwykle cuchnęła uryną.

— To szaleństwo — mruknęła Zia. — Wiesz o tym, prawda?

— Taak.

— Mam jeszcze pager. Gdybyś chciał, żebym cię gdzieś podwiozła lub cokolwiek, daj znać.

— Pewnie.

Przystanęliśmy przy samochodzie. Zia wręczyła mi kluczyki

— No co? — spytałem, widząc jej minę.

— Masz cholernie wielkie ego, Marc.

— To ma być czułe pożegnanie?

— Nie chcę, żeby coś ci się stało — odparła. — Potrzebuję cię.

Uściskałem ją i usiadłem za kierownicą. Pojechałem na północ w kierunku Henry'ego Hudsona i wybrałem numer Rachel. Niebo było czyste i spokojne. Światła mostu zmieniały ciemną toń rzeki w rozgwieżdżony nieboskłon. Rachel odebrała telefon po dwóch sygnałach. Nie odezwała się i natychmiast zrozumiałem dlaczego. Zapewne zobaczyła numer rozmówcy i nie rozpoznała go.

— To ja — powiedziałem. — Dzwonię z telefonu Zii.

— Gdzie jesteś? — spytała Rachel.

— Zaraz wjadę na Hudson.

— Jedź dalej na północ w kierunku Tappan Zee. Przejedź ją i skieruj się na zachód.

— Gdzie teraz jesteś?

— Przy tym wielkim kompleksie handlowym Palisades.

— W Nyack.

— Właśnie. Bądź pod telefonem. Znajdziemy jakieś dogodne miejsce na spotkanie.

— Jadę.

Tickner rozmawiał przez telefon komórkowy, instruując O'Malleya. Regan wpadł do saloniku.

— Seidmana nie ma w pokoju.

Tickner posłał mu gniewne spojrzenie.

— Jak to, nie ma go w pokoju?

— A jak chcesz to zrozumieć, Lloyd?

— Może pojechał na prześwietlenie albo coś takiego?

— Pielęgniarka mówi, że nie.

— Do diabła. W tym szpitalu mają kamery, no nie?

— Nie we wszystkich pomieszczeniach.

— Na pewno przy każdym wyjściu.

— Tych jest tutaj co najmniej tuzin. Zanim zbierzemy taśmy i przejrzymy je...

— Tak, tak, tak. — Tickner zastanowił się. Ponownie przyłożył komórkę do ucha. — O'Malley?

— Przy telefonie.

— Słyszałeś?

— Taak.

— Ile czasu zajmie ci zdobycie wykazu rozmów z telefonu komórkowego i izolatki Seidmana? — zapytał Tickner.

— Ostatnich rozmów?

— Tak, przeprowadzonych w ciągu ostatniego kwadransa.

— Niech mi pan da pięć minut.

Tickner rozłączył się.

— Gdzie jest adwokat Seidmana?

— Nie wiem. Zdaje się, że poszedł sobie.

— Może powinniśmy do niego zadzwonić.

— Nie wyglądał mi na skorego do współpracy — zauważył Regan.

— To było jeszcze wtedy, kiedy uważaliśmy jego klienta za żono- i dzieciobójcę. Teraz zakładamy, że jest niewinny i jego życiu grozi niebezpieczeństwo.

Tickner wręczył Reganowi wizytówkę, którą otrzymał od Lenny'ego.

— Warto spróbować — mruknął Regan i zaczął dzwonić.

Dogoniłem Rachel tuż za Ramsey, będącym północnym przedmieściem New Jersey i południowym Nowego Jorku. Przez telefon uzgodniliśmy, że spotkamy się w Ramsey, na parkingu motelu „Fair" przy szosie numer siedemnaście. Motel był typowy, z tablicą dumnie głoszącą, że w pokojach są kolorowe telewizory (jakby w większości moteli nadal używano czarno-białych), przy czym każda litera tego napisu (włącznie z wykrzyknikiem) miała inną barwę na wypadek, gdyby ktoś nie wiedział, co oznacza słowo „kolorowe". Zawsze podobała mi się ta nazwa. Motel „Fair". Nie jestem wielki ani wspaniały. Jestem po prostu „Fair"*. Uczciwe stawianie sprawy.

Wjechałem na parking. Bałem się. Chciałem zadać Rachel milion pytań, ale wszystkie sprowadzały się do jednego. Oczywiście, pragnąłem poznać prawdę o śmierci jej męża, ale jeszcze bardziej dowiedzieć się, co oznaczają te przeklęte zdjęcia zrobione przez prywatnego detektywa.

Parking był pogrążony w ciemności rozpraszanej jedynie

---

* Fair (j. ang.) — uczciwy, sprawiedliwy; fair play (j. ang.) — uczciwe postępowanie.

przez światła pojazdów przejeżdżających autostradą. Skradziona furgonetka zarządu zieleni miejskiej stała przy automacie z pepsi, na drugim końcu po prawej. Podjechałem do niej. Nie widziałem, jak Rachel wysiadła z furgonetki, ale po chwili opadła na fotel obok mnie.

— Ruszaj — powiedziała.

Obróciłem się do niej i kiedy zobaczyłem jej twarz, odruchowo zahamowałem.

— Jezu, co ci się stało?

— Nic mi nie jest.

Prawe oko miała podbite jak bokser po przegranym pojedynku. Żółto-purpurowe sińce na szyi. Wielkie czerwone plamy na obu policzkach. Widziałem szkarłatne wgłębienia w miejscach, gdzie napastnik zacisnął palce. Paznokcie przecięły skórę. Zastanawiałem się, czy nie odniosła wewnętrznych obrażeń, czy silne uderzenie w oko nie uszkodziło kości. Raczej nie. Jednak taki cios zazwyczaj na długo wyłącza trafionego z akcji. Nawet przyjmując najlepszy scenariusz i zakładając, że doznała tylko powierzchownych obrażeń, dziwne było, że nadal trzyma się na nogach.

— Co się stało, do licha? — zapytałem.

W rękach trzymała Palm Pilota. W ciemnym wnętrzu samochodu jego ekran wydawał się oślepiająco jasny. Spojrzała nań i powiedziała:

— Jedź siedemnastą na południe. Pospiesz się, nie chcę ich zgubić.

Wrzuciłem wsteczny bieg, wycofałem samochód i wjechałem na autostradę. Sięgnąłem do kieszeni i wyjąłem fiolkę z tabletkami przeciwbólowymi.

— To powinno ci pomóc.

Odkręciła zakrętkę.

— Ile powinnam zażyć?

— Jedną.

Wyjęła tabletkę. Ani na chwilę nie oderwała oczu od ekranu Palm Pilota. Połknęła lekarstwo i podziękowała mi.

— Opowiedz mi, co się stało.

— Ty pierwszy.

Streściłem jej ostatnie wydarzenia. Nadal jechaliśmy szosą numer siedemnaście. Minęliśmy zjazdy do Allendale i Ridgewood. Na ulicach było pusto. Wszystkie sklepy — a tych, człowieku, było tam mnóstwo, tak że cała autostrada wyglądała jak jeden ciąg handlowy — były pozamykane. Rachel słuchała, nie przerywając. Prowadząc, zerknąłem na nią. Krzywiła się z bólu.

Kiedy skończyłem, zapytała:

— Jesteś pewien, że to nie była Tara?

— Tak.

— Dzwoniłam jeszcze raz do mojego człowieka od DNA. Próbki pasują. Nie rozumiem tego.

Ja też nie mogłem tego zrozumieć.

— Co ci się przydarzyło?

— Ktoś na mnie napadł. Obserwowałam cię przez noktowizor. Zobaczyłam, jak zostawiasz torbę z pieniędzmi i odchodzisz. W krzakach była jakaś kobieta. Widziałeś ją?

— Nie.

— Miała broń. Myślę, że zamierzała cię zabić.

— Kobieta?

— Tak.

Nie miałem pojęcia, jak na to zareagować.

— Dobrze jej się przyjrzałaś?

— Nie. Właśnie miałam cię ostrzec, kiedy ten potwór złapał mnie od tyłu. Był niesamowicie silny. Chwycił mnie za kark i podniósł w powietrze. Myślałam, że urwie mi głowę.

— Jezu.

— Na szczęście nadjechał radiowóz. Ten wielkolud przestraszył się. Uderzył mnie — wskazała na podbite oko — i straciłam przytomność. Nie wiem, jak długo leżałam na bruku. Kiedy się ocknęłam, wszędzie roiło się od glin. Skuliłam się w ciemnym kącie. Pewnie mnie nie zauważyli albo wzięli za nocującego tam bezdomnego. Potem sprawdziłam Palm Pilota. Zobaczyłam, że pieniądze przemieszczają się.

— W jakim kierunku?

— Na południe, szli wzdłuż Sto Sześćdziesiątej Ósmej Ulicy. Nagle zatrzymali się. Widzisz, ta zabawka — wskazała na ekran — działa na dwa sposoby. Mogę prowadzić obserwację z odległości nie większej niż czterysta metrów. Jeśli obiekt jest bardziej oddalony, mogę ustalić tylko orientacyjne położenie nadajnika. W tym momencie, biorąc pod uwagę szybkość, z jaką jadą, sądzę, że znajdują się niecałe dziesięć kilometrów przed nami i dalej jadą szosą numer siedemnaście.

— A kiedy zaczęłaś ich obserwować, byli na Sto Sześćdziesiątej Ósmej?

— Zgadza się. A potem zaczęli szybko przemieszczać się w stronę centrum.

Zastanowiłem się.

— Metro — powiedziałem. — Wsiedli do metra na Sto Sześćdziesiątej Ósmej.

— Też tak pomyślałam. Potem ukradłam samochód. Pojechałam do centrum. Byłam już blisko, gdy nagle skręcili na wschód. I co chwila się zatrzymywali.

— Na światłach. Widocznie przesiedli się do samochodu.

Rachel skinęła głową.

— Przejechali po FDR i Harlem River Driver. Próbowałam ich dogonić, ale mi się nie udało. Wyprzedzili mnie o jakieś osiem, dziesięć kilometrów. Resztę już wiesz.

Zwolniliśmy ze względu na nocne roboty drogowe w pobliżu skrzyżowania z szosą numer cztery. Z trzech pasów zrobił się jeden. Zerknąłem na Rachel, na siniaki i opuchliznę, na ślady wielkich palców na jej twarzy. Popatrzyła na mnie i nie odezwała się słowem. Wyciągnąłem rękę i przesunąłem palcami po jej policzku najdelikatniej, jak umiałem. Zamknęła oczy pod wpływem pieszczoty i oboje wiedzieliśmy, że tak ma być. Poczułem, że budzi się we mnie długo uśpione uczucie. Nie odrywałem oczu od tej ślicznej, doskonałej twarzy. Odgarnąłem kosmyk z jej czoła. Łza spłynęła jej po policzku. Położyła dłoń na moim przegubie. Poczułem ciepło rozchodzące się po moim ciele.

Przez moment zapragnąłem — choć wiem, jak to zabrzmi — zapomnieć o wszystkim. Porywacze byli oszustami. Nie odzyskałem córki. Moja żona nie żyła. Ktoś próbował mnie zabić. Powinienem zacząć od nowa. Tym razem miałem szansę ułożyć sobie życie. Miałem ochotę zawrócić i pojechać w przeciwną stronę. Zmierzać prosto przed siebie i nigdy nie zapytać o jej zabitego męża i te fotografie na CD. Mógłbym zapomnieć o tym wszystkim, wiedziałem, że mógłbym. W moim życiu często wykonywałem zabiegi zmieniające nie tylko wygląd ludzi, ale ich całe życie, pomagając im zacząć wszystko od nowa. Teraz też mogłem to zrobić. Prosty lifting. Pierwszym cięciem oddzieliłbym czas poprzedzający tamtą przeklętą prywatkę, usunął czternastoletnią przerwę i połączył z dzisiejszym dniem. Złączył przeszłość z teraźniejszością. Naprawił wszystko. Pozbył się tych czternastu lat, jakby ich nigdy nie było.

Rachel otworzyła oczy i zrozumiałem, że myślała o tym samym. Miała nadzieję, że zrezygnuję i zawrócę. Oczywiście, nie mogłem tego zrobić. Światła się zmieniły. Zdjęła dłoń z mojego przegubu. Zaryzykowałem jeszcze jedno spojrzenie. Nie, nie byliśmy już dwudziestolatkami, ale to nie miało znaczenia. Teraz to zrozumiałem. Wciąż ją kochałem. Irracjonalną, niemądrą, naiwną miłością. Nadal ją kochałem. W ciągu minionych lat wmawiałem sobie, że tak nie jest, ale nigdy nie przestałem jej kochać. Wciąż była taka piękna, taka cudowna. Na myśl o tym, jak niewiele brakowało, by zginęła, zaduszona przez olbrzymiego napastnika, dręczące mnie wątpliwości zaczęły się rozwiewać. Nie znikły zupełnie. Chciałem poznać prawdę. Jednak niezależnie od tego, jaka ona będzie, z pewnością zdołam ją udźwignąć.

— Rachel?

Nagle drgnęła, spojrzawszy na ekran Palm Pilota.

— Co się dzieje? — zapytałem.

— Zatrzymali się — odparła. — Są trzy kilometry przed nami.

31

Steven Bacard odłożył słuchawkę na widełki.

Stoczyłeś się, pomyślał. Tylko na chwilę przekroczyłeś niewidoczną linię. Zaraz wróciłeś na właściwą drogę. I czułeś się bezpieczny. Uważałeś, że udało ci się wszystko naprawić. Ta linia nadal tam jest. Nietknięta. No dobrze, może pozostał na niej słaby ślad, ale wciąż ją dostrzegasz. Nawet jeśli przekroczysz ją znowu i zatrze się jeszcze trochę. Przecież znasz drogę. Obojętnie co się stanie z tą granicą, pamiętasz, gdzie ona przebiega.

No nie?

Nad dobrze zaopatrzonym barkiem w gabinecie Stevena Bacarda wisiało lustro. Dekorator wnętrz upierał się, że każdy człowiek sukcesu powinien mieć miejsce, w którym może wznieść toast za swoje powodzenie. Tak więc umieścił tu barek. Chociaż Steven Bacard nie pił. Teraz popatrzył na swoje odbicie w lustrze i pomyślał, nie po raz pierwszy w życiu: przeciętny. Zawsze był przeciętny. Takie były jego stopnie w szkole, wyniki SAT i LSAT, oceny na studiach prawniczych i sukcesy zawodowe (zdał egzamin specjalizacyjny za trzecim podejściem). Gdyby życie było meczem piłki nożnej, w którym kapitanowie dobierają sobie graczy, on byłby wybierany w drugiej kolejności, po dobrych zawodnikach i przed kiepskimi, w tym anonimowym tłumie.

Bacard został prawnikiem, ponieważ wierzył, że ten dyplom zapewni mu prestiż. Tak się nie stało. Nikt nie korzystał z jego usług. W pobliżu sądu Paterson wynajął nędzne biuro, które dzielił z adwokatem specjalizującym się w załatwianiu kaucji. Namawiał ofiary wypadków do procesów o odszkodowania, ale nawet w tym wilczym stadzie niczym się nie wyróżniał. Zdołał ożenić się z kobietą z nieco lepszej sfery, o czym zresztą nieustannie mu przypominała.

Natomiast pod jednym względem odbiegał od średniej — znacznie ją zaniżając — a mianowicie jakością swojej spermy. Chociaż starał się jak mógł — a Dawn, jego żona, niespecjalnie lubiła te starania — nie mógł zapłodnić swojej małżonki. Po czterech latach próbowali ubiegać się o adopcję. I znów Steven Bacard był jednym z tłumu niczym niewyróżniających się chętnych, co niemal uniemożliwiało adopcję, której bardzo pragnęła Dawn. Pojechali razem do Rumunii, lecz jedyne dzieci, jakie tam były osiągalne, okazały się o wiele za duże lub upośledzone.

Jednak właśnie tam, za morzem i w tym opuszczonym przez Boga miejscu, Steven Bacard wpadł na pomysł, który po trzydziestu ośmiu latach wyróżnił go z tłumu.

— Jakiś problem, Steven?

Drgnął, słysząc ten głos. Odwrócił się tyłem do lustra. W cieniu stała Lydia.

— Patrzeć tak w lustro — powiedziała, kończąc to drwiącym cmokaniem. — Czy to atak narcyzmu?

Bacard nie zdołał się opanować. Zadrżał. Nie tylko na widok Lydii, choć prawdę mówiąc, ona często tak na niego działała. Rozmowa telefoniczna wytrąciła go z równowagi, a nagłe pojawienie się Lydii jeszcze pogłębiło ten stan. Nie miał pojęcia, jak tutaj weszła ani jak długo tak stała. Chciał zapytać, poznać wszystkie szczegóły. Jednak nie było na to czasu.

— Istotnie mamy problem — powiedział.

— Mów.

Jej oczy przejmowały go dreszczem. Były wielkie, jasne

i piękne, a mimo to wyczuwało się za nimi pustkę, lodowatą otchłań jak za oknami od dawna niezamieszkanego domu. To, co Bacard odkrył podczas pobytu w Rumunii i co w końcu pozwoliło mu wyrwać się z anonimowego tłumu, to sposób na pokonanie systemu. Nagle, po raz pierwszy w życiu, Bacard płynął na fali. Przestał uganiać się za klientami. Sami go szukali. Zaczęto go zapraszać na imprezy charytatywne. Stał się rozchwytywanym mówcą. Jego żona, Dawn, zaczęła się do niego uśmiechać i pytać, jak mu minął dzień. Nawet występował w południowych wiadomościach lokalnej telewizji, kiedy stacja chciała zasięgnąć opinii prawnika w jakiejś sprawie. Przestał to robić, gdy wspólnik zza morza zwrócił mu uwagę, że nadmiar popularności może być niebezpieczny. Ponadto nie musiał już werbować klientów. Sami go znajdowali, ci rodzice liczący na cud. Zrozpaczeni, ciągnęli do niego jak rośliny szukające promyka słońca w ciemności. A on, Steven Bacard, był tym promykiem.

Wskazał na aparat.

— Przed chwilą otrzymałem telefon.

— I?

— W pieniądzach z okupu jest pluskwa.

— Przełożyliśmy je do innej torby.

— Nie chodzi o torbę. W pieniądzach był nadajnik. Chyba między banknotami.

Lydia spochmurniała.

— Twój informator nie wiedział o tym wcześniej?

— Mój informator nie wiedział o tym aż do tej chwili.

— Chcesz mi powiedzieć — wycedziła — że policja dokładnie wie, gdzie jesteśmy?

— To nie policja — powiedział. — Pluskwa nie została podłożona przez policjantów czy federalnych.

To trochę zaskoczyło Lydię. Po chwili kiwnęła głową.

— Doktor Seidman.

— Niezupełnie. Pomaga mu kobieta o nazwisku Rachel Mills. To była agentka FBI.

266

Lydia uśmiechnęła się, jakby to coś wyjaśniało.

— I ta Rachel Mills, ta była agentka, to ona podłożyła pluskwę?

— Tak.

— I teraz nas tropi?

— Nikt nie wie, gdzie ona teraz jest — odparł Bacard. — I nikt nie wie, gdzie podział się doktor Seidman.

— Hm.

— Policja uważa, że ta Mills jest w to zamieszana.

Lydia zdziwiła się.

— Myślą, że jest zamieszana w porwanie dziecka?

— I zamordowała Monicę Seidman.

To spodobało się Lydii. Uśmiechnęła się i Bacardowi znów dreszcz przebiegł po plecach.

— A zrobiła to, Stevenie?

— Nie wiem — wykrztusił.

— Niewiedza jest błogosławieństwem, prawda?

Bacard wolał nie odpowiadać.

— Masz ten rewolwer?

Zdrętwiał.

— Co?

— Broń Seidmana. Masz go?

To nie podobało się Bacardowi. Odniósł wrażenie, że tonie. Już chciał skłamać, ale spostrzegł wyraz jej oczu.

— Tak.

— Przynieś go — rozkazała. — A co z Pavlem? Miałeś od niego jakieś wiadomości?

— Nie podoba mu się to wszystko. Chce wiedzieć, co się dzieje.

— Zadzwonimy do niego z samochodu.

— My?

— Tak. A teraz pospiesz się, Stevenie.

— Mam jechać z tobą?

— Właśnie.

— Co chcesz zrobić?

Lydia przyłożyła palec do ust.
— Cii — powiedziała. — Mam plan.

— Znowu ruszyli — powiedziała Rachel.
— Na jak długo się zatrzymali? — zapytałem.
— Mniej więcej pięć minut. Mogli spotkać się z kimś i przekazać pieniądze. Albo po prostu zatankować benzynę. Skręć tu w prawo.
Zjechaliśmy z szosy numer trzy i pojechaliśmy Centuro Road. W oddali majaczył stadion Giants. Kiedy przejechaliśmy około półtora kilometra, Rachel wskazała ręką.
— Byli gdzieś tam.
Tablica głosiła METROVISTA, a parking ciągnął się w nieskończoność, znikając w odległych moczarach. MetroVista była klasycznym nowojorskim kompleksem biurowym, wzniesionym podczas boomu lat osiemdziesiątych. Smukłe budynki jak z filmu science fiction, z setkami biur, zimnych i bezosobowych, z nazbyt licznymi oknami z barwionego szkła, przepuszczającymi za mało słońca. Z ich wnętrza dochodziło popiskiwanie jarzeniówek, a jeśli nawet nie było słychać brzęczenia ludzkiego roju, to łatwo można było je sobie wyobrazić.
— Nie zatrzymali się, żeby zatankować — zauważyła Rachel.
— Co robimy?
— Jedyne co możemy — odpowiedziała. — Jedziemy za pieniędzmi.

Heshy i Lydia skierowali się na zachód, w kierunku Garden State Parkway. Steven Bacard jechał za nimi swoim samochodem. Lydia rozrywała paczki banknotów. Minęło dziesięć minut, zanim znalazła nadajnik. Wyjęła go z otworu wyciętego w banknotach.
Pokazała go Heshy'emu.

— Sprytnie — rzekł. — Chyba wychodzimy z wprawy.

— Nikt nie jest doskonały, Misiaczku.

Heshy nie odpowiedział. Lydia otworzyła okno. Wystawiła rękę i dała Bacardowi znak, żeby jechał za nimi. Pomachał do niej, że zrozumiał. Kiedy przystanęli przy kasach, Lydia pospiesznie cmoknęła Heshy'ego w policzek i wysiadła z samochodu. Wzięła ze sobą pieniądze.

Teraz Heshy został sam i tylko z nadajnikiem. Jeśli ta cała Rachel nadal ich śledzi lub jeśli policja zwietrzyła, co się dzieje, spróbują zatrzymać Heshy'ego. Wtedy on wyrzuci nadajnik. Oczywiście znajdą tę pluskwę, ale nie będą w stanie udowodnić, że to on wyrzucił ją z samochodu. A nawet gdyby zdołali, co z tego? Przeszukają Heshy'ego, jego samochód i niczego nie znajdą. Ani dzieciaka, ani listu z żądaniem okupu, ani pieniędzy. Był czysty.

Lydia podbiegła do samochodu Stevena Bacarda i wsiadła do środka.

— Masz Pavla na linii? — zapytała.

— Tak.

Wzięła od niego telefon. Pavel zaczął wrzeszczeć w tym swoim niezrozumiałym języku. Poczekała, aż zamilknie, a potem powiedziała mu, gdzie się spotkają. Gdy Bacard usłyszał adres, gwałtownie odwrócił głowę. Uśmiechnęła się. Pavlowi, oczywiście, ta lokalizacja nic nie mówiła, ale czemu miałoby być inaczej? Awanturował się jeszcze przez chwilę, ale w końcu uspokoił się i powiedział, że tam będzie. Rozłączyła się.

— Chyba nie mówiłaś poważnie — rzekł Bacard.

— Cii.

Jej plan był bardzo prosty. Lydia i Bacard pojadą szybko na miejsce spotkania, podczas gdy Heshy nie będzie się spieszył. Kiedy Lydia zajmie stanowisko i przygotuje się, zawiadomi go przez telefon komórkowy. Wtedy i dopiero wtedy Heshy uda się na miejsce spotkania. Będzie miał ze sobą nadajnik. Lydia liczyła na to, że ta cała Rachel Mills pojedzie za nim.

Po dwudziestu minutach samochód, w którym jechała z Ba-

cardem dotarł na miejsce. Lydia zauważyła zaparkowany przecznicę dalej samochód. Domyśliła się, że przyjechał nim Pavel.
Skradziona toyota celica. Nie spodobało jej się to. Europejskie
samochody zaparkowane na podmiejskich uliczkach rzucają
się w oczy. Zerknęła na Stevena Bacarda. Był trupioblady.
W ciemnym wnętrzu samochodu jego twarz wydawała się
oderwana od ciała. Wyczuwała odór jego strachu. Zaciskał
palce na kierownicy. Bacard nie chciał mieć z tym nic wspólnego. Gdyby był przy tym obecny, stałby się współwinnym.

— Tu możesz mnie wysadzić — powiedziała.

— Chcę wiedzieć — wykrztusił — co zamierzasz zrobić.

Tylko na niego spojrzała.

— Mój Boże.

— Oszczędź mi udawanego oburzenia.

— Mieliśmy nikomu nie robić krzywdy.

— Na przykład Monice Seidman?

— Nie mieliśmy z tym nic wspólnego.

Lydia pokręciła głową.

— Albo jego siostrze, jak jej było, Stacy Seidman?

Bacard otworzył usta, jakby chciał się sprzeczać. Potem
pochylił głowę. Wiedziała, co zamierzał powiedzieć. Stacy
Seidman była narkomanką. Była balastem, zagrożeniem, a poza
tym i tak sama się zabijała — tak chciał się usprawiedliwiać.
Tacy jak Bacard potrzebują usprawiedliwień. On uważał, że nie
handluje dziećmi. Wierzył, że pomaga ludziom. A jeśli przy
okazji zarabiał pieniądze — mnóstwo pieniędzy — i łamał
prawo, to cóż, przecież podejmował ogromne ryzyko, żeby
lepiej żyć. Czy nie należała mu się za to solidna rekompensata?

Lydia jednak nie miała ochoty zgłębiać jego psychiki ani go
pocieszać. W samochodzie policzyła pieniądze. On ją wynajął.
Jej udział wynosił milion dolarów. Bacard brał drugi milion.
Zarzuciła na ramię torbę z pieniędzmi należącymi do niej —
i Heshy'ego. Wysiadła z samochodu. Steven Bacard patrzył
prosto przed siebie. Nie odmówił przyjęcia pieniędzy. Nie
zawołał, żeby wróciła, i nie powiedział jej, że umywa ręce. Na

fotelu obok niego leżał milion dolarów. Bacard potrzebował tych pieniędzy. Jego rodzina miała teraz wielki dom w Alpine. Jego dzieci chodziły do prywatnej szkoły. Dlatego Bacard nie wycofał się. Patrząc prosto przed siebie, pojechał ulicą.

Kiedy odjechał, Lydia wezwała Pavla, posługując się telefonem komórkowym jak krótkofalówką. Pavel wyszedł zza krzaków rosnących wzdłuż ulicy. Wciąż miał na sobie tę flanelową koszulę. Szedł rozkołysanym krokiem. Jego uzębienie mocno ucierpiało w wyniku wieloletniego palenia papierosów i braku należytej troski. Miał nos jak bokser. Był bałkańskim kryminalistą. Wiele widział w życiu. To jednak nie miało żadnego znaczenia. Jeśli nie wiesz, co się dzieje, jesteś na przegranej pozycji.

— Ty — prychnął gniewnie. — Ty mi nie mówić.

Pavel miał rację. Ona mu nie mówić. Innymi słowy, nie miał o niczym pojęcia. Jego angielszczyzny nie można było nazwać nawet łamaną i dlatego był idealnym wykonawcą tej roboty. Przed dwoma laty przyjechał tu z Kosowa, razem z ciężarną kobietą. Podczas pierwszego podjęcia okupu otrzymał dokładne instrukcje. Kazano mu czekać, aż opisany samochód wjedzie na parking, podejść do wozu, nie odzywając się do kierowcy, wziąć od niego torbę i wsiąść do furgonetki. Och, i żeby zmylić obserwatorów, miał trzymać w ręku telefon i udawać, że coś do niego mówi.

I tyle.

Pavel nie wiedział, kim jest Marc Seidman. Nie wiedział, co jest w torbie, że chodzi o porwanie i okup, nie wiedział nic. Nie nosił rękawiczek — jego odcisków palców nie było w żadnej amerykańskiej kartotece — i nie miał żadnych dokumentów.

Zapłacili mu dwa tysiące dolarów i odesłali z powrotem do Kosowa. W oparciu o dość dokładny opis Seidmana, policja sporządziła rysopis człowieka, którego praktycznie nie można było znaleźć. Kiedy postanowili ponownie zażądać okupu, znowu wykorzystali Pavla jako wykonawcę. Miał być identycznie ubrany i wyglądać tak samo, żeby namieszać Seidmanowi w głowie na wypadek, gdyby doktorek tym razem chciał się stawiać.

Mimo wszystko Pavel był realistą. Potrafił się przystosować. W Kosowie zajmował się stręczycielstwem. Pod przykrywką nocnych klubów kwitł tam w najlepsze handel żywym towarem, chociaż Bacard wymyślił lepszy sposób wykorzystania tamtejszych kobiet. Pavel, przyzwyczajony do nagłych zmian sytuacji, zrobi, co będzie trzeba. Trochę stawiał się Lydii, ale przestał, gdy dostał kolejny zwitek banknotów — razem pięć tysięcy. Już się nie spierał. Teraz pozostała tylko kwestia, jak to przeprowadzić.

Dała Pavlowi broń. Umiał się nią posługiwać.

Usiadł na ziemi w pobliżu podjazdu, utrzymując łączność przez telefon. Lydia zadzwoniła do Heshy'ego i powiedziała mu, że są gotowi. Piętnaście minut później Heshy przejechał obok nich. Wyrzucił przez okno nadajnik. Lydia złapała pluskwę i posłała mu całusa. Heshy pojechał dalej. Lydia poszła z nadajnikiem na podwórze za domem. Wyjęła pistolet i czekała.

Nocny chłód zaczął pokrywać ziemię poranną rosą. Poczuła znajome mrowienie, żywsze krążenie krwi w żyłach. Wiedziała, że Heshy jest niedaleko. Chciał się przyłączyć, ale to była jej gra. Na ulicy panowała cisza. Była czwarta rano.

Pięć minut później usłyszała nadjeżdżający samochód.

32

Coś tu było nie tak.

Ulice stały się tak znajome, że ledwie je zauważałem. Byłem zdenerwowany i spięty, prawie nie czułem bólu potłuczonych żeber. Rachel wpatrywała się w Palm Pilota. Pisakiem zmieniała ekrany i przechylając głowę, oglądała je pod różnymi kątami. Poszperała w kieszeni przy fotelu i wyjęła atlas drogowy Zii. Trzymając w zębach zakrętkę flamastra, zaczęła wykreślać trasę, chyba próbując znaleźć jakąś prawidłowość. A może tylko chciała zyskać na czasie, odwlekając nieuchronne pytanie.

Cicho wymówiłem jej imię. Zerknęła na mnie i znów zapatrzyła się w ekran.

— Czy wiedziałaś o tej płytce kompaktowej, zanim tu przyjechałaś?

— Nie.

— Były na niej zdjęcia, ukazujące cię przed szpitalem, w którym pracuję.

— Tak mi mówiłeś.

Znów zmieniła ekran.

— Czy te zdjęcia są prawdziwe?

— Prawdziwe?

— Pytam, czy nie zostały zmontowane cyfrowo lub w jakiś inny sposób, czy też naprawdę dwa lata temu byłaś przed moim szpitalem.

Rachel nie podniosła głowy, ale kątem oka zauważyłem, że zgarbiła się jeszcze bardziej.

— Zgadza się — powiedziała. — To tam.

Byliśmy już na Glen Avenue. Poczułem się nieswojo. Po lewej była moja dawna szkoła średnia. Przebudowali ją cztery lata temu, dodając siłownię, basen i drugą salę gimnastyczną. Fasadę pokryto sztuczną patyną i puszczono po niej bluszcz, w wyniku czego nabrała szacownego wyglądu, który miał przypominać młodzieży Kasselton, czego się po niej oczekuje.

— Rachel?

— Te zdjęcia to nie fotomontaż, Marc.

Skinąłem głową. Sam nie wiem dlaczego. Może chciałem zyskać na czasie. Wypływałem na niebezpieczne, nieoznakowane wody. Wiedziałem, że odpowiedzi na moje pytania mogą wszystko zmienić, postawić na głowie wtedy, gdy miałem nadzieję odzyskać spokój ducha.

— Sądzę, że powinnaś mi to wyjaśnić — powiedziałem.

— Masz rację. — Nadal pochylała się nad ekranem. — Jednak nie teraz.

— Owszem, właśnie teraz.

— Musimy się skupić na tym, co robimy.

— Nie wciskaj mi kitu. Po prostu jedziemy samochodem. Mogę robić dwie rzeczy jednocześnie.

— Może — powiedziała cicho. — Ja nie.

— Rachel, co robiłaś przed szpitalem?

— Tu.

— Co tu?

Zbliżaliśmy się do sygnalizacji świetlnej przy Kasselton Avenue. O tak wczesnej porze paliły się tylko pomarańczowe światła. Zmarszczyłem brwi i spojrzałem na Rachel.

— Którędy?

— W prawo.

Krew zmieniła mi się w lód.

— Nie rozumiem.

— Ich samochód znowu stanął.

274

— Gdzie?

— Jeśli dobrze odczytuję wskazania — powiedziała Rachel, w końcu podnosząc głowę i napotykając moje spojrzenie — są w twoim domu.

Skręciłem w prawo. Rachel już nie musiała mnie pilotować. Nadal wpatrywała się w ekran. Znajdowaliśmy się teraz niecałe półtora kilometra od mojego domu. Rodzice jechali tędy do szpitala w dniu, kiedy przyszedłem na świat. Zastanawiałem się, ile razy przebyłem tę trasę od tego czasu. Dziwna myśl, ale umysł lubi podążać własnymi drogami.

Skręciłem w prawo na Monroe. Po lewej stał dom moich rodziców. Oczywiście, światła w nim były zgaszone, oprócz lampy na parterze. Była podłączona za pomocą wyłącznika czasowego. Paliła się codziennie od siódmej wieczorem do piątej rano. Wkręciłem w nią jedną z tych długowiecznych, energooszczędnych żarówek, które wyglądają jak lody w rożku. Mama chwaliła się, że to była wspaniała inwestycja. Ponadto wyczytała gdzieś, że grające radio to dobry sposób na odstraszenie włamywacza, miała więc bez przerwy włączony stary odbiornik, nastawiony na jakąś stację nadającą programy publicystyczne. Rzecz w tym, że mama nie mogła zasnąć przy grającym radiu, więc ściszała je tak bardzo, że włamywacz musiałby przyłożyć do niego ucho, żeby coś usłyszeć.

Już miałem skręcić w moją uliczkę, Darby Terrace, kiedy Rachel powiedziała:

— Zwolnij.

— Ruszyli się?

— Nie. Sygnał nadal dochodzi z twojego domu.

Spojrzałem wzdłuż ulicy. Zacząłem się zastanawiać.

— Jechali tutaj dość krętą drogą.

Kiwnęła głową.

— Zauważyłam.

— Może znaleźli twój nadajnik — zauważyłem.

— Też tak sobie pomyślałam.

Samochód wolno toczył się naprzód. Byliśmy teraz przed domem Citronów, dwa domy od mojego. U mnie nie paliło się żadne światło, nawet lampka w salonie. Rachel przygryzła dolną wargę. Znajdowaliśmy się już przed domem Kadisonów i dojeżdżaliśmy do mojego podjazdu. Była to jedna z tych sytuacji, o których ludzie mówią, że „jest zbyt spokojnie", jakby świat zamarł, jakby wszystko co widzisz, każde żywe stworzenie, próbowało znieruchomieć.

— To na pewno zasadzka — powiedziała.

Już miałem zapytać ją, co robić — wycofać wóz, zaparkować i podejść do domu, wezwać na pomoc policję — kiedy pierwsza kula rozbiła przednią szybę. Odłamki szkła obsypały mi twarz. Usłyszałem jęk bólu. Instynktownie pochyliłem się i osłoniłem twarz przedramieniem. Spojrzałem na nie i zobaczyłem krew.

— Rachel!

Drugi pocisk przeleciał tak blisko, że podmuch musnął mi włosy. Kula uderzyła w oparcie fotela, czemu towarzyszył głuchy łoskot, jakby ktoś rąbnął pięścią w poduszkę. Instynkt znów przejął kontrolę nad moim ciałem. Jednak tym razem wytyczył mu pewien cel. Nadepnąłem pedał gazu. Samochód pomknął naprzód.

Ludzki umysł to zdumiewający narząd. Żaden komputer nie może się z nim równać. Potrafi przetworzyć milion impulsów w jednej setnej sekundy. Chyba właśnie tak się stało. Kuliłem się za kierownicą. Ktoś do mnie strzelał. Podświadomość nakazywała ucieczkę, lecz jakiś znacznie bardziej pierwotny instynkt znalazł lepsze rozwiązanie.

Ten proces myślowy trwał — w sporym przybliżeniu — najwyżej jedną dziesiątą sekundy. Przydepnąłem pedał gazu. Zapiszczały opony. Pomyślałem o moim domu, o jego znajomym otoczeniu i kierunku, z którego padły strzały. Tak, wiem jak to brzmi. Może strach przyspiesza działanie umysłu, nie mam pojęcia, ale w mgnieniu oka zrozumiałem, że gdybym to ja strzelał, ukryłbym się za krzakami odgradzającymi moją posesję od terenu mieszkających obok Christie. Te krzewy były wysokie, gęste i rosły tuż przy podjeździe. Gdybym z rozpędem wjechał na podjazd, morderca mógłby zastrzelić nas przez okno od strony pasażera. Ponieważ zawahałem się i zamachowiec zobaczył, że możemy zawrócić, spróbował strzelać przez przednią szybę — z nieco gorszej pozycji.

Wyjrzałem znad deski rozdzielczej, obróciłem kierownicę i skierowałem samochód prosto w te krzaki.

Trzecia kula zrykoszetowała z wizgiem, odbiwszy się od czegoś metalowego, zapewne osłony chłodnicy. Rzuciłem okiem na Rachel i w mojej pamięci utrwalił się następujący obraz: bezwładnie leżała na fotelu, przyciskając dłoń do boku głowy i krew ciekła spomiędzy jej palców. Serce podeszło mi do gardła, ale nie zdjąłem stopy z pedału. Zacząłem poruszać głową na boki, jakbym w ten sposób chciał utrudnić celowanie mordercy.

Reflektory oświetliły krzaki.

Zobaczyłem kraciastą flanelę.

Nagle coś się ze mną stało. Mówiłem już o cienkiej granicy między zdrowym rozsądkiem a szaleństwem, którą czasem przekraczałem. W takich wypadkach popadałem w apatię. Tym razem wpadłem w szał. Mocniej nadepnąłem pedał gazu, prawie do podłogi. Usłyszałem krzyk przerażenia. Mężczyzna we flanelowej koszuli próbował uskoczyć w prawo.

Byłem na to przygotowany.

Błyskawicznie skręciłem kierownicę, jak na zawodach gruchotów. Rozległ się głośny trzask i łoskot uderzenia. Potrącony wrzasnął. Samochód wpadł na kępę krzaków i zatrzymał się. Rozejrzałem się, szukając mężczyzny we flanelowej koszuli. Nie było go. Chwyciłem za klamkę, szykując się do otwarcia drzwi i pościgu, kiedy usłyszałem głos Rachel.

— Nie!

Zamarłem. Żyła!

Wyciągnęła rękę i wrzuciła wsteczny bieg.

— Wycofaj wóz!

Usłuchałem. Nie wiem, co chciałem zrobić. Ten człowiek

był uzbrojony. Ja nie. Chociaż go potrąciłem, nie wiedziałem, czy zginął, czy tylko został ranny.

Wycofałem samochód. Zauważyłem, że na mojej spokojnej podmiejskiej uliczce zrobiło się jasno. Strzały i pisk opon nie należą do często słyszanych dźwięków na Darby Terrace. Ludzie obudzili się i pozapalali światła. Z pewnością dzwonili już na 911.

Rachel usiadła. Poczułem ulgę. W jednej ręce trzymała broń. Drugą nadal przyciskała do rany.

— Moje ucho — powiedziała i moje myśli znowu podążyły dziwnym torem, bo zacząłem się zastanawiać, jaki rodzaj zabiegu wykonam, żeby naprawić uszkodzenie.

— Tam! — zawołała.

Odwróciłem głowę. Mężczyzna we flanelowej koszuli kuśtykał po podjeździe. Pokręciłem kierownicą, oświetlając go reflektorami samochodu. Zniknął za narożnikiem budynku. Spojrzałem na Rachel.

— Wycofaj się — powiedziała. — Nie ma pewności, że jest sam.

Zrobiłem to.

— I co teraz?

Rachel ścisnęła broń, a drugą ręką chwyciła klamkę.

— Zostań tu.

— Oszalałaś?

— Nie wyłączaj silnika i nie wysiadaj z wozu. Niech myślą, że oboje jesteśmy w środku. Podkradnę się do nich.

Zanim zdążyłem zaprotestować, wyślizgnęła się z samochodu. Chociaż krew wciąż spływała jej po policzku, Rachel pobiegła w ciemność. Tak jak mi kazała, zostałem w samochodzie i — czując się jak kompletny przygłup — co chwilę podjeżdżałem metr do przodu, a potem cofałem.

Po kilku sekundach straciłem Rachel z oczu.

Po kilku następnych usłyszałem dwa kolejne strzały.

Lydia widziała wszystko ze swojego stanowiska na tyłach domu. Pavel za wcześnie otworzył ogień. Popełnił błąd. Schowana

278

za stertą drewna na opał, Lydia nie mogła dojrzeć, kto siedział za kierownicą. Jednak była pod wrażeniem. Kierowca nie tylko wypłoszył Pavla z kryjówki, ale jeszcze zdołał go potrącić.

Pavel utykając, wszedł w jej pole widzenia. Mimo ciemności Lydia zdołała dostrzec krew na jego twarzy. Podniosła rękę i przywołała go. Pavel upadł i zaczął się czołgać. Lydia bacznie obserwowała podjazd. Będą musieli podejść od frontu. Za plecami miała płot. Z rozmysłem wybrała miejsce w pobliżu tylnej furtki sąsiadów na wypadek, gdyby musiała uciekać.

Pavel z trudem pełzł ku niej. Ponagliła go, nadal obserwując podjazd. Zastanawiała się, jak ta była agentka zechce to rozegrać. Okoliczni mieszkańcy już się pobudzili. W domach zapalały się światła. Policja na pewno jest już w drodze.

Lydia powinna się pospieszyć.

Pavel dotarł do niej i wtoczył się za stertę drewna. Przez moment leżał na plecach. Oddech miał bulgoczący i świszczący. Po chwili zdołał się podnieść. Klęknął obok Lydii i spojrzał na podjazd. Skrzywił się i powiedział:

— Złamać noga.

— Zajmiemy się tym — powiedziała. — Gdzie twoja broń?

— Upuściłem.

Nie do wytropienia, pomyślała. Żaden problem.

— Mam dla ciebie inną — powiedziała. — Pilnuj.

Pavel kiwnął głową. Wpatrywał się w mrok.

— Co jest? — spytała Lydia. Przysunęła się do niego.

— Nie wiedzieć.

Lydia przytknęła lufę pistoletu do płytkiego zagłębienia za lewym uchem zapatrzonego Pavla. Nacisnęła spust i wpakowała mu dwie kule w głowę. Pavel runął na ziemię jak marionetka, której poprzecinano sznurki.

Lydia spojrzała na niego. Może tak będzie lepiej. Plan B i tak był chyba lepszy od planu A. Gdyby Pavel zabił tę kobietę, byłą agentkę FBI, sprawa wcale by się na tym nie zakończyła. Zapewne jeszcze intensywniej szukaliby mężczyzny we flanelowej koszuli. Nadal prowadziliby dochodzenie. Nie zamknęliby śledztwa. A tak, skoro Pavel nie żył — zastrzelony z broni użytej w trakcie napadu na dom Seidmanów — policja dojdzie do wniosku, że za wszystkim stoi Rachel Mills lub Seidman albo oboje. Zostaną aresztowani. Może nie postawią ich przed sądem, ale to nieistotne. Policja przestanie szukać innych sprawców. Teraz będą mogli zniknąć z pieniędzmi.

Sprawa zamknięta.

Nagle Lydia usłyszała pisk opon. Cisnęła broń na podwórko sąsiadów. Nie chciała zostawiać jej w zbyt widocznym miejscu. To byłoby nazbyt oczywiste. Pospiesznie przetrząsnęła kieszenie Pavla. Oczywiście, znalazła pieniądze, zwitek banknotów, który przed chwilą mu dała. Zostawiła je. Jeszcze jeden dowód, który zamykał sprawę.

Poza pieniędzmi nie znalazła przy nim niczego — ani portfela, ani skrawka papieru czy czegokolwiek, co umożliwiłoby jego identyfikację. Pod tym względem Pavel okazał się profesjonalistą. W kolejnych oknach zapalały się światła. Trzeba się spieszyć. Lydia wstała.

— FBI! Rzuć broń!

Niech to szlag! Kobiecy głos. Lydia strzeliła w kierunku, z którego dochodził, i z powrotem uskoczyła za stertę drewna. W jej kierunku posypały się strzały. Nie mogła wychylić głowy. I co teraz? Wciąż ukryta za stosem drewna, Lydia wyciągnęła rękę i przesunęła rygiel furtki.

— W porządku! — zawołała. — Poddaję się!

Poderwała się z ziemi i otworzyła ogień. Najszybciej jak mogła, naciskała spust pistoletu, strzelając na oślep. Huk wystrzałów prawie ją ogłuszył. Nie wiedziała, czy tamta odpowiedziała ogniem, czy nie. Raczej nie. Nie było czasu na rozważania. Furtka była otwarta. Lydia pobiegła co sił w nogach.

Trzydzieści metrów dalej Heshy czekał na nią na podwórku sąsiadów. Spotkali się. Nisko pochyleni, przebiegli pod osłoną niedawno przyciętego żywopłotu. Heshy był dobry. Zawsze starał się przygotować na najgorsze. Jego samochód stał ukryty w zaułku dwie przecznice dalej.

Kiedy znaleźli się w bezpiecznej odległości, Heshy zapytał:

— Dobrze się czujesz?

— Świetnie, Misiaczku. — Nabrała tchu, zamknęła oczy i wygodnie wyciągnęła się w fotelu. — Po prostu świetnie.

Dopiero kiedy znaleźli się w pobliżu autostrady, Lydia zaczęła się zastanawiać, co się stało z telefonem komórkowym Pavla.

W pierwszej chwili, oczywiście, wpadłem w panikę.

Otworzyłem drzwi, żeby ruszyć w pogoń, ale w końcu mój umysł z powrotem przejął nade mną kontrolę. Odwaga, a nawet ryzykanctwo to jedno, a samobójstwo to drugie. Nie miałem broni. Rachel była uzbrojona i jej przeciwnik też. Ruszając jej z pomocą bez broni, postąpiłbym co najmniej nierozważnie.

Mimo to nie mogłem siedzieć bezczynnie.

Zamknąłem drzwi samochodu. Ponownie nadepnąłem na pedał gazu. Samochód ruszył naprzód. Zakręciłem kierownicą i przemknąłem przez trawnik przed domem. Strzały padły na tyłach domu. Skierowałem tam samochód. Przejechałem po rabatach i krzewach. Były tu tak długo, że prawie się tym przejąłem.

Światła reflektorów przeszyły mrok. Skręciłem w prawo w nadziei, że zdołam ominąć wielki wiąz. Nic z tego. Rósł zbyt blisko domu. Nie mogłem tędy przejechać. Wrzuciłem wsteczny bieg. Koła przez sekundę czy dwie buksowały na mokrym trawniku. Ruszyłem w kierunku granicy posiadłości sąsiadów. Przewróciłem ich nową ławeczkę. Bill Christie będzie wściekły.

Wjechałem na tylny dziedziniec. Światła przesunęły się po płocie Grossmanów. Obróciłem kierownicę w prawo. Wtedy ją zobaczyłem. Zahamowałem. Rachel stała przy stercie drewna. Było tutaj, kiedy kupiliśmy ten dom. Nie zużyliśmy ani jednego polana. Zapewne było spróchniałe i pełne robactwa. Grossmanowie narzekali, że leży tak blisko ich ogrodzenia, że korniki zaczną toczyć ich płot. Obiecałem pozbyć się tego drewna, ale jeszcze się do tego nie zabrałem.

Rachel trzymała w ręku broń i celowała w dół. Mężczyzna

we flanelowej koszuli leżał u jej stóp, jak kupka zmiętych łachmanów. Nie musiałem opuszczać bocznej szyby. Przednia znikła — rozbita przez kule. Wokół panowała cisza. Rachel podniosła rękę i pomachała do mnie, dając znać, że wszystko w porządku. Pospiesznie wysiadłem z wozu.

— Zastrzeliłaś go? — zapytałem, prawie retorycznie.

— Nie — powiedziała.

Facet nie żył. Nie trzeba być lekarzem, żeby to stwierdzić. Miał odstrzelony tył głowy. Tkanka mózgowa, gęsta i różowo-biała, opryskała stertę drewna. Nie jestem ekspertem od balistyki, ale rana była ogromna. Albo trafiła go kula dużego kalibru, albo strzał padł z bardzo bliska.

— Nie był sam — powiedziała Rachel. — Zastrzelili go i uciekli przez tę furtkę.

Spoglądałem na niego. Znów wpadłem we wściekłość.

— Co to za jeden?

— Przeszukałam mu kieszenie. Miał przy sobie zwitek banknotów, ale żadnych dokumentów.

Miałem chęć kopnąć trupa. Potrząsnąć nim i zapytać, co zrobił z moją córką. Patrzyłem na jego twarz i zastanawiałem się, jak się tu znalazł, dlaczego przecięły się nasze drogi. Nagle zauważyłem coś dziwnego.

Przechyliłem głowę.

— Marc?

Przyklęknąłem. Substancja mózgowa nie robiła na mnie wrażenia. Tak samo jak odłamki kości i krwawe strzępy tkanek. Widziałem gorsze obrażenia. Obejrzałem jego nos. Był całkiem płaski. Pamiętałem go z poprzedniego spotkania. Bokser, pomyślałem. Albo awanturnik, który brał udział w wielu bójkach. Głowę miał odchyloną pod dziwnym kątem. Usta otwarte. Właśnie one przyciągnęły mój wzrok.

Włożyłem dłoń do jego ust i otworzyłem je szerzej.

— Co robisz, do licha? — spytała Rachel.

— Masz latarkę?

— Nie.

Nieważne. Uniosłem jego głowę i skierowałem ustami w stronę samochodu. Reflektory dawały dość światła. Teraz mogłem przyjrzeć się temu dokładnie.

— Marc?

— Zawsze zastanawiało mnie to, że pokazał mi swoją twarz. — Nachyliłem się nad nim, starając się nie zasłaniać światła. — We wszystkich innych sprawach byli tacy ostrożni. Zniekształcony głos, ukradzione oznakowanie furgonetki, przerobione tablice rejestracyjne. A mimo to pokazał mi swoją twarz.

— O czym ty mówisz?

— Myślałem, że miał na twarzy jakąś maskę, kiedy spotkał się ze mną po raz pierwszy. To miałoby sens. Jednak teraz wiemy, że tak nie było. A zatem dlaczego pokazał mi swoją twarz?

Przez moment sprawiała wrażenie zaskoczonej moim wywodem, lecz to nie trwało długo. Zaraz odpowiedziała:

— Ponieważ nie był notowany.

— Może. Albo...

— Albo co? Marc, nie mamy na to czasu.

— Jego zęby.

— Co z nimi?

— Spójrz na koronki. To blaszanki.

— Co takiego?

Podniosłem głowę.

— Na górnym prawym trzonowym i górnym lewym siekaczu. Widzisz, u nas koronki robiono ze złota, a teraz przeważnie wstawia się porcelanowe. Dentysta wykonuje odcisk, żeby wykorzystać go jako formę i otrzymać dobrze dopasowaną koronkę. Natomiast to są aluminiowe, gotowe formy. Nakłada się je na zęby i zaciska kleszczami. Wykonałem w Europie tylko dwie operacje rekonstrukcji szczęki, ale widziałem mnóstwo takich koronek. Nazywają je blaszankami. W USA takich się nie zakłada, chyba że tymczasowo.

Uklękła obok mnie.

— To cudzoziemiec?

Skinąłem głową.

— Założę się, że z dawnego sowieckiego bloku, a w każdym razie z Europy Wschodniej. Zapewne z Bałkanów.

— To miałoby sens — przyznała. — Ewentualnie znalezione odciski palców są wysyłane do NCIC. Tak samo rysopisy. W naszych aktach i komputerach nie ma po nim śladu. Do diabła, policja nigdy go nie zidentyfikuje, jeśli nie wpadną na jakiś nowy trop.

— A pewnie nie wpadną.

— Mój Boże, to dlatego go zabili. Wiedzieli, że nie zdołamy go zidentyfikować.

Usłyszeliśmy wycie syren. Popatrzyliśmy po sobie.

— Musisz wybierać, Marc. Jeśli zostaniemy, pójdziemy do więzienia. Pomyślą, że był naszym wspólnikiem i zabiliśmy go. Domyślam się, że porywacze wiedzieli o tym. Twoi sąsiedzi powiedzą, że było cicho, dopóki nie przyjechaliśmy. Potem usłyszeli pisk opon i strzały. Nie twierdzę, że po jakimś czasie nie zdołamy wszystkiego wyjaśnić.

— To jednak trochę potrwa — mruknąłem.

— Tak.

— I stracimy tę niewielką szansę, jaką udało nam się dostrzec. Gliniarze poprowadzą śledztwo po swojemu. Nawet jeśli zechcą być pomocni, nawet jeśli nam uwierzą, narobią mnóstwo hałasu.

— Jeszcze jedno — powiedziała.

— Co?

— Porywacze zastawili na nas zasadzkę. Wiedzieli o nadajniku.

— Już się tego domyśleliśmy.

— Teraz jednak zaczyna mnie to zastanawiać. Skąd wiedzieli?

Spojrzałem na nią, przypominając sobie ostrzeżenie w liście.

— Przeciek?

— Nie można już tego wykluczyć.

Oboje poszliśmy do samochodu. Położyłem dłoń na jej ramieniu. Wciąż krwawiła. Jedno oko miała niemal całkiem zapuchnięte. Spojrzałem na nią i znowu poczułem gniew. Powinienem ją przed tym obronić.

— Jeśli uciekniemy, pomyślą, że jesteśmy winni — powiedziałem. — Mnie to nie rusza, bo nie mam nic do stracenia, ale ty?

Odpowiedziała cicho:

— Ja też nie mam nic do stracenia.

— Powinien cię obejrzeć lekarz.

Rachel prawie się uśmiechnęła.

— Czy nie siedzi obok mnie?

— Racja.

Nie było czasu na omawianie argumentów za i przeciw. Musieliśmy działać. Wsiedliśmy do samochodu Zii. Wykręciłem i pojechałem z powrotem, w kierunku wyjazdu na Woodland Road. Powoli odzyskiwałem równowagę ducha i zacząłem myśleć coraz trzeźwiej. Kiedy w końcu uświadomiłem sobie, gdzie jesteśmy i co robimy, o mało się nie załamałem. Zwolniłem. Rachel zauważyła moje wahanie.

— Co jest? — zapytała.

— Dlaczego uciekamy?

— Nie rozumiem.

— Liczyliśmy na to, że znajdziemy moją córkę, a przynajmniej tych, którzy ją porwali. Uważaliśmy, że mamy szansę.

— Tak.

— Nie rozumiesz? Ta szansa, jeśli w ogóle istniała, teraz znikła. Tamten facet nie żyje. Wiemy, że był cudzoziemcem, ale co z tego? Nie mamy pojęcia kto to. Zabrnęliśmy w ślepy zaułek. Nie dysponujemy innym śladem.

Nagle na ustach Rachel pojawił się łobuzerski uśmiech. Sięgnęła do kieszeni i wyjęła telefon komórkowy. Nie należał do mnie. Ani do niej.

— Może jednak — powiedziała — jakiś mamy.

33

— Przede wszystkim — oznajmiła Rachel — musimy pozbyć się tego samochodu.

— Samochód — powiedziałem, kręcąc głową na myśl o uszkodzeniach. — Jeśli nie zabiją mnie przestępcy, zrobi to Zia.

Rachel znowu zdołała się uśmiechnąć. Wpadliśmy po uszy w kłopoty i tkwiliśmy w nich tak głęboko, że po prostu przestaliśmy się tym przejmować. Zastanawiałem się, dokąd pojechać, ale była tylko jedna możliwość.

— Lenny i Cheryl — powiedziałem.

— Co z nimi?

— Mieszkają cztery przecznice stąd.

Była piąta rano. Mrok zaczął ustępować przed nieuchronnym naporem dnia. Wybrałem domowy numer Lenny'ego w nadziei, że jeszcze nie wrócił do szpitala. Odebrał po pierwszym sygnale i warknął „Halo".

— Mam problem — oznajmiłem.

— Słyszę syreny.

— To część mojego problemu.

— Policja dzwoniła do mnie — rzekł. — Po tym jak zwiałeś.

— Potrzebuję twojej pomocy.

— Jest z tobą Rachel? — zapytał.

— Tak.

Zapadła niezręczna cisza. Rachel bawiła się telefonem komórkowym zabitego. Nie miałem pojęcia, czego szukała. Po chwili Lenny spytał:

— Co ty próbujesz zrobić, Marc?

— Znaleźć Tarę. Pomożesz mi czy nie?

Teraz odparł bez wahania:

— W czym mogę ci pomóc?

— Ukryć samochód, którym jedziemy, i pożyczyć inny.

— I co potem zrobicie?

Skręciłem w prawo.

— Będziemy u ciebie za minutę. Wtedy spróbuję ci wyjaśnić.

Lenny miał na sobie wytarte szare spodnie od dresu, wiązane w pasie, kapcie i obszerny podkoszulek. Nacisnął guzik i drzwi garażu gładko zasunęły się za nami, gdy tylko wjechaliśmy do środka. Lenny sprawiał wrażenie zmęczonego, ale Rachel i ja też z pewnością nie wyglądaliśmy kwitnąco.

Cofnął się, kiedy zobaczył zakrwawioną twarz Rachel.

— Co się stało, do diabła?

— Masz jakieś bandaże? — zapytałem.

— W kuchni, w szafce nad zlewem.

Rachel wciąż trzymała w ręce telefon.

— Muszę mieć dostęp do Internetu — powiedziała.

— Posłuchajcie — rzekł Lenny — musimy to przedyskutować.

— Przedyskutuj to z nim — ucięła Rachel. — Ja muszę skorzystać z Internetu.

— W moim gabinecie. Wiesz gdzie.

Rachel pospiesznie ruszyła we wskazanym kierunku. Poszedłem za nią, ale zatrzymałem się w kuchni. Ona weszła do gabinetu. Oboje dobrze znaliśmy ten dom. Lenny został ze mną. Niedawno odnowili kuchnię i urządzili ją w stylu francuskiej farmy, a także dostawili drugą lodówkę, ponieważ czworo

287

dzieci je jak czworo dzieci. Drzwi obu chłodziarek były obwieszone rysunkami, zdjęciami rodzinnymi i kolorowymi literami alfabetu. Ta nowa była wyposażona w zestaw magnetycznych liter, umożliwiających tworzenie napisów. Teraz na klamce był ułożony napis „STOJĘ SAMOTNIE NA BRZEGU MORZA". Zacząłem przeszukiwać szafkę nad zlewem.

— Powiesz mi, co się dzieje?

Znalazłem i wyjąłem zestaw pierwszej pomocy Cheryl.

— Pod naszym domem doszło do strzelaniny.

Streściłem mu przebieg wypadków, otwierając apteczkę i przeglądając zawartość. Na razie wystarczy. W końcu zerknąłem na Lenny'ego. Gapił się na mnie.

— Uciekliście z miejsca przestępstwa?

— A gdybyśmy zostali, co by się stało?

— Policja by was zgarnęła.

— No właśnie.

Potrząsnął głową i powiedział ściszonym głosem:

— Policja już nie uważa, że ty to zrobiłeś.

— Jak to?

— Myślą, że zrobiła to Rachel.

Nie wiedziałem, co powiedzieć.

— Czy wyjaśniła ci istnienie tych zdjęć?

— Jeszcze nie — odparłem. I zaraz dodałem: — Nie rozumiem. Dlaczego uważają, że to Rachel?

Lenny pospiesznie nakreślił mi teorię opartą na zazdrości, gniewie i fakcie, że nie pamiętałem tego, co się działo na chwilę przed tym, zanim mnie postrzelono. Stałem, zbyt oszołomiony, by zareagować. Kiedy odzyskałem mowę, powiedziałem:

— To bzdura.

Lenny milczał.

— Ten facet we flanelowej koszuli właśnie usiłował nas zabić.

— No i co się z nim stało?

— Mówiłem ci. Ktoś mu towarzyszył. Zastrzelił go.

— Widziałeś tego kogoś?
— Nie. Rachel... — Zrozumiałem do czego zmierza. — Daj spokój, Lenny. Wiesz, że to nieprawda.
— Chcę wiedzieć, skąd się wzięły te zdjęcia na CD, Marc.
— Świetnie, więc zapytajmy ją o to.
Kiedy wyszliśmy z kuchni, na schodach zobaczyłem Cheryl. Zmierzyła mnie wzrokiem, trzymając ręce założone na piersi. Jej twarz miała taki wyraz, jakiego jeszcze nigdy u niej nie widziałem. Aż przystanąłem. Na dywanie zauważyłem plamę krwi, zapewne Rachel. Na ścianie wisiała fotografia całej czwórki ich dzieci, usiłujących wyglądać swobodnie w identycznych białych golfach na białym tle. Dzieci i jednolite białe tło.
— Ja się tym zajmę — rzekł Lenny. — Zostań na górze.
Pospieszyliśmy do gabinetu. Na telewizorze leżało opakowanie od DVD z najnowszym filmem Disneya. O mało nie potknąłem się o Wiffle Ball i plastikowy kij baseballowy. Na podłodze walała się plansza do gry w monopol z Pokemonami, porzucona w połowie rozgrywki. Ktoś, zapewne jedno z dzieci, napisał na kartce „NICZEGO NIE DOTYKAĆ" i położył ją na planszy. Przechodząc koło kominka, mimochodem zauważyłem, że ostatnio uaktualnili fotografie. Dzieci na zdjęciach były starsze, takie jak obecnie. Jednak zdjęcie z dawnych czasów, ukazujące naszą czwórkę na przyjęciu, znikło. Nie wiedziałem, co to oznacza. Zapewne nic. A może Lenny i Cheryl poszli za swoją własną radą: należy iść naprzód.
Rachel siedziała za biurkiem Lenny'ego, pochylona nad klawiaturą. Lewy bok jej szyi pokrywała zaschnięta krew. Ucho było mocno poszarpane przez kulę. Zerknęła na nas, kiedy weszliśmy do gabinetu, lecz nie przestała stukać w klawiaturę. Przyjrzałem się uchu. Poważnie uszkodzone. Kula nadszarpnęła górną część. Ponadto rozcięła skórę z boku głowy. Centymetr w prawo — gdzie tam, ćwierć centymetra — i Rachel już by nie żyła. Nie zwracała na mnie uwagi, nawet kiedy dezynfekowałem ranę i owijałem bandażem. Na razie będzie musiało wystarczyć. Zajmę się tym, kiedy będzie to możliwe.

— Mam — powiedziała nagle Rachel. Uśmiechnęła się
i nacisnęła klawisz. Drukarka zaczęła powarkiwać. Lenny
popatrzył na mnie. Skończyłem bandażować.

— Rachel?

Spojrzała na mnie.

— Musimy porozmawiać.

— Nie — ucięła. — Musimy jechać. Właśnie znalazłam
nowy trop.

Lenny nie ruszył się z miejsca. Cheryl wślizgnęła się do
pokoju, wciąż trzymając ręce splecione na piersiach.

— Jaki trop? — zapytałem.

— Sprawdziłam wykaz rozmów w tym telefonie komórkowym — powiedziała Rachel.

— Potrafisz to zrobić?

— Przecież to proste, Marc — odparła z lekkim zniecierp-
liwieniem. — Wykaz rozmów przychodzących i wychodzących.
W każdej komórce jest taka opcja.

— Racja.

— Wykaz wychodzących niewiele mi powiedział. Nie było
w nim żadnego numeru, co oznacza, że nawet jeśli ten facet do
kogoś dzwonił, to na zastrzeżony numer.

Usiłowałem nadążać.

— W porządku.

— Jednak wykaz przychodzących to co innego. Widniał w nim
tylko jeden numer. Według wewnętrznego zegara komórki, rozmowa odbyła się o północy. Sprawdziłam ten numer w internetowej książce telefonicznej, pod switchboard.com. Znalazłam adres
niejakiego Verne'a Daytona w Huntersville w stanie New Jersey.

Ani nazwisko, ani miasto nic mi nie mówiło.

— Gdzie jest to Huntersville?

— To też sprawdziłam w Internecie. Przy granicy z Pensyl-
wanią. Powiększyłam mapę do średnicy kilkuset metrów. Dom
stoi na uboczu. To duża posiadłość na kompletnym odludziu.

Zimny dreszcz przeszedł mi po plecach i rozszedł się po całym ciele. Zwróciłem się do Lenny'ego.

— Chciałbym pożyczyć twój wóz.

— Poczekaj chwilkę — rzekł Lenny. — Musimy poznać odpowiedź na kilka pytań.

Rachel wstała.

— Chcesz wiedzieć, skąd się wzięły te fotografie na CD.

— Tak, na początek.

— To ja jestem na tych zdjęciach. Owszem, byłam tam. Reszta to nie twój interes. Jestem winna wyjaśnienie Marcowi, nie tobie. Co jeszcze?

Lenny chyba po raz pierwszy nie wiedział, co powiedzieć.

— Chcesz także wiedzieć, czy zabiłam mojego męża, prawda? — Spojrzała na Cheryl. — Myślisz, że zabiłam Jerry'ego?

— Już nie wiem, co myśleć — odparła Cheryl. — Chcę jednak, żebyście oboje się stąd wynieśli.

— Cheryl — próbował uspokoić ją Lenny.

Przeszyła go spojrzeniem, które powaliłoby szarżującego nosorożca.

— Nie powinni nas do tego mieszać.

— Jest naszym najlepszym przyjacielem. Ojcem chrzestnym naszego syna.

— Właśnie dlatego. I sprowadza niebezpieczeństwo na nasz dom? Na czwórkę naszych dzieci?

— Daj spokój, Cheryl. Przesadzasz.

— Nie — wtrąciłem. — Ma rację. Powinniśmy natychmiast się stąd wynieść. Daj mi kluczyki.

Rachel wyrwała papier z drukarki.

— Dane — wyjaśniła.

Kiwnąłem głową i popatrzyłem na Lenny'ego. Zgarbił się. Lekko kołysał się na nogach. Ponownie przypomniały mi się szkolne czasy.

— Czy nie powinniśmy zadzwonić do Ticknera i Regana? — spytał.

— I co im powiedzieć?

— Mogę im wszystko wyjaśnić — odparł Lenny. — Jeśli Tara tam jest...

Urwał i potrząsnął głową, jakby nagle zrozumiał, że to niemożliwe.

— Im byłoby łatwiej wejść do środka.

Podszedłem do niego.

— Dowiedzieli się o nadajniku, który ukryła Rachel.

— Kto?

— Porywacze. Nie wiem jak. A jednak dowiedzieli się. Dodaj dwa do dwóch, Lenny. Porywacze w liście ostrzegli nas, że mają informatora. Za pierwszym razem wiedzieli, że zawiadomiłem policję. Za drugim dowiedzieli się o nadajniku.

— To niczego nie dowodzi.

— Sądzisz, że mam czas na szukanie dowodu?

Lenny'emu wydłużyła się mina.

— Wiesz, że nie mogę ryzykować.

— Taak — mruknął. — Wiem.

Potem sięgnął do kieszeni i wyjął kluczyki. Odjechaliśmy.

34

Kiedy Regan i Tickner odebrali telefon z wiadomością o strzelaninie pod domem Seidmana, obaj zerwali się na równe nogi. Byli już przy windzie, kiedy zadzwonił telefon komórkowy Ticknera. Szorstki, nadmiernie formalny kobiecy głos powiedział:

— Agent specjalny Tickner?

— Przy telefonie.

— Tu agent specjalny Claudia Fisher.

Tickner znał to nazwisko. Może nawet spotkał ją parę razy.

— O co chodzi? — zapytał.

— Gdzie pan teraz jest?

— W szpitalu New York Presbyterian, ale właśnie jadę do New Jersey.

— Nie — powiedziała. — Proszę natychmiast przyjechać do One Federal Plaza.

Tickner spojrzał na zegarek. Była piąta rano.

— Teraz?

— Chyba wyraziłam się jasno. Tak.

— Można spytać, o co chodzi?

— Zastępca dyrektora Joseph Pistillo chciałby z panem porozmawiać.

Pistillo? Tickner zdziwił się. Pistillo był szychą w FBI na Wschodnim Wybrzeżu. Był szefem szefa wszystkich szefów Ticknera.

— Właśnie jestem w drodze na miejsce przestępstwa.

— To nie jest prośba — powiedziała Fisher. — Dyrektor Joseph Pistillo czeka. Spodziewa się pana za pół godziny.

Telefon zamilkł. Tickner schował go do kieszeni.

— Co to było, do diabła? — zapytał Regan.

— Muszę jechać — odparł Tickner, odchodząc korytarzem.

— Dokąd?

— Mój szef chce mnie widzieć.

— Teraz?

— Natychmiast. — Tickner był już w połowie korytarza. — Zadzwoń do mnie, kiedy się czegoś dowiesz.

— Niełatwo mi o tym mówić — powiedziała Rachel.

Prowadziłem. Pytania bez odpowiedzi zbytnio się spiętrzyły, przygniatając nas i pozbawiając sił. Nie odrywałem oczu od szosy i czekałem.

— Czy Lenny był z tobą, kiedy oglądałeś te zdjęcia? — zapytała.

— Tak.

— Czy wyglądał na zdziwionego?

— Takie odniosłem wrażenie.

Opadła na fotel.

— Cheryl pewnie nie byłaby zdziwiona.

— Dlaczego?

— Kiedy poprosiłeś o mój numer telefonu, zadzwoniła, żeby mnie ostrzec.

— Przed czym? — zapytałem.

— Przed nami.

Nie musiała nic więcej mówić.

— Mnie też ostrzegała.

— Kiedy umarł Jerry — bo tak się nazywał mój mąż, Jerry Camp — kiedy umarł... Powiedzmy, że przeszłam bardzo ciężkie chwile.

— Rozumiem.

— Nie — powiedziała. — To nie tak. Między Jerrym a mną

już od dawna się nie układało. Może nigdy. Kiedy przechodziłam szkolenie w Quantico, Jerry był jednym z moich instruktorów. Co więcej, był legendą. Jednym z naszych najlepszych agentów. Pamiętasz sprawę KillRoya sprzed kilku lat?

— Był seryjnym mordercą, prawda?

Rachel kiwnęła głową.

— Schwytano go głównie dzięki Jerry'emu. Miał doskonałe osiągnięcia w pracy, jedne z najlepszych w FBI. A ja... Sama nie wiem, jak to się stało. A może wiem. Był starszy. Może trochę przypominał mi ojca. Kochałam FBI. Było całym moim życiem. Spodobałam się Jerry'emu. To mi pochlebiało. Jednak nie wiem, czy w ogóle go kochałam.

Zamilkła. Poczułem na sobie jej wzrok. Nie odrywałem oczu od szosy.

— Kochałeś Monicę? — zapytała. — Czy kochałeś ją naprawdę?

Mimo woli napiąłem mięśnie ramion.

— A co to za pytanie, do licha?

Zamilkła. Po chwili powiedziała:

— Przepraszam. Nie powinnam.

Milczenie przedłużało się. Starałem się oddychać wolniej.

— Mówiłaś mi o tych zdjęciach...

— Tak. — Rachel opuściła głowę. Nosiła tylko jeden pierścionek. Teraz zaczęła go okręcać na palcu. — Kiedy Jerry umarł...

— Został zastrzelony — przerwałem.

Znowu poczułem na sobie jej spojrzenie.

— Tak, kiedy został zastrzelony.

— Czy ty go zastrzeliłaś?

— To na nic, Marc.

— Co?

— Za bardzo się złościsz.

— Ja tylko chcę wiedzieć, czy zastrzeliłaś męża.

— Pozwól, że opowiem to po swojemu, dobrze?

Teraz w jej głosie zabrzmiała stalowa nuta. Wycofałem się ze wzruszeniem ramion.

— Po jego śmierci byłam zupełnie zagubiona. Musiałam złożyć rezygnację i odejść z FBI. Wszystko co miałam — znajomi, praca, do diabła, całe moje życie — wszystko wiązało się z firmą. I wszystko to straciłam. Zaczęłam pić. Pogrążyłam się w apatii. Poszłam na dno. A kiedy jesteś na dnie, szukasz sposobu, żeby się od niego odbić. Jakiegokolwiek. Rozpaczliwie.

Zwolniliśmy przed skrzyżowaniem i zatrzymaliśmy się na czerwonym świetle.

— Nie mówię tego tak, jak powinnam — mruknęła.

W tym momencie mnie samego zdziwiło to, co zrobiłem. Wyciągnąłem rękę i położyłem dłoń na jej dłoni.

— Po prostu mi to powiedz, dobrze?

Kiwnęła głową, patrząc w dół, na moją dłoń. Nie cofnąłem jej.

— Pewnego wieczoru za dużo wypiłam i zadzwoniłam do ciebie.

Przypomniałem sobie to, co Regan mówił o wykazie rozmów.

— Kiedy to było?

— Parę miesięcy przed napadem.

— Czy Monica odebrała telefon? — spytałem.

— Nie. Zgłosiła się automatyczna sekretarka. A ja... Wiem, że to zabrzmi głupio... Zostawiłam dla ciebie wiadomość.

Powoli zabrałem rękę.

— Co dokładnie powiedziałaś?

— Nie pamiętam. Byłam pijana. Płakałam. Chyba powiedziałam, że tęsknię za tobą i mam nadzieję, iż oddzwonisz. Nie sądzę, żebym powiedziała coś więcej.

— Nigdy nie odsłuchałem tej wiadomości — powiedziałem.

— Teraz zdaję sobie z tego sprawę.

Nagle zrozumiałem.

— A to oznacza, że wysłuchała jej Monica.

Parę miesięcy przed napadem, pomyślałem. Kiedy Monica czuła się najbardziej zagrożona. Gdy mieliśmy poważne problemy. Przypomniałem sobie inne fakty. Na przykład to, że Monica często płakała po nocach. Przypomniałem sobie, jak Edgar powiedział mi, że zaczęła chodzić do psychiatry. A ja, zamknięty we własnym świecie, składałem wraz z nią wizyty w domu Lenny'ego i Cheryl, gdzie musiała patrzeć na zdjęcie mojej dawnej kochanki — kochanki, która zadzwoniła pewnego wieczoru i oznajmiła, że za mną tęskni.

— Mój Boże. Nic dziwnego, że wynajęła prywatnego detektywa. Chciała się dowiedzieć, czy ją zdradzam. Na pewno opowiedziała mu o twoim telefonie i tym, co łączyło nas w przeszłości.

Rachel się nie odezwała.

— Nadal nie odpowiedziałaś na moje pytanie, Rachel. Co robiłaś przed szpitalem?

— Przyjechałam do New Jersey zobaczyć się z matką — zaczęła. — Mówiłam ci, że ma teraz apartament w West Orange.

— Ach tak. Była pacjentką szpitala?

— Nie. — Znowu zamilkła. Prowadziłem. O mało nie włączyłem radia, odruchowo, żeby się czymś zająć. — Czy naprawdę muszę to mówić?

— Tak sądzę, owszem — odparłem. Jednak już wiedziałem. Zrozumiałem.

Powiedziała głosem wypranym z emocji:

— Mój mąż nie żyje. Straciłam pracę. Straciłam wszystko. Często rozmawiałam z Cheryl. Z tego co mówiła, wynikało, że macie z żoną problemy małżeńskie. — Odwróciła się do mnie. — Daj spokój, Marc. Przecież wiesz, że nigdy nie zapomnieliśmy o sobie. Dlatego tamtego dnia poszłam do szpitala, żeby się z tobą zobaczyć. Nie wiem, czego oczekiwałam. Czyżbym była taka naiwna, aby spodziewać się, że weźmiesz mnie w ramiona? Być może, nie wiem. Tak więc kręciłam się tam i próbowałam zebrać się na odwagę. Nawet weszłam na twoje piętro. W końcu jednak nie mogłam tego zrobić. Wcale nie ze względu na Monicę i Tarę. Chciałabym powiedzieć, że kierowały mną takie szlachetne pobudki. Niestety.

— A więc dlaczego?

— Odeszłam, ponieważ pomyślałam, że mnie odepchniesz, a nie byłam pewna, czy zdołam to znieść.

Oboje zamilkliśmy. Nie miałem pojęcia, co powiedzieć. Nawet nie wiem, co czułem.

— Jesteś zły — stwierdziła.

— Sam nie wiem.

Jechaliśmy jeszcze przez jakiś czas. Nie wiedziałem, co powinienem teraz zrobić. Oboje spoglądaliśmy przed siebie. W samochodzie panowało niemal wyczuwalne napięcie. W końcu powiedziałem:

— To już nie ma żadnego znaczenia. Teraz ważne jest tylko to, żeby odnaleźć Tarę.

Zerknąłem na Rachel. Dostrzegłem łzę spływającą po jej policzku. Przed nami pojawiła się tablica — mała, niepozorna, prawie niewidoczna. Napis na niej głosił po prostu: HUNTERS-VILLE. Rachel otarła łzę i wyprostowała się.

— Zatem skupmy się na tym.

Zastępca dyrektora Joseph Pistillo siedział za biurkiem i pisał. Był wysokim, łysym mężczyzną o szerokiej klatce piersiowej i ramionach, o wyglądzie weterana, kojarzącym się z dokerami i bójkami w knajpach — siłacz nieepatujący muskulaturą. Zapewne zbliżał się już do siedemdziesiątki. Plotka głosiła, że niedługo przejdzie na emeryturę.

Agent specjalny Claudia Fisher wprowadziła Ticknera do gabinetu i wyszła, zamykając za sobą drzwi. Tickner zdjął okulary. Stał z rękami założonymi za plecy. Nie zaproszono go, żeby usiadł. Żadnych powitań, uścisku dłoni, pozdrowienia ani niczego takiego.

Nie podnosząc głowy, Pistillo powiedział:

— O ile mi wiadomo, zadaje pan pytania w związku z tragiczną śmiercią agenta specjalnego Jerry'ego Campa.

W głowie Ticknera odezwał się dzwonek alarmowy. O, ale tempo. Zaczął się dopytywać zaledwie kilka godzin temu.

— Tak, panie dyrektorze.

Pistillo nadal skrobał coś w notesie.

— Był pańskim instruktorem w Quantico, zgadza się?
— Tak, panie dyrektorze.
— Był wspaniałym nauczycielem.
— Jednym z najlepszych, panie dyrektorze.
— Najlepszym, agencie.
— Tak, panie dyrektorze.
— Czy pańskie dociekania — ciągnął Pistillo — są w jakiś sposób związane z pańskimi dawnymi kontaktami ze specjalnym agentem Campem?
— Nie, panie dyrektorze.
Pistillo przestał pisać. Odłożył pióro i położył swoje wielkie łapska na blacie biurka.
— A więc dlaczego się pan dopytuje?
Tickner pospiesznie ominął pułapki i zasadzki, jakie kryły się w odpowiedzi na to pytanie.
— Nazwisko jego żony pojawiło się w sprawie, nad którą pracuję.
— Mówi pan o zabójstwie i porwaniu Seidmanów?
— Tak, panie dyrektorze.
Pistillo zmarszczył brwi. Na jego czole pojawiły się bruzdy.
— Uważa pan, że istnieje związek pomiędzy nieszczęśliwym wypadkiem, jakim była śmierć Jerry'ego Campa, a porwaniem Tary Seidman?
Ostrożnie, pomyślał Tickner. Ostrożnie.
— Muszę zbadać taką ewentualność.
— Nie, agencie Tickner, nie musi pan.
Tickner nie odezwał się.
— Jeśli jest pan w stanie powiązać Rachel Mills z zabójstwem i porwaniem Seidmanów, niech pan to zrobi. Niech pan znajdzie obciążające ją dowody. Jednak nie potrzebuje pan do tego śmierci Campa.
— Te sprawy mogą być powiązane — rzekł Tickner.
— Nie — odparł Pistillo tonem niepozostawiającym cienia wątpliwości — nie są.
— Jednak muszę sprawdzić...

— Agencie Tickner?

— Tak, panie dyrektorze.

— Już zajrzałem do akt — rzekł Pistillo. — Co więcej, osobiście nadzorowałem dochodzenie w sprawie śmierci Jerry'ego Campa. Był moim przyjacielem. Rozumie pan?

Tickner nie odpowiedział.

— Jestem głęboko przekonany, że jego śmierć była nieszczęśliwym wypadkiem. A to oznacza, że i pan, agencie Tickner... — Pistillo wycelował palec jak banan w pierś Ticknera — ...jest o tym głęboko przekonany. Czy wyrażam się jasno?

Patrzyli na siebie. Tickner nie był głupcem. Lubił pracę w FBI. Chciał awansować. Lepiej nie narażać się komuś tak wpływowemu jak Pistillo. Dlatego po chwili odwrócił wzrok.

— Tak, panie dyrektorze.

Pistillo odprężył się. Podniósł pióro.

— Tara Seidman zaginęła półtora roku temu. Czy jest jakiś dowód na to, że nadal żyje?

— Nie, panie dyrektorze.

— Zatem to już nie nasza sprawa. — Znowu zaczął pisać, dając w ten sposób znać, że to koniec rozmowy. — Niech zajmie się nią miejscowa policja.

New Jersey to nasz najgęściej zaludniony stan. Nie ma w tym niczego dziwnego. W New Jersey są miasta, przedmieścia i mnóstwo przemysłu. To również nikogo nie dziwi. New Jersey nazywają Garden * State ze względu na liczne tereny wiejskie. To budzi powszechne zdziwienie.

Zanim jeszcze dotarliśmy do Huntersville, wszelkie oznaki życia — a konkretnie ludzkiego życia — zaczęły szybko znikać. Widzieliśmy niewiele domów. Minęliśmy jeden duży supersam jak żywcem wzięty z serialu *Mayberry RFD*, ale zabity deskami. Przez następne pięć kilometrów sześciokrotnie skręcaliśmy

---

* Garden (j. ang.) — ogród.

w boczne drogi. Nie widziałem ani jednego domu. I żadnego samochodu.

Jechaliśmy przez gęsty las. Skręciłem jeszcze raz i wjechałem stromo pod górę. Jeleń — co najmniej czwarty, jeśli dobrze liczyłem — przebiegł drogę dostatecznie daleko przed nami, żebym nie obawiał się zderzenia. Zacząłem podejrzewać, że nazwę „Huntersville" należy traktować dosłownie.

— To będzie po lewej — powiedziała Rachel.

Kilka sekund później zobaczyłem skrzynkę pocztową. Zwolniłem, wypatrując jakiegoś domu lub innego budynku. Zobaczyłem tylko drzewa.

— Jedź dalej — poleciła Rachel.

Zrozumiałem. Nie mogliśmy wjechać na podjazd i zadzwonić do drzwi. Około czterystu metrów dalej znalazłem niewielką zatoczkę. Zaparkowałem w niej i wyłączyłem silnik. Serce zaczęło walić mi jak młotem. Była szósta rano. Świtało.

— Umiesz posługiwać się bronią? — zapytała Rachel.

— Na strzelnicy strzelałem z rewolweru ojca.

Wetknęła mi broń do ręki. Spojrzałem na rewolwer, jakby wyrósł mi szósty palec. Rachel wyjęła pistolet.

— Skąd go masz? — zapytałem.

— Spod twojego domu. Zabrałam temu zastrzelonemu facetowi.

— Jezu.

Wzruszyła ramionami, jakby chciała powiedzieć „przecież ty nic o tym nie wiedziałeś". Ponownie spojrzałem na broń i nagle coś przyszło mi do głowy. Czy to z tego rewolweru do mnie strzelano? Zabito Monicę? Wziąłem się w garść. Nie było czasu na takie bzdury. Rachel już wysiadła z samochodu. Poszedłem w jej ślady. Ruszyliśmy przez gęsty las na przełaj. Rachel szła pierwsza. Wetknęła pistolet za pasek spodni. Ja z jakiegoś powodu nie zrobiłem tego. Chciałem trzymać broń w dłoni. Przybite do drzew pomarańczowe tablice ostrzegały intruzów, żeby trzymali się z daleka. „NIE" było na nich namalowane wielkimi literami, a pod nimi widniało zadziwiająco wiele słów wypisanych znacznie mniejszymi, zbytecznie wyjaśniających to, co wydawało mi się zupełnie oczywiste.

Zbliżaliśmy się do miejsca, gdzie naszym zdaniem znajdował się wjazd. Kiedy dotarliśmy do niego, stał się naszą gwiazdą przewodnią. Poszliśmy dalej, podążając szutrową drogą. Po kilku minutach Rachel przystanęła. O mało na nią nie wpadłem. Pokazała mi coś.

Jakiś budynek.

Wyglądał na stodołę. Teraz zaczęliśmy podchodzić znacznie ostrożniej. Nisko pochyleni, przebiegaliśmy od drzewa do drzewa, starając się pozostać w cieniu. Nie odzywaliśmy się. Po chwili usłyszałem muzykę. Chyba country, ale nie jestem znawcą. Przed nami dostrzegłem polankę. Stała na niej stodoła, najwidoczniej w trakcie rozbiórki. Opodal był jeszcze jeden budynek — rancho albo duża przyczepa mieszkalna.

Podeszliśmy jeszcze bliżej, na sam skraj lasu. Przywarliśmy do pni i spojrzeliśmy zza nich. Na podwórzu stał traktor. Zobaczyłem starego forda postawionego na cementowych bloczkach. Przed chatą stał biały sportowy wóz z czarnym pasem na masce. Pewnie niektórzy nazwaliby go „fajną bryką". Wyglądał mi na camaro.

Las się skończył, lecz od budynku dzieliło nas jeszcze co najmniej piętnaście metrów. Wysoka trawa sięgała nam do kolan. Rachel wyjęła zza paska pistolet. Ja wciąż trzymałem w dłoni rewolwer. Opadła na ziemię i zaczęła się czołgać. Zrobiłem to samo. Ta czynność wydaje się bardzo łatwa, gdy się ją ogląda na filmie. Po prostu pełzniesz po ziemi, trzymając tyłek jak najniżej. To proste przez pierwsze trzy metry. Potem staje się coraz trudniejsze. Bolały mnie łokcie. Trawa wciąż wpychała mi się do nosa i ust. Nie mam kataru siennego ani innego uczulenia, ale z tej trawy wzbijał się jakiś środek chemiczny. A także roje komarów, mszczących się za przerwanie drzemki. Muzyka była coraz głośniejsza. Śpiewający — facet o przeciętnym słuchu — użalał się nad swoim biednym, biednym sercem.

Rachel zatrzymała się. Podczołgałem się do niej i znieruchomiałem po jej prawej stronie.

— Wszystko w porządku? — zapytała.

Skinąłem głową, zasapany.

— Kiedy wejdziemy do środka, może trzeba będzie szybko działać — powiedziała. — Musisz być w pełni sprawny. Możemy zwolnić, jeśli chcesz odpocząć.

Przecząco pokręciłem głową i ruszyłem dalej. Odpoczynek po prostu nie mieścił się w moich planach. Zbliżaliśmy się. Teraz wyraźnie widziałem camaro. Tylne opony miały czarne błotniki ze srebrną sylwetką kształtnej dziewczyny. Na bagażniku zobaczyłem kilka naklejek. Jedna głosiła: „BROŃ NIE ZABIJA SAMA, ALE BARDZO TO UŁATWIA".

Już prawie pokonaliśmy z Rachel otwarty teren, gdy nagle zaczął szczekać pies. Oboje zamarliśmy, zupełnie odsłonięci.

Psie szczekanie można podzielić na kilka rodzajów. Irytujące ujadanie pokojowego pieska. Przyjazne szczekanie golden retrievera. Ostrzegawcze poszczekiwanie niegroźnego psiaka. A także ten basowy, głęboki, gardłowy dźwięk, mrożący krew w żyłach.

Mieliśmy do czynienia z tą ostatnią kategorią.

Nie przestraszyłem się psa. Miałem broń. Zapewne łatwiej byłoby mi jej użyć przeciwko psu niż przeciw człowiekowi. Natomiast obawiałem się tego, że mieszkańcy rancza usłyszą szczekanie. Tak więc czekaliśmy w napięciu. Po minucie czy dwóch pies zamilkł. Nie odrywaliśmy oczu od drzwi budynku. Nie wiedziałem, co moglibyśmy zrobić, gdyby ktoś wyszedł. Załóżmy, że zostaliśmy zauważeni. Nie mogliśmy strzelać. Nadal nie znaliśmy sytuacji. Fakt, że z posiadłości niejakiego Verne'a Daytona dzwoniono na numer telefonu komórkowego zabitego mężczyzny, jeszcze niczego nie dowodził. Nie wiedzieliśmy, czy moja córka jest tutaj, czy nie.

Prawdę mówiąc, niczego nie wiedzieliśmy.

Na podwórku leżało kilka samochodowych dekli. Zabłysły we wschodzącym słońcu. Dostrzegłem stertę zielonych pudełek. Coś w nich przykuło mój wzrok. Zapominając o ostrożności, podczołgałem się ku nim.

— Zaczekaj — szepnęła Rachel.

Nie mogłem. Musiałem lepiej się im przyjrzeć. Z czymś mi się kojarzyły... jednak nie mogłem sobie przypomnieć z czym. Podczołgałem się do traktora, a potem ukryłem za nim. Ponownie spojrzałem na pudełka. Teraz zobaczyłem je wyraźnie. Rzeczywiście były zielone. I ozdobione wizerunkiem uśmiechniętego dziecka.

Opakowania po pieluszkach.

Rachel znalazła się przy mnie. Przełknąłem ślinę. Duże opakowanie pieluch. Takie, jakie kupuje się hurtem po promocyjnej cenie. Rachel też je zauważyła. Ostrzegawczo położyła dłoń na moim ramieniu. Znowu położyliśmy się na ziemi. Dała mi znak, że spróbujemy podczołgać się do okna z boku. Skinąłem głową. Z zestawu stereo płynęło długie solo na skrzypcach.

Leżąc na brzuchu, poczułem, że coś zimnego szturchnęło mnie w potylicę. Kątem oka zerknąłem na Rachel. Druga lufa karabinu dotykała jej podstawy czaszki.

Usłyszałem męski głos:

— Rzućcie broń!

W tym momencie Rachel podpierała się na zgiętej prawej ręce, w której trzymała pistolet. Wypuściła go. W moim polu widzenia pojawił się roboczy but i kopniakiem odsunął broń. Próbowałem ocenić szanse. Jeden człowiek. Teraz byłem tego pewien. Jeden mężczyzna z dwoma karabinami. Może powinienem spróbować. Z pewnością nie zdołam uniknąć kuli, ale może dam szansę Rachel. Spojrzałem jej w oczy i zobaczyłem w nich strach. Wiedziała, o czym myślę. Lufa nagle głębiej wbiła się w moją potylicę, przyciskając mi twarz do ziemi.

— Nie próbuj, szefie. Równie dobrze mogę rozwalić dwie czaszki jak jedną.

Gorączkowo szukałem wyjścia z sytuacji, ale nie znalazłem żadnego. W końcu wypuściłem broń z ręki i patrzyłem, jak mężczyzna odrzuca ją kopniakiem, niwecząc naszą ostatnią szansę.

35

— Zostańcie na ziemi!

— Jestem agentką FBI — powiedziała Rachel.

— Zamknij się, do diabła.

Nie pozwalając nam wstać, kazał położyć ręce na głowach i spleść palce. Potem przycisnął mnie kolanem do ziemi. Skrzywiłem się. Przygniatając mnie całym ciężarem ciała, wykręcił mi ręce do tyłu, o mało nie wyłamując ich ze stawów barkowych. Wprawnie związał mi je nylonowymi kajdankami. Przypominały te śmieszne, wymyślne plastikowe linki, którymi w sklepach przywiązują zabawki, zapobiegając kradzieżom.

— Złącz stopy.

Drugą taką pętlą związał mi nogi w kostkach. Wstał, opierając się o moje plecy. Potem podszedł do Rachel. Niewiele brakowało, a wygłosiłbym jakąś idiotycznie rycerską kwestię w rodzaju: „Zostaw ją w spokoju!", ale wiedziałem, że zabrzmiałoby to w najlepszym razie bezradnie. Milczałem.

— Jestem agentką FBI — powtórzyła Rachel.

— Już to słyszałem.

Przycisnął kolanem jej plecy i wykręcił ręce do tyłu. Jęknęła z bólu.

— Hej! — zawołałem.

Zignorował mnie. Obróciłem głowę i dopiero teraz go zobaczyłem. Jakbym przeniósł się w czasie — w przeszłość. Camaro z całą pewnością należało do niego. Facet miał włosy do ramion jak hokeista z lat osiemdziesiątych, zapewne tlenione na dziwny pomarańczowy odcień, odgarnięte za uszy i ufryzowane w stylu, jakiego nie widziałem od czasów muzycznych klipów Night Rangera. Jego żółtawe wąsy miały barwę zaschniętego mleka. Napis na podkoszulku głosił „UNIVERSITY OF SMITH & WESSON". Dżinsy były zbyt ciemnoniebieskie i wyglądały na sztywne.

Związał ręce Rachel i polecił:

— Wstawaj, panienko. Przejdziemy się.

Rachel próbowała opanować drżenie głosu.

— Nie słucha mnie pan — powiedziała. Włosy opadły jej na oczy. — jestem Rachel Mills...

— A ja Verne Dayton. I co z tego?

— Jestem agentką FBI.

— Byłą, sądząc po legitymacji — uśmiechnął się Verne Dayton. Nie był szczerbaty, ale z pewnością nie zrobiłby kariery jako model do plakatów ortodontycznych. Jego prawa górna czwórka była tak przekrzywiona, jak drzwi na jednym zawiasie. — Trochę za młoda na emerytkę, no nie?

— Nadal wykonuję zadania specjalne. Wiedzą, że tu jestem.

— Naprawdę? Nie do wiary. Pewnie w krzakach czeka zgraja agentów i jeśli w ciągu trzech minut ich nie odwołasz, zaatakują. Czy tak, Rachel?

Nic nie powiedziała. Przejrzał jej blef. Nie miała innych argumentów.

— Wstań — nakazał i złapał ją za ramiona.

Rachel chwiejnie podniosła się z ziemi.

— Dokąd ją zabierasz? — spytałem.

Nie odpowiedział. Ruszyli w kierunku stodoły.

— Hej! — zawołałem i skrzywiłem się, słysząc, jak bezradnie to zabrzmiało. — Hej, wracaj!

Szli dalej. Rachel szamotała się, ale miała związane ręce.

306

Kiedy próbowała się odsunąć, ciągnął za więzy, przyginając ją do ziemi. W końcu przestała się opierać i szła spokojnie.

Strach dodał mi sił. Gorączkowo rozejrzałem się wokół, szukając czegoś, czegokolwiek, czym mógłbym przeciąć więzy. Nasza broń? Nie, już ją zabrał. A nawet jeśli nie, to jak miałem jej użyć? Zębami? Zastanawiałem się, czy nie obrócić się na plecy, ale nie wiedziałem, co mi to da. Co robić? Zacząłem czołgać się w kierunku traktora. Szukałem jakiejś ostrej krawędzi, o którą mógłbym przetrzeć pęta.

Z oddali doleciało mnie skrzypienie otwieranych drzwi stodoły. Obróciłem głowę na bok i zdążyłem zobaczyć, jak znikają w środku. Drzwi zamknęły się za nimi. Zapadła cisza. Muzyka — prawdopodobnie z płytki kompaktowej lub taśmy — przestała grać. Było cicho. Nie widziałem Rachel.

Musiałem uwolnić ręce z więzów.

Zacząłem czołgać się szybciej, podnosząc tyłek i odpychając się nogami. Dotarłem do traktora. Szukałem jakiegoś ostrza lub ostrej krawędzi. Nic. Rzuciłem okiem na stodołę.

— Rachel! — krzyknąłem.

Mój głos odbił się echem w ciszy. Żadnej odpowiedzi. Serce zaczęło mi walić jak młotem.

O Boże, co teraz?

Przetoczyłem się na plecy i usiadłem. Wbiłem stopy w ziemię i oparłem się o traktor. Teraz dobrze widziałem stodołę. Chociaż nic mi to nie dało. Nadal nic się tam nie poruszało. Wszędzie panowała głucha cisza. Pospiesznie rozejrzałem się wokół, rozpaczliwie szukając jakiegoś sposobu ocalenia. Nie znalazłem.

Pomyślałem, że mógłbym spróbować dotrzeć do camaro. Taki świr pewnie zawsze ma przy sobie broń. Może znalazłbym jakąś w samochodzie. Tylko że nawet gdybym zdążył tam dotrzeć na czas, jak otworzyłbym drzwi? Jak szukałbym broni? I jak miałbym strzelać, nawet gdybym ją znalazł?

Nie, przede wszystkim powinienem uwolnić się z więzów.

Spojrzałem na ziemię, szukając... sam nie wiem czego. Ostrego kamienia. Stłuczonej butelki po piwie. Czegokolwiek.

Zastanawiałem się, ile czasu upłynęło, od kiedy weszli do stodoły. Wolałem nie myśleć o tym, co facet może zrobić Rachel. Gardło miałem ściśnięte tak, jakbym się dusił.

— Rachel!

W swoim głosie usłyszałem rozpacz. Przestraszyłem się. I tym razem nie doczekałem się odpowiedzi.

Co tam się działo, do diabła?

Ponownie obrzuciłem wzrokiem traktor, szukając czegoś, dzięki czemu mógłbym się uwolnić. Rdza. Mnóstwo rdzy. Może ona mi pomoże? Czy jeśli zacznę trzeć więzami o taki zardzewiały kant, uda mi się je przeciąć? Bardzo wątpiłem, ale nie miałem innej możliwości.

Zdołałem uklęknąć. Oparłem nadgarstki o zardzewiały kant i zacząłem poruszać się jak niedźwiedź, który czochra się o pień drzewa. Plastik ześlizgnął się po blasze. Zardzewiały metal otarł mi skórę. Zapiekło. Znów popatrzyłem na stodołę, nadstawiłem ucha, ale nadal nic nie słyszałem.

Pocierałem dalej.

Problem polegał na tym, że robiłem to na oślep. Chociaż odchyliłem głowę najdalej, jak mogłem, nie widziałem swoich przegubów. Czy moje działania przynosiły jakiś skutek? Nie wiedziałem. Jednak i tak nie miałem nic innego do roboty. Tak więc nadal poruszałem się w górę i w dół, usiłując rozerwać więzy, niczym herkules z filmu klasy B.

Nie mam pojęcia, jak długo to trwało. Zapewne ze dwie lub trzy minuty, chociaż wydawało mi się, że znacznie dłużej. Nie udało mi się przetrzeć ani nawet poluzować więzów. W końcu powstrzymało mnie skrzypienie otwierających się drzwi. Przez chwilę nikt się w nich nie pojawiał. Potem kudłaty wyszedł ze stodoły. Sam. Ruszył ku mnie.

— Co jej zrobiłeś?

Nie odpowiadając, Verne Dayton pochylił się i sprawdził moje więzy. Teraz poczułem jego zapach. Biła od niego woń siana i potu. Oglądał moje ręce. Zerknąłem w dół. Zobaczyłem krew na ziemi. Na pewno moją. Nagle wpadłem na nowy pomysł.

Pochyliłem się, a potem uderzyłem głową.

Dobrze wiem, jakie skutki może mieć taki cios. Reperowałem twarze zniekształcone takim uderzeniem.

Tym razem mi to nie groziło.

Zesztywniałem w niewygodnej pozycji. Miałem związane ręce i nogi. Klęczałem. Uderzyłem na oślep. Nie trafiłem go w nos ani inną miękką część twarzy, ale w czoło. Rozległ się głuchy stuk, przypominający jeden z odgłosów ze ścieżki dźwiękowej filmu *Trzej amigos*. Verne Dayton zatoczył się w tył i zaklął. Ja straciłem równowagę i runąłem, nie mając jak zamortyzować impetu upadku. Uderzyłem o ziemię prawym policzkiem, aż zadzwoniło mi w uszach. Nawet nie poczułem bólu. Zerknąłem na przeciwnika. Siedział na ziemi, potrząsając głową. Miał lekko otartą skórę na czole.

Teraz albo nigdy.

Nadal związany, rzuciłem się na niego. Za późno.

Verne Dayton odchylił się do tyłu i podniósł nogę. Kiedy już miałem na niego runąć, oparł podeszwę buta o moją twarz i odepchnął. Runąłem na plecy. Na czworakach wycofał się na bezpieczną odległość i chwycił karabin.

— Nie ruszaj się! — Dotknął rany na czole i z niedowierzaniem popatrzył na swoje zakrwawione palce. — Oszalałeś?

Leżałem na plecach, ciężko dysząc. Nie sądziłem, żebym coś sobie złamał, ale nie wiedziałem, czy to ma jakiekolwiek znaczenie. Podszedł do mnie i kopnął mnie w bok. Poczułem przeszywający ból. Potoczyłem się po ziemi. Złapał mnie za ramiona i zaczął wlec. Usiłowałem stanąć na nogi. Był silny jak diabli. Nie zwolnił nawet na schodkach do przyczepy. Wciągnął mnie po nich, barkiem pchnął drzwi i cisnął mnie do środka jak worek grochowiny.

Z łoskotem wylądowałem na podłodze. Verne Dayton wszedł do przyczepy i zamknął drzwi. Obrzuciłem wzrokiem wnętrze. Trochę było zgodne z moimi oczekiwaniami, a trochę nie. Spodziewałem się: stojaka z bronią pod ścianą, antycznych muszkietów, myśliwskich sztucerów. Obowiązkowego jeleniego łba, oprawionej w ramki karty członkowskiej NRA wystawionej dla Verne'a Daytona i amerykańskiej flagi w kącie. Nie spodziewałem się tego, że wnętrze będzie idealnie czyste i dość gustownie urządzone. W kącie zauważyłem kojec dla dzieci, ale i w nim panował porządek. Zabawki były pochowane do jednej z tych plastikowych szafek o różnokolorowych szufladach. Każda szuflada była oznaczona naklejką.

Verne Dayton usiadł i spojrzał na mnie. Nadal leżałem na brzuchu. Przez chwilę bawił się swoimi włosami, odgarniając kosmyki i zakładając je za uszy. Miał wąską twarz. Wyglądał na typowego wieśniaka.

— To ty ją tak pobiłeś? — zapytał.

W pierwszej chwili nie wiedziałem, o czym mówi. Potem przypomniałem sobie opuchniętą twarz Rachel.

— Nie.

— To cię kręci, co? Bicie kobiet?

— Co z nią zrobiłeś?

Wyjął rewolwer, odchylił bębenek i wsunął nabój do komory. Zręcznym ruchem zatrzasnął bębenek i wycelował broń w moje kolano.

— Kto was przysłał?

— Nikt.

— Mam ci przestrzelić kolano?

Miałem dosyć. Przetoczyłem się na plecy, czekając na huk wystrzału. Jednak nie strzelił. Pozwolił mi się odwrócić, przez cały czas trzymając na muszce. Usiadłem i zmierzyłem go posępnym wzrokiem. To wytrąciło go z równowagi. Cofnął się o krok.

— Gdzie moja córka? — spytałem.

— Co? — Przechylił głowę na bok. — Zebrało ci się na żarty?

Spojrzałem mu w oczy i wyczytałem w nich prawdę. Nie udawał. Nie miał pojęcia, o czym mówię.

— Przyszliście tu uzbrojeni — powiedział czerwony jak burak. — Chcieliście mnie zabić? Moją żonę? Dzieci? — Przysunął mi lufę pod nos. — Podaj mi choć jeden dobry powód, dla którego nie miałbym was skasować i zakopać w lesie!

Dzieci. Powiedział „dzieci". To wszystko nagle przestało się trzymać kupy. Postanowiłem zaryzykować.

— Posłuchaj — powiedziałem. — Nazywam się Marc Seidman. Osiemnaście miesięcy temu moja żona została zamordowana, a córka porwana.

— O czym ty gadasz?

— Proszę, daj mi wyjaśnić.

— Poczekaj chwilkę. — Verne zmrużył oczy. Potarł podbródek. — Pamiętam cię. Z telewizji. Ty też zostałeś postrzelony, zgadza się?

— Tak.

— No to czemu chcesz ukraść moje karabiny?

Zamknąłem oczy.

— Nie przyjechałem tutaj, żeby ukraść ci broń. Jestem tu, żeby... — Nie wiedziałem jak to powiedzieć. — Chcę znaleźć moją córkę.

Minęło kilka sekund, zanim zrozumiał.

— Myślisz, że ja miałem z tym coś wspólnego?

— Nie wiem.

— Lepiej mi to wyjaśnij.

Zrobiłem to. Opowiedziałem mu wszystko. Ta historia brzmiała niewiarygodnie nawet w moich własnych uszach, ale Verne wysłuchał jej uważnie. Ze skupieniem. Zakończyłem, mówiąc:

— Ten człowiek, który to zrobił. Albo został w to zamieszany. Sam już nie wiem. Znaleźliśmy jego telefon komórkowy. W wykazie była tylko jedna rozmowa. Ktoś dzwonił do niego stąd.

Verne zastanowił się.

— Ten mężczyzna. Jak się nazywał?

— Nie wiemy.

— Dzwonię do wielu osób, Marc.

— Wiemy, że rozmowa odbyła się zeszłej nocy.

Verne pokręcił głową.

— Nie, to niemożliwe.

— Jak to?

— Zeszłej nocy nie było mnie w domu. Byłem w drodze, z dostawą. Wróciłem zaledwie pół godziny przed wami. Zauważyłem was, kiedy Munch, mój pies, zaczął warczeć. Szczekanie nic nie oznacza. Natomiast kiedy warczy, wiem, że ktoś się zbliża.

— Zaczekaj chwilkę. Zeszłej nocy nikogo tu nie było? Wzruszył ramionami.

— Była moja żona i dzieci. Chłopcy mają sześć lat i trzy. Nie sądzę, żeby do kogoś dzwonili. I znam Kat. Ona też nie dzwoniłaby do nikogo o tak późnej porze.

— Kat? — spytałem.

— Moja żona. Skrót od Katarina. Ona jest z Serbii.

— Przynieść ci piwo, Marc?

Ze zdziwieniem usłyszałem swój głos:

— Byłoby miło, Verne.

Verne Dayton przeciął plastikowe kajdanki. Roztarłem nadgarstki. Rachel siedziała obok mnie. Nic jej nie zrobił. Chciał tylko nas rozdzielić, ponieważ podejrzewał — jak mi teraz wyznał — że pobiłem ją i zmusiłem, by mi pomogła. Verne miał cenną kolekcję starej broni palnej. Niektóre egzemplarze nadal działały i ludzie trochę za bardzo się nimi interesowali. Myślał, że my również.

— Może być budweiser?

— Pewnie.

— A ty, Rachel?

— Nie, dzięki.

— Jakiś napój orzeźwiający? Może wody z lodem?

— Może być woda, dzięki.

Verne pokazał zęby w uśmiechu. Nie był to przyjemny widok.

— Nie ma sprawy. — Ponownie roztarłem przeguby. Zauważył to i uśmiechnął się. — Używaliśmy ich podczas wojny w Zatoce. Pomagały nam utrzymać w ryzach Irakijczyków.

Znikł w kuchni. Spojrzałem na Rachel. Wzruszyła ramionami. Verne wrócił, niosąc dwa piwa i szklankę wody. Potem trącił swoją butelką moją. Usiadł.

— Ja też mam dzieci. Dwóch chłopców. Verne'a Juniora i Perry'ego. Gdyby coś im się stało... — Verne cicho sapnął i potrząsnął głową. — Nie pojmuję, jak sobie z tym radzisz.

— Cały czas myślę, jak ją znaleźć — powiedziałem.

Z przekonaniem skinął głową.

— No tak, sądzę, że to jedyny sposób. O ile człowiek sam się nie oszukuje, rozumiesz, co mam na myśli? — Spojrzał na Rachel. — Jesteście całkowicie pewni, że ten ktoś dzwonił z mojego telefonu?

Rachel wyjęła komórkę. Nacisnęła kilka przycisków, a potem pokazała mu ekranik. Verne wargami wyjął papierosa z paczki winstonów. Pokręcił głową.

— Nie rozumiem tego.

— Mamy nadzieję, że twoja żona pomoże nam to wyjaśnić.

Powoli pokiwał głową.

— Zostawiła notatkę, że pojechała na zakupy. Kat lubi robić to wcześnie rano. W całodobowym A & P. — Zamilkł. Domyślałem się, że miotają nim sprzeczne uczucia. Chciał nam pomóc, ale przykro mu było słyszeć, że jego żona dzwoniła w nocy do jakiegoś mężczyzny. Popatrzył na nas. — Rachel, może przyniosę ci świeże bandaże?

— Nie, nie trzeba.

— Na pewno?

— Naprawdę dziękuję. — Trzymała w obu dłoniach szklankę wody. — Verne, pozwolisz, że zapytam, jak poznałeś Katarinę?

— Przez Internet — odparł. — No wiecie, za pośrednictwem jednej z witryn zamieszczających matrymonialne ogłoszenia cudzoziemców. Nazywa się „Biała Orchidea". Kiedyś ogłaszali się, że dostarczają żony na zamówienie. Chyba już się tak nie

313

reklamują. W każdym razie wchodzisz na taką witrynę. Oglądasz zdjęcia kobiet z całego świata — z Europy Wschodniej, Rosji, Filipin, skąd chcesz. Podają ich wymiary, krótkie życiorysy, co lubią, a czego nie i tym podobne rzeczy. Jeśli któraś ci się spodoba, możesz kupić jej adres. Dają też upusty hurtowe, jeżeli chcesz napisać do więcej niż jednej.

Popatrzyliśmy z Rachel po sobie.

— Kiedy to było?

— Siedem lat temu. Zaczęliśmy wysyłać sobie e-maile i tak się zaczęło. Kat mieszkała na jakiejś wsi, w Serbii. Jej rodzice byli biedni. Musiała iść kilka kilometrów, żeby skorzystać z komputera. Chciałem z nią porozmawiać, no wiecie, usłyszeć jej głos przez telefon. Jednak nawet to nie było możliwe. Musiała do mnie dzwonić z poczty. Potem, pewnego dnia, oznajmiła, że przyjeżdża, by się ze mną spotkać.

Verne podniósł ręce, jakby chciał nas uciszyć.

— Rozumiecie, właśnie wtedy dziewczyny zwykle proszą o pieniądze na bilet lotniczy albo na coś. Byłem na to przygotowany. Jednak Kat niczego nie chciała. Przyleciała sama. Pojechałem do Nowego Jorku. Spotkaliśmy się i pobrali trzy tygodnie później. Verne Junior przyszedł na świat po roku. Perry trzy lata po nim.

Pociągnął łyk piwa. Ja zrobiłem to samo. Zimny płyn cudownie chłodził mi gardło.

— Słuchajcie, wiem, co sobie myślicie — ciągnął Verne. — To nie tak. Kat i ja naprawdę jesteśmy szczęśliwi. Przedtem byłem już żonaty z pierwszoligową amerykańską sekutnicą. Umiała tylko jęczeć i narzekać. Uważała, ze zarabiam za mało pieniędzy. Chciała tylko siedzieć w domu i nic nie robić. Poprosiłeś, żeby zrobiła pranie, to od razu zasuwała tyradę o męskich szowinistycznych świniach. Wciąż mnie dołowała, nazywała nieudacznikiem. Z Kat jest inaczej. Czy podoba mi się to, że stworzyła mi miły dom i rodzinne ciepło? Jasne, to dla mnie ważne. Jeśli pracuję na dworze w upał, Kat przynosi mi piwo i nie wygłasza przy tym feministycznych tyrad. Czy widzicie w tym coś złego?

Nie odpowiedzieliśmy.

— Posłuchajcie, chcę tylko, żebyście się zastanowili, no nie? Co przyciąga do siebie dwoje ludzi? Atrakcyjny wygląd? Pieniądze? Władza? Wszyscy próbujemy coś z tego mieć. Brać i dawać, prawda? Ja chciałem mieć kochającą żonę, która pomoże mi wychowywać dzieci i zajmie się domem. I partnerkę, która... sam nie wiem... po prostu będzie dla mnie miła. Udało mi się. Kat chciała odmienić swoje okropne życie. Była tak biedna, że nie miała nic. Obojgu nam się udało. W styczniu pojechaliśmy z dziećmi do Disneylandu. Lubimy piesze wycieczki i kajakarstwo. Verne Junior i Perry to dobre dzieciaki. Hej, może jestem prostakiem. Do licha, na pewno jestem. Lubię bawić się bronią, łowić ryby i polować, a przede wszystkim kocham moją rodzinę.

Verne pochylił głowę. Włosy opadły mu na twarz, zasłaniając ją jak kurtyna. Zaczął zdzierać etykietę z butelki.

— Są takie miejsca — może jest ich wiele — gdzie małżeństwa są aranżowane. Zawsze tak było. Rodzice decydują. Młodzi nie mają nic do powiedzenia. Cóż, mnie i Kat nikt do niczego nie zmuszał. W każdej chwili mogła odejść. Ja też. Jednak jesteśmy razem już siedem lat. Jestem szczęśliwy. Ona też.

Po chwili wzruszył ramionami.

— A przynajmniej myślałem, że tak jest.

W milczeniu piliśmy piwo.

— Verne? — powiedziałem.

— Taak?

— Jesteś interesującym człowiekiem.

Roześmiał się, lecz widziałem, że się boi. Znów pociągnął łyk piwa, skrywając lęk. Stworzył sobie bezpieczną przystań. Domowe ognisko. Zabawne. Nie znam się na ludziach. Pierwsze wrażenie przeważnie mnie myli. Zobaczyłem długowłosego wieśniaka, lubiącego wymachiwać bronią, naklejać hasła na zderzakach i zachowującego się jak kierowca ciężarówki. Dowiedziałem się, że swoją żonę ściągnął przez Internet z Serbii. Co miałem sobie pomyśleć? Jednak im dłużej go słuchałem, tym bardziej mi się podobał. Zapewne ja również wydawałem mu się dziwakiem. Podkradałem się do niego z bronią w ręku. A mimo to, kiedy opowiedziałem mu moją historię, Verne mi uwierzył. Wyczuł, że mówimy prawdę.

Usłyszeliśmy podjeżdżający samochód. Verne podszedł do okna i wyjrzał. Uśmiechnął się smutnie. Jego bliscy zajechali przed dom. Ucieszył się na ich widok. Uzbrojeni intruzi przybyli do jego domu, a on zrobił wszystko, żeby go obronić. A teraz, próbując odzyskać moją córkę, być może zniszczę jego małżeństwo.

— Patrzcie! Tatuś wrócił!

To z pewnością powiedziała Katarina. Mówiła z wyraźnym cudzoziemskim akcentem mieszkanki Bałkanów. Nie jestem językoznawcą i nie potrafiłem tego dokładnie określić. Usłyszałem wesołe piski dzieci. Verne uśmiechnął się trochę szerzej. Wyszedł na ganek. Rachel i ja zostaliśmy na naszych miejscach. Usłyszeliśmy tupot nóg na schodach. Powitanie trwało minutę lub dwie. Przyglądałem się swoim dłoniom. Verne powiedział coś o prezentach w ciężarówce. Chłopcy pobiegli do niej.

Drzwi otworzyły się. Vern wszedł do środka, obejmując żonę.

— Marc, Rachel, to moja żona, Kat.

Była śliczna. Miała długie rozpuszczone włosy. Żółta letnia sukienka odsłaniała ramiona. Zobaczyłem mlecznobiałą skórę i jasnoniebieskie oczy. Poruszała się z gracją, która nawet z daleka zdradzała w niej cudzoziemkę. A może tylko tak mi się wydawało. Próbowałem odgadnąć jej wiek. Oceniłem go na dwadzieścia parę lat, lecz zmarszczki w kącikach oczu sugerowały, że zapewne miała dziesięć więcej.

— Cześć — powiedziałem.

Oboje wstaliśmy i uścisnęliśmy jej dłoń. Była miękka, ale silna. Katarina starała się uśmiechać, ale przychodziło jej to z trudem. Nie mogła oderwać oczu od Rachel, od jej pokiereszowanej twarzy. No tak, to był raczej dość szokujący widok. Ja już prawie zdążyłem się do niego przyzwyczaić.

Wciąż uśmiechnięta, Katarina odwróciła się do Verne'a, jakby chciała go o coś spytać. Powiedział:

— Próbuję im pomóc w kłopotach.

— Pomóc im? — powtórzyła.

Chłopcy znaleźli prezenty i teraz wrzeszczeli co sił w płucach. Verne i Katarina zdawali się ich nie słyszeć. Spoglądali na siebie. On trzymał ją za rękę.

— Ten człowiek... — Ruchem głowy wskazał na mnie. — Ktoś zamordował jego żonę i uprowadził jego małą córeczkę.

Przycisnęła dłoń do ust.

— Przyjechali tutaj, bo chcą odnaleźć jego córkę.

Katarina zastygła. Verne odwrócił się do Rachel i przyzwalająco skinął głową.

— Pani Dayton — zaczęła Rachel — czy zeszłej nocy dzwoniła pani do kogoś?

Katarina drgnęła, jakby ktoś ukłuł ją szpilką. Popatrzyła na mnie, jakbym był cyrkowym dziwolągiem. Potem spojrzała na Rachel.

— Nie rozumiem.

— Mamy dowód na to — powiedziała Rachel — że wczoraj przed północą ktoś dzwonił z tego domu na numer telefonu komórkowego. Zakładamy, że to pani.

— Nie, to niemożliwe. — Katarina zaczęła gorączkowo rozglądać się wokół, jakby szukając drogi ucieczki. Verne wciąż trzymał ją za rękę. Próbował zajrzeć jej w oczy, ale unikała jego spojrzenia. — Och, poczekaj — powiedziała. — Może wiem, jak to było.

Czekaliśmy.

— Zeszłej nocy, kiedy spałam, zadzwonił telefon. — Znowu spróbowała się uśmiechnąć, lecz tym razem przyszło jej to z wyraźnym trudem. — Nie wiem, która była godzina. Bardzo późna. Myślałam, że to ty, Verne. — Spojrzała na niego i tym razem udało jej się uśmiechnąć. Odpowiedział tym samym. — Kiedy jednak podniosłam słuchawkę, nikt się nie odezwał. Wtedy przypomniałam sobie to, co widziałam w telewizji. Gwiazdka, sześć, dziewięć. Naciskasz je i telefon sam wybiera numer ostatniego rozmówcy. Zrobiłam to. Odpowiedział jakiś mężczyzna. To nie był Verne, więc się rozłączyłam.

Spojrzała na nas wyczekująco. Rachel i ja popatrzyliśmy po sobie. Verne wciąż się uśmiechał, ale zauważyłem, że nagle się zgarbił. Puścił dłoń żony i opadł na kanapę.

Katarina spojrzała w kierunku kuchni.

— Mam ci przynieść drugie piwo, Verne?

— Nie, kochanie, nie przynoś. Chcę, żebyś usiadła przy mnie.

Zawahała się, lecz usłuchała. Usiadła sztywno, jakby połknęła kij. Verne też wyprostował się i znów ujął jej dłoń.

— Chcę, żebyś dobrze mnie wysłuchała, w porządku?

Kiwnęła głową. Z zewnątrz dolatywały wrzaski rozanielonych dzieciaków. To truizm, ale mało który dźwięk może się równać z beztroskim dziecięcym śmiechem. Katarina spojrzała na Verne'a z takim oddaniem, że o mało nie odwróciłem głowy.

— Wiesz, jak bardzo kochamy oboje naszych chłopców, prawda?

Kiwnęła głową.

— Wyobraź sobie, że ktoś by nam ich zabrał. Wyobraź sobie, że to stałoby się półtora roku temu. Pomyśl o tym. Pomyśl, że ktoś mógłby, na przykład, ukraść nam Perry'ego i przez ponad rok nie mielibyśmy pojęcia, co się z nim dzieje. — Wskazał na mnie. — Ten człowiek, który tu siedzi. On nie wie, co się stało z jego córeczką.

W oczach miała łzy.

— Musimy mu pomóc, Kat. Powiedz, co wiesz. Cokolwiek zrobiłaś. Nie obchodzi mnie to. Jeśli masz jakiś sekret, powiedz mi go teraz. Zaczniemy od nowa. Mogę wybaczyć ci prawie wszystko. Jednak nie sądzę, żebym potrafił ci wybaczyć, gdybyś nie pomogła temu człowiekowi i jego córeczce.

Pochyliła głowę i milczała. Rachel nacisnęła:

— Jeśli próbujesz osłaniać tego człowieka, do którego dzwoniłaś, nie fatyguj się. On nie żyje. Ktoś zastrzelił go kilka godzin po twoim telefonie.

318

Katarina nie podnosiła głowy. Wstałem i zacząłem krążyć po pokoju. Na zewnątrz rozległ się dźwięczny śmiech. Podszedłem do okna i spojrzałem. Verne Junior — mniej więcej sześcioletni chłopiec — zawołał:

— Jesteś gotowy czy nie, szukam!

Z pewnością bez trudu znajdzie brata. Nie widziałem Perry'ego, lecz jego dźwięczny śmiech niewątpliwie dochodził zza camaro. Verne Junior udawał, że szuka gdzie indziej, ale niedługo. Podkradł się do camaro i krzyknął:

— Bum!

Perry ze śmiechem wyskoczył zza samochodu i pobiegł w kierunku domu. Kiedy ujrzałem jego twarz, miałem wrażenie, że ziemia znowu ucieka mi spod nóg. Widzicie, od razu go poznałem.

To on był tym chłopcem, którego widziałem w nocy w samochodzie.

36

Tickner zaparkował przed domem Seidmanów. Jeszcze nie otoczyli miejsca zbrodni żółtą taśmą, ale naliczył sześć radiowozów i dwa wozy transmisyjne. Zastanawiał się, czy powinien podejść i pojawić się przed kamerami. Pistillo, szef jego szefów, jasno wyraził swoje stanowisko w tej sprawie. Tickner w końcu doszedł do wniosku, że może zostać. Jeśli ujmą go kamery, zawsze będzie mógł powiedzieć prawdę: przyszedł tu zawiadomić lokalną policję, że odsunięto go od dochodzenia.

Znalazł Regana na tyłach domu, obok trupa.

— Kto to?

— Nie ma żadnych dokumentów — odparł Regan. — Wzięliśmy odciski palców i zobaczymy, co uda nam się znaleźć.

Obaj popatrzyli na zabitego.

— Pasuje do opisu, jaki Seidman podał nam w zeszłym roku — orzekł Tickner.

— Taak.

— I czego to dowodzi?

Regan wzruszył ramionami.

— Czego zdążyłeś się dowiedzieć?

— Sąsiedzi najpierw usłyszeli strzały. Potem pisk opon. Zobaczyli małe bmw pędzące przez trawnik. Kolejne strzały.

Widzieli Seidmana. Jeden z sąsiadów twierdzi, że mogła mu towarzyszyć kobieta.

— Zapewne Rachel Mills — rzekł Tickner. Spojrzał na poranne niebo. — I o czym to świadczy?

— Może zastrzelony pracował dla Rachel. A ona go uciszyła.

— W obecności Seidmana?

Regan wzruszył ramionami.

— To bmw z czymś mi się skojarzyło. Przypomniałem sobie, że taki samochód miała partnerka doktora Seidmana. Zia Leroux.

— Czy to ona pomogła mu opuścić szpital?

— Już szukamy tego samochodu.

— Na pewno przesiedli się do innego.

— Taak, zapewne. — Nagle Regan zamilkł. — Uhm.

— Co?

Wskazał na twarz Ticknera.

— Nie nosisz okularów przeciwsłonecznych.

Tickner uśmiechnął się.

— Zły znak?

— Przy takich wynikach śledztwa. Może właśnie dobry.

— Przyjechałem powiedzieć, że przestajemy zajmować się tą sprawą. Nie tylko ja. Biuro. Gdybyś zdołał dowieść, że dziewczynka wciąż żyje...

— A obaj wiemy, że tak nie jest...

— ...albo że wywieziono ją za granicę stanu, zapewne mógłbym wznowić śledztwo. Jednak już nie traktujemy tej sprawy priorytetowo.

— Wracasz do terrorystów, Lloyd?

Tickner skinął głową. Popatrzył na niebo. Widziane bez okularów wyglądało dziwnie.

— Nawiasem mówiąc, czego chciał twój szef?

— Powiedzieć mi, że mam się wycofać.

— Uhm. I co jeszcze?

Tickner wzruszył ramionami.

— Że agent federalny Jerry Camp zginął w wyniku nieszczęśliwego wypadku.

— Sam wielki szef wezwał cię do siebie o piątej rano, żeby ci to powiedzieć?

— Taa.

— O rany.

— Co więcej, osobiście prowadził dochodzenie w tej sprawie. Przyjaźnił się z nieboszczykiem.

Regan pokręcił głową.

— Czy to oznacza, że Rachel Mills ma wpływowych przyjaciół?

— Bynajmniej. Jeśli możesz przyskrzynić ją za zamordowanie Seidman lub porwanie dziecka, zrób to.

— Tylko nie zajmuj się śmiercią Jerry'ego Campa.

— No właśnie.

Ktoś ich zawołał. Popatrzyli na wołającego. Na sąsiednim podwórku znaleziono broń. Obwąchali ją i stwierdzili, że niedawno z niej strzelano.

— Sprytnie — mruknął Regan.

— Uhm.

— Masz jakiś pomysł?

— Żadnego — powiedział mu Tickner. — To twoja sprawa, Bob. Od samego początku. Powodzenia.

— Dzięki.

Tickner odwrócił się, żeby odejść.

— Hej, Lloyd! — zawołał za nim Regan.

Tickner przystanął. Broń schowano do plastikowego woreczka. Regan spojrzał na nią i na ciało u swoich stóp.

— Wciąż nie wiemy, o co tu chodzi, no nie?

Tickner poszedł w kierunku swojego samochodu.

— Ni cholery — rzekł.

Katarina złożyła dłonie na podołku.

— Naprawdę nie żyje?

— Tak — odparła Rachel.

Verne stał, wściekły, z rękami splecionymi na piersi. Nie

mógł dojść do siebie, od kiedy powiedziałem mu, że to Perry był dzieckiem, które widziałem w hondzie.

— Miał na imię Pavel. Był moim bratem.

Czekaliśmy, aż powie nam coś więcej.

— Nie był dobrym człowiekiem. Zawsze o tym wiedziałam. Potrafił być okrutny. Kosowo robi ludzi takimi. Ale porywać małe dziecko?

Potrząsnęła głową.

— Co się stało? — spytała Rachel.

Jednak Katarina nie odrywała oczu od męża.

— Verne?

Nie spojrzał na nią.

— Okłamałam cię, Verne. Okłamałam cię w tylu sprawach.

Odgarnął włosy za uszy i zamrugał. Zobaczyłem, że oblizał wargi. Mimo to nadal na nią nie patrzył.

— Nie wychowałam się na wsi — zaczęła. — Mój ojciec umarł, kiedy miałam trzy lata. Matka imała się każdej pracy, jaką zdołała znaleźć. Mimo to nie radziliśmy sobie. Byliśmy strasznie biedni. Żywiliśmy się resztkami wygrzebanymi ze śmietników. Pavel chował się na ulicy, żebrał i kradł. Ja zaczęłam pracować w seksklubach, mając czternaście lat. Nie możecie sobie wyobrazić, co to oznacza, ale w Kosowie nie było dla mnie innego życia. Chciałam się zabić, nie macie pojęcia ile razy.

Odwróciła głowę w kierunku męża, lecz Verne nadal na nią nie patrzył.

— Spójrz na mnie — poprosiła. A kiedy nie usłuchał, nachyliła się do niego. — Verne?

— Tu nie chodzi o nas — rzekł. — Powiedz im to, co chcą wiedzieć.

— Wiodąc takie życie, po pewnym czasie przestajesz myśleć o ucieczce. Nie marzysz o pięknych ubraniach, szczęściu i tym podobnych rzeczach. Stajesz się zwierzęciem. Polujesz, żeby przeżyć. I nawet nie wiesz, dlaczego to robisz. Jednak pewnego dnia przyszedł do mnie Pavel. Powiedział, że zna sposób, jak wydostać się z tego bagna.

Katarina zamilkła. Rachel przysunęła się do niej. Pozwoliłem jej prowadzić tę rozmowę. Miała doświadczenie w przesłuchiwaniu podejrzanych i chociaż może zostanę uznany za męskiego szowinistę, ale pomyślałem, że Katarina prędzej otworzy się przed kobietą.

— I jaki to był sposób? — spytała Rachel.

— Mój brat powiedział, że mógłby zdobyć trochę pieniędzy i wyjechać ze mną do Ameryki, gdybym zaszła w ciążę.

Pomyślałem — nie, poprawka, miałem nadzieję — że się przesłyszałem. Verne gwałtownie odwrócił się ku żonie. Tym razem Katarina była na to przygotowana. Napotkała jego spojrzenie.

— Nie rozumiem — rzekł Verne.

— Byłam coś warta jako prostytutka. Jednak dziecko było warte znacznie więcej. Jeśli zajdę w ciążę, ktoś opłaci nasz przelot do Ameryki. I da nam pieniądze.

W pokoju zapadła głucha cisza. Wciąż słyszałem bawiące się na podwórzu dzieci, lecz nagle ich głosy wydały mi się dalekie jak echo dolatujące z oddali. W końcu pierwszy przerwałem milczenie, otrząsnąwszy się z szoku.

— Zapłacili pani — powiedziałem i w swoim głosie usłyszałem zgrozę i niedowierzanie — za dziecko?

— Tak.

— Jezu Chryste — powiedział Verne.

— Nie rozumiesz.

— Och, rozumiem — odparł Verne. — I zrobiłaś to?

Odwrócił się, jakby go spoliczkowała. Podniósł rękę i złapał się zasłony. Spoglądał na bawiące się na dworze dzieci.

— W moim kraju opuszczone dzieci umieszcza się w okropnych sierocińcach. W Ameryce tyle małżeństw chce adoptować dziecko. Jednak trudno dostać zezwolenie. To czasochłonne. Bywa, że trzeba czekać ponad rok. Tymczasem dziecko rośnie w biedzie. Przyszli rodzice muszą przekupić różnych urzędników. Szerzy się korupcja.

— Rozumiem — mruknął Verne. — Zrobiłaś to dla dobra ludzkości?

— Nie, tylko dla siebie. Dla siebie, w porządku?

Verne skrzywił się. Rachel położyła dłoń na kolanie Katariny.

— A zatem przyleciałaś tutaj?

— Tak, razem z Pavlem.

— I co potem?

— Zamieszkaliśmy w motelu. Odwiedzałam jasnowłosą kobietę. Ona pilnowała mnie i sprawdzała, czy dobrze się odżywiam. Dawała mi pieniądze na zakupy i ubranie.

Rachel zachęcająco skinęła głową.

— Gdzie rodziłaś?

— Nie wiem. Przyjechała furgonetka bez okien. Ta jasnowłosa kobieta była tam. Ona odebrała poród. Pamiętam płacz dziecka. Zaraz je zabrali. Nawet nie wiem, czy to był chłopczyk, czy dziewczynka. Odwieźli nas z powrotem do motelu. Ta jasnowłosa kobieta dała nam pieniądze.

Katarina wzruszyła ramionami.

Miałem wrażenie, że krew zastygła mi w żyłach. Usiłowałem oswoić się z tym, uporać z tą straszliwą wizją. Spojrzałem na Rachel i już miałem zadać pytanie, ale nieznacznie pokręciła głową. To nie była odpowiednia chwila na domysły. Powinniśmy gromadzić informacje.

— Spodobało mi się tutaj — dodała po chwili Katarina. — Uważacie, że macie wspaniały kraj. Nawet nie wiecie, jak bardzo. Chciałam tu zostać. Jednak pieniądze zaczęły się kończyć. Szukałam jakiegoś sposobu, żeby zostać. Poznałam pewną kobietę, która opowiedziała mi o witrynie internetowej. Musisz umieścić w niej swoje zdjęcie i mężczyźni zaczynają do ciebie pisać. Żaden z nich nie zechciałby dziwki, powiedziała mi. Dlatego wymyśliłam sobie rodzinny dom na wsi. Kiedy mężczyźni prosili, podawałam im adres e-mailowy. Po trzech miesiącach poznałam Verne'a.

Verne poczerwieniał jeszcze bardziej.

— Chcesz powiedzieć, że kiedy korespondowaliśmy, przez cały czas byłaś...

— W Ameryce, owszem.

Potrząsnął głową.

— Czy cokolwiek z tego, co mi mówiłaś, było prawdą?

— Wszystko co było ważne.

Prychnął drwiąco.

— A co z Pavlem? — spytała Rachel, usiłując wrócić do tematu. — Gdzie się podział?

— Nie wiem. Wiem, że czasem wracał do kraju. Namawiał i przywoził tu inne dziewczyny. Za opłatą. Od czasu do czasu kontaktował się ze mną. Jeśli potrzebował paru dolarów, dawałam mu. To nie było nic wielkiego. Aż do wczoraj.

Katarina popatrzyła na Verne'a.

— Dzieci będą głodne.

— Mogą trochę zaczekać.

— Co się stało wczoraj? — dociekała Rachel.

— Pavel zadzwonił późnym popołudniem. Powiedział, że natychmiast musi się ze mną zobaczyć. Nie spodobało mi się to. Spytałam, czego chce. On na to, że powie mi, kiedy tu przyjedzie, bez obawy. Nie wiedziałam, co odpowiedzieć.

— Mogłaś powiedzieć nie — warknął Verne.

— Nie mogłam.

— Dlaczego?

Milczała.

— Och, rozumiem. Obawiałaś się, że powie mi prawdę. Czyż nie?

— Nie wiem.

— A co to za odpowiedź, do diabła?

— Tak, bałam się, że powie ci prawdę. — Znowu popatrzyła na męża. — I modliłam się, żeby to zrobił.

Rachel próbowała sprowadzić ją z powrotem na interesujący nas temat.

— Co się stało, kiedy przyjechał tu pani brat?

Zaczęła płakać.

— Katarina?

— Powiedział, że musi zabrać ze sobą Perry'ego.

Verne zrobił wielkie oczy. Pierś Katariny zaczęła poruszać się gwałtownie, jakby z trudem chwytała oddech.

— Odmówiłam mu. Powiedziałam, że nie pozwolę tknąć moich dzieci. Groził mi. Mówił, że opowie o wszystkim Verne'owi. Powiedziałam, że nic mnie to nie obchodzi. Nie pozwolę mu zabrać Perry'ego. Wtedy uderzył mnie w brzuch. Upadłam. Obiecał, że za kilka godzin przywiezie Perry'ego z powrotem, że nikomu nic się nie stanie, jeśli nikomu nie powiem. I że jeśli zadzwonię do Verne'a albo na policję, zabije Perry'ego.

Verne zacisnął pięści. Był czerwony jak burak.

— Chciałam go powstrzymać. Próbowałam wstać, ale mnie przewrócił. A potem... — Na moment głos uwiązł jej w gardle. — Potem odjechał. Z Perrym. Następne sześć godzin było najdłuższe w moim życiu.

Zerknęła na mnie lękliwie. Wiedziałem, o czym myślała. Ona bała się tylko przez sześć godzin. Ja żyłem z tym strachem od półtora roku.

— Nie wiedziałam, co robić. Mój brat to zły człowiek. Teraz to wiem. Mimo to nie mogłam uwierzyć, że skrzywdziłby moje dziecko. Przecież był jego wujkiem.

W tym momencie pomyślałem o Stacy, mojej siostrze, i o tym jak zapewniałem, że na pewno jest niewinna.

— Przez kilka godzin nie odchodziłam od okna. Nie mogłam tego znieść. W końcu, o północy, zadzwoniłam na jego komórkę. Powiedział, że właśnie jedzie z powrotem. Perry'emu nic nie jest, zapewnił. Nic się nie stało. Usiłował mówić to lekkim tonem, ale słyszałam niepokój w jego głosie. Zapytałam, gdzie teraz jest. Powiedział, że na szosie numer osiemdziesiąt w pobliżu Paterson. Nie mogłam tak siedzieć w domu i czekać. Powiedziałam mu, że spotkam się z nim w połowie drogi. Zabrałam Verne'a Juniora i pojechaliśmy. Kiedy dotarliśmy do stacji benzynowej przy rozjeździe na Spartę... — Spojrzała na Verne'a. — Nic mu się nie stało. Perry'emu. Poczułam niewiarygodną ulgę.

Verne kciukiem i wskazującym palcem skubał dolną wargę. Znów odwrócił wzrok.

— Zanim odjechałam, Pavel złapał mnie za ramię. Przyciągnął mnie do siebie. Widziałam, że był przestraszony. Powiedział, żebym nikomu o tym nie mówiła, obojętnie co się stanie. Mówił, że gdyby tamci dowiedzieli się o mnie, gdyby wiedzieli, że ma siostrę, zabiliby nas wszystkich.

— Jacy oni? — zapytała Rachel.

— Nie wiem. Ci, dla których pracował. Myślę, że to ci ludzie, którzy kupowali niemowlęta. Powiedział, że to wariaci.

— I co było dalej?

Katarina otworzyła usta, zamknęła je i spróbowała ponownie.

— Pojechałam do supermarketu — powiedziała i wydała cichy dźwięk, który może nawet był śmiechem. — Kupiłam dzieciom sok w kartonikach. Pozwoliłam im pić, kiedy robiliśmy zakupy. Po prostu chciałam zrobić coś zwyczajnego. Sama nie wiem... chciałam zapomnieć o wszystkim.

Katarina znowu spojrzała na Verne'a. Ja również. Ponownie przyjrzałem się temu mężczyźnie o długich włosach i krzywych zębach. Po chwili popatrzył na żonę.

— W porządku — rzekł najłagodniejszym głosem, jaki słyszałem w życiu. — Byłaś przestraszona. Bałaś się przez całe swoje życie.

Katarina zaczęła płakać.

— Nie chcę, żebyś nadal się bała, rozumiesz?

Podszedł do niej. Wziął ją w ramiona. Uspokoiła się na tyle, żeby wykrztusić:

— Powiedział, że przyjdą po nas. Zabiją nas wszystkich.

— Obronię was — odparł po prostu. Spojrzał na mnie ponad jej ramieniem. — Zabrali moje dziecko. Grozili mojej rodzinie. Słyszysz, co mówię?

Skinąłem głową.

— Teraz to i moja sprawa. Jestem z wami.

Rachel skuliła się. Zobaczyłem, jak skrzywiła się z bólu.

Miała zamknięte oczy. Nie wiedziałem, jak długo jeszcze wytrzyma. Ruszyłem w jej kierunku. Podniosła rękę.

— Katarina, potrzebujemy twojej pomocy. Gdzie mieszkał twój brat?

— Nie wiem.

— Pomyśl. Czy masz coś, co należało do niego, co mogłoby naprowadzić nas na ślad tych, dla których pracował?

Puściła męża. Verne gładził jej włosy z czułością i zdecydowaniem, których mu zazdrościłem. Odwróciłem się do Rachel. Zadałem sobie pytanie, czy miałbym odwagę postąpić tak samo.

— Pavel niedawno wrócił z Kosowa — powiedziała Katarina. — Na pewno nie przyjechał stamtąd z pustymi rękami.

Rachel skinęła głową.

— Myśli pani, że przywiózł ciężarną kobietę?

— Dotychczas zawsze tak robił.

— Czy pani wie, gdzie się zatrzymała?

— Kobiety zawsze mieszkają w tym samym miejscu — tam gdzie ja mieszkałam. W Union City. — Katarina podniosła głowę. — Chcecie, żeby ta kobieta wam pomogła, prawda?

— Tak.

— A zatem będę musiała pojechać z wami. Ona prawie na pewno nie mówi po angielsku.

Spojrzałem na Verne'a. Kiwnął głową.

— Ja popilnuję dzieci.

Przez długą chwilę nikt się nie ruszał. Zbieraliśmy siły do działania, jakbyśmy mieli przejść w stan nieważkości. Wykorzystałem ten moment, żeby wyjść na zewnątrz i zadzwonić do Zii. Odpowiedziała po pierwszym sygnale i od razu zaczęła mówić.

— Gliny mogą słuchać, więc nie zostawaj na linii za długo — ostrzegła.

— Dobrze.

— Odwiedził mnie nasz przyjaciel, detektyw Regan. Powiedział mi, że jego zdaniem posłużyłeś się moim samochodem, opuszczając szpital. Zadzwoniłam do Lenny'ego. Kazał mi nie potwierdzać jakichkolwiek zarzutów i im nie zaprzeczać. Pewnie domyślasz się reszty.

— Dzięki.

— Uważasz na siebie?

— Zawsze.

— Jasne. Nawiasem mówiąc, gliniarze nie są głupi. Pomyśleli, że jeśli raz skorzystałeś z pomocy przyjaciół, możesz zrobić to po raz drugi.

Zrozumiałem, co chciała mi powiedzieć. Nie używaj samochodu Lenny'ego.

— No, lepiej już się wyłącz — powiedziała. — Kocham cię.

Telefon zamilkł. Wróciłem do środka. Verne otworzył kluczem szafkę z bronią. Przeglądał swoją kolekcję. Po drugiej stronie pokoju stał sejf, w którym trzymał amunicję. Otworzył go, wprowadzając kombinację cyfr. Zerknąłem mu przez ramię. Verne spojrzał na mnie i puścił oko. Miał tam zapas wystarczający do obalenia rządu jakiegoś małego europejskiego kraju.

Powiedziałem im o mojej rozmowie z Zią. Verne nie wahał się ani chwili. Klepnął mnie w plecy i oznajmił:

— Mam dla was odpowiedni pojazd.

Dziesięć minut później Katarina, Rachel i ja odjechaliśmy białym camaro.

37

Szybko znaleźliśmy ciężarną dziewczynę.

Zanim z rykiem silnika opuściliśmy posiadłość Verne'a, Rachel błyskawicznie wzięła prysznic i zmyła z siebie krew oraz brud. Pospiesznie sprawdziłem jej opatrunek. Katarina pożyczyła jej letnią sukienkę w kwiaty, z rodzaju tych, które są powiewne, a jednocześnie opięte tam, gdzie trzeba. Kiedy wsiadaliśmy do samochodu, włosy Rachel były jeszcze mokre i pozlepiane. Nie wiem, czy w moim życiu widziałem piękniejszą kobietę pomimo podbitego oka i siniaków.

Ruszyliśmy. Katarina uparła się, że pojedzie na rozkładanym tylnym fotelu. Tak więc ja i Rachel usiedliśmy obok siebie. Przez kilka minut nikt się nie odzywał. Sądzę, że uchodziło z nas napięcie.

— Verne mówił — zaczęła Rachel — że należy wszystko sobie wyjaśnić i zacząć od nowa.

Nie odrywałem oczu od drogi.

— Nie zabiłam mojego męża, Marc.

Zdawała się nie przejmować tym, że Katarina jedzie z nami. Ja też się tym nie przejmowałem

— Według oficjalnej wersji to był nieszczęśliwy wypadek — przypomniałem.

— Oficjalna wersja to kłamstwo.

Westchnęła. Potrzebowała czasu, żeby dojść do siebie. Nie poganiałem jej.

— To było drugie małżeństwo Jerry'ego. Z pierwszego miał dwoje dzieci. Jego syn, Derrick, urodził się z porażeniem mózgowym. Koszty opieki są astronomiczne. Jerry nigdy nie radził sobie ze sprawami finansowymi, ale w tym wypadku zrobił, co było w jego mocy. Nawet wykupił bardzo drogą polisę na życie na wypadek, gdyby coś mu się stało.

Kątem oka widziałem jej dłonie. Nie poruszyły się i nie zacisnęły w pięści. Po prostu spoczywały na jej podołku.

— Nasze małżeństwo się rozpadało. Z wielu powodów. O kilku już wspomniałam. Nie kochałam go. Myślę, że o tym wiedział. Najważniejszym był jednak ten, że Jerry cierpiał na psychozę maniakalno-depresyjną. Kiedy nie brał lekarstw, choroba się pogłębiała. W końcu wystąpiłam o rozwód.

Zerknąłem na nią. Przygryzła wargę i szybko poruszała powiekami, powstrzymując łzy.

— Tego dnia, kiedy doręczono mu pozew, Jerry strzelił sobie w głowę. To ja znalazłam go bezwładnie leżącego na kuchennym stole. Obok znajdowała się koperta zaadresowana do mnie. Od razu rozpoznałam pismo Jerry'ego. Otworzyłam ją. W środku była kartka papieru, a na niej tylko jedno słowo: „Suka".

Katarina położyła dłoń na ramieniu Rachel. Ja wpatrywałem się w drogę.

— Sądzę, że Jerry zrobił to specjalnie — powiedziała. — Ponieważ wiedział, co będę musiała zrobić.

— A mianowicie? — zapytałem.

— Samobójstwo oznaczało, że firma ubezpieczeniowa nie wypłaci polisy. Derrick zostałby bez pieniędzy. Nie mogłam na to pozwolić. Zadzwoniłam do jednego z moich szefów, przyjaciela Jerry'ego, niejakiego Josepha Pistillo. To szycha w FBI. Przyjechał z kilkoma ludźmi i upozorował nieszczęśliwy wypadek. Według oficjalnej wersji omyłkowo wzięłam męża za włamywacza. Miejscowa policja i firma ubezpieczeniowa zostały zmuszone do zaakceptowania tej wersji.

Wzruszyła ramionami.

— No to dlaczego zwolniłaś się z FBI? — zapytałem.

— Ponieważ szeregowi pracownicy nigdy tego nie kupili. Wszyscy podejrzewali, że sypiałam z kimś wpływowym. Pistillo nie mógł mnie ochronić. Tylko pogorszyłby sprawę. Ja też nie mogłam się bronić. Próbowałam jakoś przeczekać, ale FBI to nie miejsce dla tych, którzy nie są mile widziani.

Oparła się o zagłówek. Spojrzała w boczne okno. Nie wiedziałem, co myśleć o tej historii. W ogóle nie wiedziałem, co mam o tym wszystkim myśleć. Chciałem powiedzieć coś pocieszającego. Nie potrafiłem. Jechałem, aż w końcu dotarliśmy do motelu w Union City.

Katarina poszła do recepcji i udając, że mówi tylko po serbsku, gestykulowała zawzięcie, aż recepcjonista podał jej numer pokoju kobiety mówiącej w podobnym języku, doszedłszy do wniosku, że tylko w ten sposób zdoła ją uspokoić. Udało nam się.

Pokój ciężarnej dziewczyny bardziej przypominał izolatkę w podrzędnym szpitalu niż zwyczajny pokój w motelu. Nazywam ją dziewczyną, ponieważ Tatiana — bo takie podała nam imię — twierdziła, że ma szesnaście lat. Miała podkrążone oczy dziecka z reportażu o ofiarach wojny, którym zapewne była.

Trzymałem się na uboczu, stojąc przy drzwiach. Rachel też. Tatiana nie mówiła po angielsku. Pozostawiliśmy rozmowę Katarinie. Rozmawiały przez prawie dziesięć minut. Potem przez chwilę milczały. Tatiana westchnęła, otworzyła szufladę stolika, na którym stał telefon, i wręczyła Katarinie kartkę papieru. Katarina pocałowała ją w policzek i podeszła do nas.

— Ona się boi — powiedziała. — Znała tylko Pavla. Zostawił ją tu wczoraj i kazał pod żadnym pozorem nie opuszczać pokoju.

Spojrzałem na Tatianę. Próbowałem posłać jej krzepiący uśmiech. Wiedziałem, że mi się nie udało.

— Co powiedziała? — spytała Rachel.

— Oczywiście, nic nie wie. Tak jak ja. Wie tylko, że jej dziecko znajdzie dobry dom.

— Co jest na tej kartce papieru, którą ci dała?

Katarina pokazała nam kartkę.

— Numer telefonu. W nagłych wypadkach powinna wybrać ten numer, a potem cztery dziewiątki.

— Pager — powiedziałem.

— Tak sądzę.

Spojrzałem na Rachel.

— Możemy ustalić właściciela?

— Bardzo wątpię. Bardzo łatwo załatwić sobie pager na fałszywe nazwisko.

— No to zadzwońmy — zaproponowałem. Zwróciłem się do Katariny. — Czy Tatiana spotkała kogoś poza twoim bratem?

— Nie.

— No to ty zadzwoń — podsunąłem. — Przedstaw się jako Tatiana. Powiesz temu, kto odbierze, że dostałaś krwotoku, kolki albo innego ataku.

— Hej! — zastopowała mnie Rachel. — Zaczekaj.

— Musimy ściągnąć tu tego kogoś — powiedziałem.

— I co potem?

— Jak to co potem? Przesłuchasz tego człowieka. Przecież umiesz to robić?

— Nie jestem już agentką FBI. A nawet gdybym była, nie możemy nikogo przesłuchiwać. Wyobraź sobie, że jesteś jednym z nich. Pojawiasz się tu, a ja zaczynam cię przyciskać? Co byś zrobił, gdybyś był zamieszany w coś takiego?

— Starałbym się dogadać.

— Może. Albo poszedł w zaparte i wezwał prawnika. I co wtedy zrobimy?

Zastanowiłem się nad tym.

— Jeśli ten ktoś zażąda adwokata, zostawisz mnie samego z podejrzanym.

Rachel zrobiła wielkie oczy.

— Mówisz poważnie?

— Rozmawiamy o życiu mojej córki.

— Rozmawiamy o życiu wielu dzieci, Marc. Ci ludzie handlują dziećmi. Musimy zakończyć ten proceder.

— W takim razie, co proponujesz?

— Zadzwonimy do nich. Tak jak powiedziałeś. Tylko niech rozmawia z nimi Tatiana. Niech powie cokolwiek, byle ich tutaj ściągnąć. Zbadają ją. My spiszemy numery rejestracyjne samochodu. Kiedy odjadą, będziemy ich śledzić. Dowiemy się, kim są.

— Nie rozumiem. Dlaczego Katarina nie może zadzwonić?

— Ponieważ ten, kto tu przyjedzie, zechce zbadać osobę, która dzwoniła. Katarina i Tatiana mają różne głosy. Tamci natychmiast zorientują się, że coś tu nie gra.

— Tylko po co mamy zadawać sobie tyle trudu? Przyjadą tutaj. Po co ryzykować i śledzić ich?

Rachel zamknęła oczy i znów je otworzyła.

— Marc, pomyśl. Jeśli zorientują się, że wpadliśmy na ich trop, jak zareagują?

Zamilkłem.

— I chcę, żebyś zrozumiał jeszcze coś. Teraz nie chodzi już tylko o Tarę. Musimy dopaść tych, którzy za tym stoją.

— A jeśli po prostu zgarniemy tych, którzy tu przyjadą — powiedziałem, pojmując o co jej chodzi — ostrzeżemy tamtych.

— No właśnie.

Nie byłem pewien, czy mnie to obchodzi. Dla mnie najważniejsza była Tara. Jeśli FBI lub policja zdoła postawić tych ludzi w stan oskarżenia, jestem za tym. Jednak nie to było moim głównym celem.

Katarina przekazała Tatianie nasz plan. Widziałem, że nie zdołała jej przekonać. Dziewczyna była przerażona. Wciąż przecząco kręciła głową. Czas płynął — czas, którego nie mieliśmy. Zirytowałem się i postanowiłem zrobić coś niemądrego. Podniosłem słuchawkę, wybrałem numer pagera, a potem cztery razy nacisnąłem dziewięć. Tatiana zdrętwiała.

— Zrobisz to — powiedziałem.

Katarina przetłumaczyła.

Przez następne dwie minuty nikt się nie odzywał. Wszyscy troje patrzyliśmy na Tatianę. Kiedy zadzwonił telefon, nie spodobało mi się to, co zobaczyłem w oczach tej dziewczyny.

Katarina powiedziała jej coś ponaglającym tonem. Tatiana potrząsnęła głową i założyła ręce na piersi. Telefon zadzwonił po raz trzeci. Potem czwarty.

Wyjąłem broń.

— Marc — powiedziała Rachel.

Trzymałem pistolet w opuszczonej ręce.

— Czy ona wie, że chodzi o życie mojej córki?

Katarina pospiesznie powiedziała coś po serbsku. Twardo spojrzałem Tatianie w oczy. Nie zareagowała. Podniosłem broń i nacisnąłem spust. Lampa nocna rozleciała się na kawałki, a huk strzału odbił się głośnym echem w pokoju. Wszyscy podskoczyli. Następne głupie posunięcie. Wiedziałem. Natomiast nie wiedziałem, czy obchodzi mnie czyjeś zdanie na ten temat.

— Marc!

Rachel położyła rękę na moim ramieniu. Strząsnąłem ją. Spojrzałem na Katarinę.

— Powiedz jej, że jeśli dzwoniący się rozłączy...

Nie dokończyłem. Katarina zaczęła szybko coś mówić. Ścisnąłem broń, którą znów trzymałem w opuszczonej ręce. Tatiana nadal patrzyła na mnie. Pot wystąpił mi na czoło. Zacząłem się trząść. Tatiana patrzyła na mnie i nagle na jej twarzy dostrzegłem wahanie.

— Proszę — wycedziłem.

Po szóstym dzwonku Tatiana podniosła słuchawkę i zaczęła mówić.

Popatrzyłem na Katarinę. Wysłuchała rozmowy, a potem skinęła głową. Przeszedłem na drugi koniec pokoju. Wciąż trzymałem w ręku pistolet. Rachel spojrzała na mnie. Ja na nią. Ona pierwsza odwróciła wzrok.

Zaparkowaliśmy camaro przed znajdującą się obok restauracją i czekaliśmy.

Nie mieliśmy ochoty na pogawędki. Patrzyliśmy wszędzie, tylko nie na siebie, jak nieznajomi w windzie. Nie wiedziałem, co powiedzieć. Nie miałem pojęcia, co czuję. Strzeliłem z pistoletu i groziłem nieletniej dziewczynie. Co gorsza, chyba wcale się tym nie przejąłem. Skutki takiego postępowania były niczym odległe burzowe chmury, które równie dobrze mogą się rozwiać, jak zebrać.

Włączyłem radio i nastawiłem na lokalną rozgłośnię. Niemal spodziewałem się, że ktoś powie: „Przerywamy nasz program, żeby nadać specjalny komunikat", a potem poda nasze nazwiska i rysopisy, a może nawet ostrzeżenie, że jesteśmy uzbrojeni i niebezpieczni. Jednak nie było żadnych wiadomości o strzelaninie w Kasselton ani policyjnym pościgu za nami.

Rachel i ja nadal siedzieliśmy z przodu, a Katarina na składanym fotelu z tyłu. Rachel wyjęła Palm Pilota. W ręku trzymała pisak, gotowa go użyć. Zastanawiałem się, czy zadzwonić do Lenny'ego, ale przypomniałem sobie ostrzeżenie Zii. Na pewno założyli mu podsłuch. Poza tym nie miałem mu nic do powiedzenia prócz tego, że właśnie groziłem szesnastoletniej ciężarnej nielegalnie posiadaną bronią, zabraną facetowi, który został zamordowany na moim podwórku. Lenny prawnik na pewno by się nie ucieszył.

— Myślisz, że zechce współpracować? — spytałem.

— Rachel wzruszyła ramionami.

Tatiana powiedziała, że jest po naszej stronie. Nie wiedziałem, czy możemy jej wierzyć. Na wszelki wypadek rozłączyłem jej telefon i zabrałem przewód. Sprawdziłem, czy w jej pokoju nie ma papieru lub czegokolwiek, na czym mogłaby napisać liścik dla odwiedzającej. Nie znalazłem niczego takiego. Rachel położyła na parapecie okna swój telefon komórkowy, który miał pełnić rolę pluskwy. Katarina trzymała swój przy uchu. Miała znowu być naszą tłumaczką.

Pół godziny później złocisty lexus sc 430 z rykiem wjechał na parking. Gwizdnąłem pod nosem. Jeden z moich kolegów ze szpitala niedawno kupił sobie taki wóz. Wybulił sześćdziesiąt kawałków. Kobieta, która wysiadła z lexusa, miała krótkie, sterczące blond włosy. Nosiła zbyt obcisłą jasną koszulę pod kolor włosów, oraz dopasowane białe spodnie, tak ciasne, że wyglądały jak druga skóra. Ramiona miała gładkie i opalone. Wyglądała znajomo. Znacie ten typ. Jedna z tych młodych mężatek, których pełno w klubach tenisowych.

Spojrzeliśmy z Rachel na Katarinę. Poważnie skinęła głową.

— To ona. To ta kobieta, która odbierała moje dziecko.

Zobaczyłem, że Rachel pisze po ekranie Palm Pilota.

— Co robisz? — zapytałem.

— Wprowadzam numer rejestracyjny i markę wozu. Za kilka minut powinniśmy się dowiedzieć, do kogo należy ten samochód.

— Jak to robisz?

— To nic trudnego — powiedziała Rachel. — Każdy funkcjonariusz ma swoje dojścia. A jeśli nie, płaci komuś w biurze. Zazwyczaj pięćset dolców.

— Podłączasz się do bazy?

Kiwnęła głową.

— Przez modem bezprzewodowy. Pewien mój znajomy, niejaki Harold Fisher, to technologiczny geniusz pracujący jako wolny strzelec. Nie podobał mu się sposób, w jaki zmuszono mnie do rezygnacji.

— I dlatego ci pomaga?

— Tak.

Jasnowłosa kobieta pochyliła się i wyjęła coś, co wyglądało jak torba lekarska. Potem założyła okulary przeciwsłoneczne i pospieszyła w kierunku pokoju Tatiany. Zapukała, drzwi otworzyły się i Tatiana wpuściła ją do środka.

Obróciłem się w fotelu i spojrzałem na Katarinę. Wyłączyła mikrofon w swojej komórce.

— Tatiana mówi, że już czuje się lepiej. Ta kobieta jest zła, że niepotrzebnie przyjeżdżała.

Zamilkła.

— Czy padło już jakieś nazwisko?

Katarina potrząsnęła głową.

— Ta kobieta zamierza ją zbadać.

Rachel wpatrywała się w Palm Pilota jak w kryształową kulę.

— Jest.

— Co?

— Denise Vanech, Riverview Avenue czterdzieści siedem, Ridgewood, New Jersey. Czterdzieści siedem lat. Żadnych nie-zapłaconych mandatów za parkowanie. — Znowu zaczęła poru-szać pisakiem. — Na razie wprowadzę to nazwisko do google'a.

— Do wyszukiwarki?

— Tak. Zdziwisz się, co można czasem znaleźć.

Wcale nie. Kiedyś wprowadziłem moje nazwisko. Nie pa-miętam po co. Spiliśmy się z Zią i zrobiliśmy to dla zabawy. Nazywa to „rozkwitem ego".

— Niewiele mówią. — Twarz Katariny miała skupiony wyraz. — Może ją bada?

Spojrzałem na Rachel.

— Google znalazł dwa rekordy — powiedziała. — Pierwszy na witrynie internetowej wydziału planowania przestrzennego Bergen County. Zwróciła się o zezwolenie na wydzielenie części swojej parceli. Nie otrzymała zgody. Drugi jest znacznie ciekaw-szy. To strona absolwentów. Wymienia wszystkich tych, których nie udało się jeszcze zlokalizować.

— Jakiej szkoły? — zapytałem.

— Pielęgniarek i położnych przy Uniwersytecie Filadel-fijskim.

Pasowało.

— Skończyły — oznajmiła Katarina.

— Szybko — mruknąłem.

— Bardzo.

Katarina słuchała chwilę.

— Ta kobieta mówi Tatianie, że powinna na siebie uważać. I więcej jeść, dla dobra dziecka I dzwonić w razie jakichś dolegliwości.

Obróciłem się do Rachel.

— Teraz jest milsza niż zaraz po przyjeździe.

Rachel skinęła głową. Kobieta, którą uznaliśmy za Denise Vanech, wyszła z pokoju. Szła z wysoko podniesioną głową, ponętnie poruszając tyłeczkiem. Ta obcisła jasna koszula była

339

pasiasta i najwyraźniej bardzo przezroczysta. Kobieta wsiadła do samochodu i ruszyła.

Włączyłem silnik camaro, który ryknął jak nałogowy palacz z chroniczną chrypką. Trzymałem się w bezpiecznej odległości. Nie obawiałem się, że mogę ją zgubić. Teraz wiedzieliśmy już, gdzie mieszka.

— Nadal tego nie rozumiem — powiedziałem do Rachel. — Jak uchodzi im na sucho handel dziećmi?

— Znajdują zdesperowane kobiety. Zwabiają je tutaj, obiecując pieniądze i dobre, dostatnie domy dla ich dzieci.

— Przecież adoptowanie dziecka to długa i skomplikowana procedura. Istna droga przez mękę. Znam kilka przypadków, kiedy ludzie chcieli zaadoptować dzieci z krajów Trzeciego Świata. Nie uwierzyłabyś, ile trzeba wypełnić papierów. To niemal niewykonalne.

— Nie potrafię na to odpowiedzieć, Marc.

Na New Jersey Turnpike Denise Vanech skręciła na północ. Widocznie wracała do Ridgewood. Zwolniłem, zostając jeszcze dalej z tyłu. Zobaczyłem mrugający migacz i lexus zjechał w prawo przy restauracji Vince'a Lombardiego. Denise Vanech zaparkowała i weszła do środka. Podjechałem tam i spojrzałem na Rachel. Przygryzła wargę.

— Może chce skorzystać z toalety — podsunąłem.

— Umyła się po zbadaniu Tatiany. Dlaczego nie skorzystała z niej wtedy?

— Może jest głodna?

— Czy ona ci wygląda na amatorkę hamburgerów, Marc?

— No, to co robimy?

Rachel nie zastanawiała się długo. Chwyciła za klamkę.

— Wysadź mnie przy drzwiach.

Denise Vanech była pewna, że Tatiana udawała.

Dziewczyna twierdziła, że miała krwotok. Denise obejrzała pościel. Nie zmieniano jej, ale nie było na niej śladów krwi.

Kafelki na podłodze były czyste. Deska klozetowa również. Nigdzie nie było śladów krwi.

Rzecz jasna, samo w sobie, to nie miało znaczenia. Dziewczyna mogła posprzątać pokój. Jednak były inne niepokojące fakty. Badanie ginekologiczne nie ujawniło żadnych nieprawidłowości. Nic. Ani odrobiny krwi. Także na jej włosach łonowych. Kiedy zakończyła badanie, Denise sprawdziła prysznic. Suchy jak pieprz. Dziewczyna dzwoniła przed godziną. Twierdziła, że obficie krwawi.

Coś tu się nie zgadzało.

Ponadto dziewczyna dziwnie się zachowywała. Te dziewczyny zawsze są przestraszone. To oczywiste. Denise wyjechała z Jugosławii mając dziewięć lat, w okresie rządów Tito i względnego spokoju, ale wiedziała, jak tam może być. Tym dziewczynom, które stamtąd przyjeżdżały, Stany Zjednoczone musiały wydawać się obcą planetą. Jednak strach tej małej był nieco inny. Zazwyczaj ciężarne spoglądały na Denise jak na wybawicielkę, z mieszaniną obawy i nadziei. Tymczasem ta unikała jej wzroku. Kręciła się nerwowo. I jeszcze coś. Tatianę przywiózł Pavel. Zwykle dobrze pilnował swoich podopiecznych. Tym razem nie było go tu. Denise już chciała o to zapytać, ale postanowiła zaczekać, aż dziewczyna sama poruszy ten temat. Jeśli wszystko jest w porządku, z pewnością powie coś o Pavlu.

Nie zrobiła tego.

Tak, zdecydowanie coś było nie tak.

Denise nie chciała budzić podejrzeń. Zakończyła badanie i pospiesznie opuściła motel. Zza przeciwsłonecznych okularów wypatrywała podejrzanych furgonetek. Nie dostrzegła. Rozejrzała się za nieoznakowanymi wozami patrolowymi. Nie zauważyła żadnego. Oczywiście, nie była ekspertem. Chociaż współpracowała ze Steve'em Bacardem od prawie dziesięciu lat, nigdy nie było żadnych komplikacji. Może dlatego straciła czujność.

Gdy tylko wsiadła do samochodu, Denise sięgnęła po telefon komórkowy. Zamierzała zadzwonić do Bacarda. Nie. Jeśli obserwowali motel, to zdołają namierzyć rozmowę. Denise postanowiła zadzwonić z budki telefonicznej przy najbliższej stacji benzynowej. Nie. Tego również mogli się spodziewać. Kiedy zobaczyła neon restauracji, przypomniała sobie, że mają tam kilkanaście automatów telefonicznych. Zadzwoni stamtąd. Jeśli zrobi to szybko, nawet tego nie zauważą i nie będą wiedzieli, z którego aparatu dzwoniła.

Tylko czy to bezpieczne?

Pospiesznie rozważyła wszystkie możliwości. Załóżmy, że rzeczywiście ktoś ją śledzi. W takim przypadku odwiedziny w biurze Bacarda byłyby błędem. Powinna zaczekać i zadzwonić do niego po powrocie do domu. Mogli jednak założyć jej podsłuch. To rozwiązanie — rozmowa z jednego z wielu płatnych telefonów — wydawało się najmniej ryzykowne.

Denise wzięła serwetkę i chwyciła przez nią słuchawkę. Starała się nie ścierać z niej odcisków palców. Z pewnością było ich tam mnóstwo. Po co miałaby ułatwiać śledzącym zadanie?

Steve Bacard podniósł słuchawkę.

— Halo?

Przeraził się, gdy usłyszał jej zdenerwowany głos.

— Gdzie jest Pavel? — zapytała.

— Denise?

— Tak.

— Dlaczego pytasz?

— Właśnie odwiedziłam jego dziewczynę. Coś jest nie tak.

— O Boże! — jęknął. — Co się stało?

— Dziewczyna zadzwoniła na numer alarmowy i wezwała mnie. Powiedziała, że miała krwotok, ale myślę, że kłamie.

Zapadła cisza.

— Steve?

— Wracaj do domu. Z nikim nie rozmawiaj.

— W porządku.

Denise zobaczyła podjeżdżającego białego camaro. Zmarszczyła brwi. Czy nie widziała już gdzieś tego samochodu?

— Masz w domu jakieś papiery? — zapytał Bacard.

— Nie, jasne że nie.

— Jesteś pewna?

— Całkowicie.

— W porządku, to dobrze.

Z camaro wysiadła jakaś kobieta. Nawet z daleka Denise dostrzegła obandażowane ucho.

— Jedź do domu — rzekł Bacard.

Zanim kobieta minęła zakręt korytarza, Denise odwiesiła słuchawkę i weszła do toalety.

Jako dzieciak, Steve Bacard uwielbiał oglądać starego *Batmana*. Pamiętał, że każdy odcinek tego serialu zaczynał się mniej więcej tak samo. Ktoś popełniał przestępstwo. Potem zjawiali się komisarz Gordon i szef O'Hara. Obaj tępi stróże prawa mieli ponure miny. Omawiali sytuację i po chwili dochodzili do wniosku, że nie ma innego wyjścia. Komisarz Gordon chwytał za słuchawkę batmanofonu. Batman zgłaszał się, obiecywał załatwić sprawę, odwracał się do Robina i mówił: „Do batmobilu!".

Bacard spoglądał na telefon, czując to znajome ssanie w żołądku. Zaraz zadzwoni, ale nie do pozytywnego bohatera. Wprost przeciwnie. Jednak w ostatecznym rozrachunku liczy się tylko przetrwanie. Gładkie słówka i usprawiedliwienia są dobre w czasie pokoju. Na wojnie, w kwestiach życia i śmierci, wszystko jest prostsze: my albo oni. Podniósł słuchawkę i wybrał numer.

Lydia powiedziała słodko:

— Cześć, Steven.

— Znów was potrzebuję.

— Jak bardzo?

— Bardzo.

— Już jedziemy — powiedziała.

38

— Kiedy tam weszłam — powiedziała Rachel — była w toalecie. Odniosłam jednak wrażenie, że najpierw gdzieś dzwoniła.

— Dlaczego?

— W toalecie była kolejka. Ta kobieta stała tylko trzy osoby przede mną. Powinna być na początku kolejki.

— Nie da się ustalić, do kogo dzwoniła?

— Na pewno nieprędko. Tam jest mnóstwo aparatów. Nawet gdybym miała dostęp do bazy danych FBI, zajęłoby to sporo czasu.

— No, to jedziemy za nią.

— Tak. — Odwróciła się. — Czy w tym samochodzie jest atlas drogowy?

Katarina uśmiechnęła się.

— Nawet kilka. Verne lubi mapy. Świata, okolicy czy stanu?

— Stanu.

Poszukała w kieszeni za oparciem mojego fotela i podała Rachel atlas. Rachel otworzyła długopis i zaczęła coś kreślić.

— Co robisz? — zapytałem.

— Sama nie wiem.

Zadzwonił telefon. Odebrałem.

— U was wszystko w porządku?

— Tak, Verne, szafa gra.

— Ściągnąłem siostrę, żeby popilnowała dzieciaków. Jadę pikapem na wschód. Gdzie jesteście?

Powiedziałem mu, że jedziemy do Ridgewood. Znał to miasto.

— Będę tam za dwadzieścia minut — rzekł. — Spotkam się z wami przy Ridgewood Coffee Company przy Wilsey Square.

— Możemy być w domu akuszerki — powiedziałem.

— Zaczekam.

— Dobrze.

— Hej, Marc — powiedział Verne — nie chcę być sentymentalny ani nic takiego, ale gdyby trzeba było kogoś zastrzelić...

— Dam ci znać.

Lexus skręcił w Linwood Avenue. Pozostaliśmy jeszcze bardziej w tyle. Rachel przez cały czas miała pochyloną głowę, na przemian kreśląc pisakiem po ekranie Palm Pilota lub markerem po atlasie. Wjechaliśmy na przedmieścia. Denise Vanech skręciła w lewo na Waltherly Road.

— Z pewnością kieruje się do domu — orzekła Rachel. — Niech jedzie. Musimy to przemyśleć.

Nie wierzyłem własnym uszom.

— Jak to, przemyśleć? Powinniśmy ją przesłuchać.

— Jeszcze nie. Pracuję nad czymś.

— Nad czym?

— Daj mi jeszcze kilka minut.

Zwolniłem i skręciłem w Van Dien, niedaleko szpitala Valley. Spojrzałem przez ramię na Katarinę. Posłała mi nikły uśmiech. Rachel nadal zajmowała się nie wiadomo czym. Zerknąłem na zegar na desce rozdzielczej. Czas spotkać się z Verne'em. Pojechałem North Maple do Ridgewood Avenue. Przed sklepem z napisem „Duxiana" zobaczyłem wolne miejsce do parkowania. Natychmiast skorzystałem z okazji. Półciężarówka Verne'a stała po drugiej stronie ulicy. Miała alufelgi i dwie naklejki na

zderzakach. Jedna głosiła: CHARLTON HESTON NA PRE-
ZYDENTA, a druga: CZY JA WYGLĄDAM JAK HEMO-
ROID? TO NIE SIEDŹ NA MOIM TYŁKU.

W centrum Ridgewood obok pocztówkowego splendoru
z końca ubiegłego wieku widać było ekstrawagancką architek-
turę nowoczesnych restauracji. Większość tradycyjnych sklepi-
ków dawno stąd znikła. Jasne, przetrwała niezależna księgarnia.
A także tani sklep meblowy, malutki sklepik z różnościami z lat
sześćdziesiątych, mnóstwo butików, salonów piękności i sklepów jubilerskich. Ach tak, wcisnęło się tu również kilka sklepów
należących do dużych sieci handlowych, takich jak Gap, Wil-
liams-Sonoma czy wszechobecny Starbucks. Jednak centrum
miasta zmieniło się w istny szwedzki stół, na którym każdy
może znaleźć coś odpowiadającego jego upodobaniom i moż-
liwościom. Wymień dowolny kraj, a na pewno znajdziesz tu
knajpkę serwującą potrawy takiej kuchni. Rzuć kamieniem,
nawet nie wkładając w to siły, a trafisz w trzy takie lokale.

Rachel wzięła ze sobą Palm Pilota i atlas. Nawet idąc, nie
przerywała pracy. Verne był już w środku i gawędził z krępym
jegomościem stojącym za barem. Verne miał na głowie baseballową czapeczkę, a na sobie bawełniany podkoszulek z napisem:
„MOOSEHEAD: WSPANIAŁE PIWO I ZUPEŁNIE NOWE
DOZNANIE".

Usiedliśmy przy stoliku.

— I co jest? — zapytał Verne.

Pozwoliłem, by Katarina zdała mu relację. Obserwowałem
Rachel. Ilekroć próbowałem jej coś powiedzieć, uciszała mnie,
podnosząc rękę. Powiedziałem Verne'owi, że powinien odwieźć
Katarinę do domu. Już nie potrzebowaliśmy ich pomocy. Powinni wrócić do domu, do dzieci. Verne niechętnie tego słuchał.

Powoli zbliżała się dziesiąta wieczór. Nie byłem specjalnie
zmęczony. Brak snu — nawet wywołany wydarzeniami gene-
rującymi wytwarzanie znacznie mniejszych ilości adrenaliny
niż te — wcale mnie nie osłabia. Sądzę, że to skutek wielu
nocnych dyżurów i wezwań.

346

— Jest — znów oznajmiła Rachel.

— Co?

Wpatrując się w Palm Pilota, Rachel wyciągnęła rękę.

— Pozwól mi skorzystać z twojego telefonu.

— W jakim celu?

— Po prostu daj mi go, dobrze?

Dałem jej komórkę. Wybrała numer i odeszła w kąt kawiarni. Katarina przeprosiła i poszła do łazienki. Verne trącił mnie łokciem i wskazał na Rachel.

— Kochacie się?

— To skomplikowana sprawa — odparłem.

— Tylko jeśli jesteś dupkiem.

Chyba wzruszyłem ramionami.

— Albo ją kochasz, albo nie — rzekł Verne. — A reszta? To dobre dla dupków.

— Czy w ten sposób poradziłeś sobie z tym, co usłyszałeś? Zastanowił się.

— To co mówiła Kat. O tym co robiła kiedyś. To nie ma znaczenia. Liczy się wnętrze. Sypiam z tą kobietą od ośmiu lat. Znam jej wnętrze.

— Ja nie znam Rachel aż tak dobrze.

— Ależ znasz. Spójrz na nią. — Zrobiłem to. I zrobiło mi się dziwnie lekko i przyjemnie. — Została pobita. Rany boskie, została postrzelona. — Zamilkł na moment. Nie patrzyłem na niego, ale założyłbym się, że z niesmakiem kręcił głową. — Wiesz, kim byś był, gdybyś pozwolił jej odejść?

— Dupkiem.

— Profesjonalnym dupkiem. Już nie mógłbyś uważać się za amatora w tej dziedzinie.

Rachel rozłączyła się i pospieszyła z powrotem. Może sprawiły to słowa Verne'a, ale przysiągłbym, że w jej oczach dostrzegłem odrobinę dawnego żaru. Widząc ją w tej sukience, z rozpuszczonymi włosami i pewnym siebie zabójczym uśmiechem, na moment przeniosłem się z powrotem w czasie. Nie trwało to długo. Zaledwie chwilkę czy dwie. Może jednak wystarczyło.

— Masz coś? — zapytałem.

— Trafiliśmy jak z armaty. — Znowu zaczęła postukiwać w ekran pisakiem. — Muszę jeszcze coś sprawdzić. Ty tymczasem spojrzyj w atlas.

Otworzyłem go. Verne zaglądał mi przez ramię. Pachniał olejem silnikowym. Na mapie zobaczyłem różne znaczki — gwiazdki i krzyżyki — oraz grubą linię, wytyczającą okrężną trasę. Natychmiast ją rozpoznałem.

— To trasa, którą zeszłej nocy jechali porywacze — powiedziałem. — Kiedy ich śledziliśmy.

— Racja.

— A po co te wszystkie gwiazdki i strzałki?

— Zaraz, po kolei. Spójrz na tę trasę, którą pojechali. Na północ przez Tappan Zee. Potem na zachód. Na południe. Znów na zachód. Z powrotem na wschód i na północ.

— Chcieli zyskać na czasie — powiedziałem.

— Właśnie. Tak jak sądziliśmy. Zastawiali na nas pułapkę pod twoim domem. Jednak zastanów się chwilkę. Podejrzewamy, że ktoś z policji ostrzegł ich o nadajniku, prawda?

— A więc?

— Nikt nie wiedział o tym nadajniku, dopóki byłeś w szpitalu. Co oznacza, że przynajmniej przez pierwszą część tej podróży nie mieli pojęcia, że ich namierzam.

Nie wiedziałem, czy nadążam, ale powiedziałem:

— Racja.

— Czy płacisz rachunki telefoniczne przez telefon? — zapytała.

Na moment zaskoczyła mnie tą nagłą zmianą tematu.

— Tak — potwierdziłem.

— A więc masz możliwość ich sprawdzania, prawda? Łączysz się, wprowadzasz swój kod i możesz obejrzeć wykaz swoich rozmów. Zapewne możesz również odszukać abonenta każdego numeru, na jaki dzwoniłeś.

Skinąłem głową. Tak było.

— No cóż, sprawdziłam ostatni rachunek telefoniczny Denise Vanech. — Podniosła rękę. — Nie zastanawiaj się jak. To również było łatwe. Harold zapewne mógłby złamać zabezpieczenia, gdyby miał czas, ale łatwiej użyć swoich kontaktów lub kogoś przekupić. Teraz, kiedy rachunki płaci się przez Internet, jest to łatwiejsze niż kiedyś.

— Harold przesłał ci e-mailem jej biling?

— Taak. No cóż, pani Vanech wykonuje wiele telefonów. Dlatego to tak długo trwało. Musieliśmy je posortować, odnaleźć nazwiska i adresy.

— I rzuciło ci się w oczy jakieś nazwisko?

— Nie, adres. Chciałam sprawdzić, czy dzwoniła do kogoś, kto mieszka na trasie przejazdu porywaczy.

Teraz zrozumiałem o co jej chodziło.

— I zakładam, że znalazłaś?

— Zrobiłam coś więcej. Pamiętasz, jak przystanęli przy biurowcu MetroVista?

— Jasne.

— W ciągu sześciu minionych miesięcy Denise Vanech sześciokrotnie dzwoniła do kancelarii prawniczej Stevena Bacarda. — Rachel wskazała gwiazdkę, którą narysowała na mapie. — W budynku MetroVista.

— Adwokat?

— Harold ma sprawdzić, co uda mu się wyszukać, ale ponownie użyłam google'a. Nazwisko Stevena Bacarda często się tam pojawia.

— W jakim kontekście?

Rachel znów się uśmiechnęła.

— Specjalizuje się w adopcji.

— Dobry Boże — powiedział Verne.

Usiadłem wygodnie i próbowałem to wszystko przetrawić. Gdzieś migotało mi ostrzegawczo alarmowe światełko, ale nie miałem pojęcia dlaczego. Katarina wróciła do stołu. Verne powiedział jej, co odkryliśmy. Byliśmy coraz bliżej. Wiedziałem o tym. Mimo to czułem dziwny niepokój. Zadzwoniła moja komórką — a raczej powinienem powiedzieć komórka Zii.

Spojrzałem na numer dzwoniącego. Lenny. Zastanawiałem się, czy odbierać, pamiętając, co powiedziała mi Zia. Lenny jednak na pewno zdawał sobie sprawę z tego, że mogą nas podsłuchiwać. Przecież to on ostrzegł Zię.

Nacisnąłem guzik połączenia.

— Pozwól mi mówić — zaczął Lenny, zanim zdążyłem powiedzieć „halo". — Na wypadek, gdyby ten telefon był na podsłuchu, to będzie rozmowa między klientem i jego adwokatem. Jej treść jest chroniona tajemnicą. Marc, nie mów mi, gdzie jesteś. Nie mów mi niczego, co zmusiłoby mnie do kłamstwa. Rozumiesz?

— Tak.

— Natrafiłeś na gniazdo os? — zapytał.

— Nie tych, których szukaliśmy. Przynajmniej na razie. Jednak zbliżamy się.

— Mogę jakoś pomóc?

— Nie sądzę. — I natychmiast dodałem: — Zaczekaj.

Przypomniałem sobie, że to Lenny'ego wzywano, kiedy aresztowano moją siostrę. On zajmował się jej sprawami. Ufała mu.

— Czy Stacy wspominała ci coś o adopcji?

— Nie nadążam.

— Czy mówiła kiedyś o oddawaniu dziecka do adopcji albo w jakikolwiek inny sposób nawiązywała do tego tematu?

— Nie. Czy to ma jakiś związek z porwaniem?

— Możliwe.

— Niczego takiego nie pamiętam. Posłuchaj, mogą nas podsłuchiwać, więc powiem ci, dlaczego dzwonię. Pod twoim domem znaleźli trupa — faceta z dwiema kulami w głowie. — Lenny zdawał sobie sprawę z tego, że ja o tym wiem. Zakładałem, że mówił to na użytek tych, którzy mogli nas podsłuchiwać. — Jeszcze go nie zidentyfikowali, ale na podwórku Christie znaleźli broń, z której go zastrzelono.

To też mnie nie zdziwiło. Rachel przewidziała, że podrzucą broń.

— Rzecz w tym, Marc, że narzędziem zbrodni była ta sama broń, która zaginęła po strzelaninie w twoim domu. Już przeprowadzili badania balistyczne. Do ciebie i Moniki strzelano z dwóch różnych rodzajów broni, pamiętasz?

— Tak.

— No cóż, ten rewolwer — twój rewolwer — był jednym z tych dwóch, których użyto tamtego ranka.

Na moment zamknąłem oczy. Rachel bezgłośnie powiedziała „Co?"

— Lepiej już skończę — rzekł Lenny. — Jeśli chcesz, sprawdzę to ze Stacy i adopcją. Zobaczę, co uda mi się znaleźć.

— Dzięki.

— Trzymaj się.

Rozłączyłem się. Odwróciłem się do Rachel i powiedziałem jej o znalezionej broni i wynikach prób balistycznych. Odchyliła głowę i przygryzła dolną wargę — następny zwyczaj znany mi z naszych dawnych randek.

— To oznacza — powiedziała — że Pavel i jego wspólnicy byli zamieszani w pierwszy napad.

— A wątpiłaś w to?

— Cztery godziny temu podejrzewaliśmy, że to wszystko lipa, pamiętasz? Sądziliśmy, że ci ludzie mogli poznać dość faktów, by udawać, iż mają Tarę i wyciągnąć trochę pieniędzy od twojego teścia. Teraz znamy prawdę. Ci ludzie byli tamtego ranka w twoim domu. Brali udział w porwaniu Tary.

To miało sens, ale coś mi się nie zgadzało.

— Dokąd teraz jedziemy? — zapytałem.

— Logicznym krokiem byłaby wizyta u tego prawnika, Stevena Bacarda — powiedziała Rachel. — Rzecz w tym, że nie wiemy, czy jest ich szefem, czy tylko jednym z wykonawców. Równie dobrze Denise Vanech może być mózgiem operacji, a on jej podwładnym. Albo oboje mogą pracować dla kogoś innego. Jeśli po prostu wpadniemy do jego biura, Bacard wszystkiemu zaprzeczy. To prawnik. Jest zbyt sprytny, żeby z nami rozmawiać.

351

— No, to co proponujesz?

— Sama nie wiem. Może czas wezwać federalnych. Może oni mogliby go przycisnąć.

Pokręciłem głową.

— To za długo potrwa.

— Możemy ich skłonić do szybkiego działania.

— Zakładając, że nam uwierzą, co jest mało prawdopodobne, jak szybkiego?

— Nie wiem, Marc.

Nie podobało mi się to.

— Załóżmy, że ta Denise Vanech nabrała podejrzeń. Załóżmy, że Tatiana przestraszy się i zadzwoni do niej ponownie. Albo że porywacze naprawdę mają swojego informatora. Zbyt wiele słabych punktów, Rachel.

— Co więc twoim zdaniem powinniśmy zrobić?

— Uderzyć z dwóch stron — powiedziałem bez zastanowienia. Mieliśmy problem. Nagle znalazłem rozwiązanie. — Ty zajmiesz się Denise Vanech. Ja Stevenem Bacardem. Skoordynujemy działania tak, żeby uderzyć jednocześnie.

— Marc, to prawnik. Nic ci nie powie.

Spojrzała na mnie. Zobaczyła to w moich oczach. Verne wyprostował się i cicho zagwizdał.

— Chcesz mu grozić? — zapytała Rachel.

— Mówimy o życiu mojego dziecka.

— Mówisz o braniu sprawiedliwości we własne ręce. — I zaraz dodała: — Znowu.

— Tak?

— Niedawno groziłeś bronią nieletniej.

— Chciałem ją tylko przestraszyć. Nigdy bym jej nie skrzywdził.

— Prawo...

— Prawo nie było w stanie pomóc mojej córce — warknąłem, powstrzymując gniew. Kątem oka zobaczyłem, że Verne kiwa głową. — Byli zbyt zajęci marnowaniem czasu na szukanie dowodów przeciwko tobie.

352

Zdziwiła się.

— Przeciwko mnie?

— Lenny powiedział mi o tym, kiedy byliśmy w jego domu. Myślą, że ty to zrobiłaś. Beze mnie. Sądzą, że masz obsesję na moim punkcie albo coś takiego.

— Co?!

Wstałem od stolika.

— Posłuchaj, zamierzam odwiedzić tego całego Bacarda. Nikomu nie chcę zrobić krzywdy, ale jeśli wie coś o mojej córce, zamierzam to z niego wycisnąć.

Verne podniósł zaciśniętą pięść.

— Dobrze powiedziane.

Zapytałem go, czy mogę pożyczyć jego camaro. Przypomniał mi, że całkowicie mnie popiera. Spodziewałem się dalszych sprzeciwów Rachel. Nie spierała się. Może wiedziała, że nie zmienię zdania. A może uważała, że mam rację. A może — co najbardziej prawdopodobne — była tak zdumiona tym, że jej dawni koledzy mogli uznać ją za jedyną podejrzaną.

— Pojadę z tobą — zaproponowała.

— Nie — odparłem tonem niedopuszczającym sprzeciwu. Nie miałem pojęcia, co zrobię, kiedy tam dojadę, ale wiedziałem, że jestem zdolny do wszystkiego. — Już ci to tłumaczyłem.

Teraz przemawiałem jak chirurg na sali operacyjnej.

— Zadzwonię do ciebie, kiedy dotrę do biura Bacarda. Wtedy ty wejdziesz do mieszkania Denise Vanech.

Nie czekałem na odpowiedź. Wsiadłem do camaro i ruszyłem w kierunku biurowca MetroVista.

39

Lydia rozejrzała się wokół. Była trochę za bardzo odsłonięta, ale nic nie mogła na to poradzić. Na głowie miała krótką perukę koloru jasnoblond — upodabniającą ją do Denise Vanech z opisu Bacarda. Zapukała do drzwi pokoju.

Zasłona obok drzwi poruszyła się. Lydia powiedziała z uśmiechem:

— Tatiana?

Dziewczyna nie odpowiedziała.

Lydia wiedziała, że dziewczyna prawie nie mówi po angielsku. Zastanawiała się, jak to rozegrać. Czas odgrywał kluczową rolę. Trzeba zatrzeć wszystkie ślady i pozamykać wszystkim usta. Kiedy mówi to ktoś taki jak Bacard, który zawsze twierdził, że nie lubi widoku krwi, natychmiast rozumiesz, o co chodzi. Lydia i Heshy rozdzielili się. Ona przyjechała tutaj. Spotkają się później.

— W porządku, Tatiano — powiedziała przez drzwi. — Przyszłam ci pomóc.

Tamta nie ruszyła się.

— Jestem przyjaciółką Pavla — spróbowała. — Znasz Pavla?

Zasłona odsunęła się. Na moment mignęła za nią twarz młodej dziewczyny, wymizerowana i dziecinna. Lydia skinęła głową. Tamta nadal nie otwierała drzwi. Lydia rozejrzała się na boki. Nikogo nie zobaczyła, ale wciąż czuła się zbyt odsłonięta. Trzeba szybko zakończyć sprawę.

— Zaczekaj — powiedziała.

Patrząc na zasłonę, sięgnęła do torebki. Wyjęła karteczkę i długopis. Napisała coś, starając się, żeby obserwująca ją zza zasłony dziewczyna widziała, co robi. Potem zamknęła długopis i podeszła do okna. Przycisnęła kartkę do szyby, by Tatiana mogła ją przeczytać.

Jakby wywabiała spłoszonego kota spod kanapy. Tatiana powoli podeszła do okna. Lydia nie ruszała się, żeby jej nie przestraszyć. Tatiana przysunęła twarz do szyby. Kici, kici. Lydia widziała jej twarz. Dziewczyna mrużyła oczy, usiłując przeczytać słowa na kartce.

Gdy znalazła się dostatecznie blisko, Lydia przyłożyła lufę pistoletu do szyby i wycelowała między oczy dziewczyny. Tatiana w ostatniej chwili próbowała się uchylić. Za późno, za późno. Kula przebiła szkło i prawe oko dziewczyny. Trysnęła krew. Lydia wystrzeliła ponownie, odruchowo opuszczając lufę. Trafiła padającą Tatianę w czubek głowy. Ta druga kula była zbyteczna. Pierwsza, ta, która trafiła w oko, dosięgła mózgu, powodując natychmiastowy zgon.

Lydia pospiesznie odeszła. Zaryzykowała i obejrzała się za siebie. Nikogo. Kiedy dotarła do pobliskiego centrum handlowego, pozbyła się peruki i białego płaszcza. Potem odnalazła swój samochód na oddalonym o pół kilometra parkingu.

Kiedy dojechałem do MetroVista, zadzwoniłem do Rachel. Jej samochód stał zaparkowany na ulicy, niedaleko domu Denise Vanech. Oboje byliśmy gotowi.

Sam nie wiem, co spodziewałem się zdziałać. Chyba chciałem wpaść do gabinetu Bacarda, podetknąć mu pistolet pod nos i zażądać wyjaśnień. Nie przewidziałem, że znajdę tam typowe biuro, a ściśle mówiąc tego, że Bacard ma własną poczekalnię.

Siedziało w niej dwoje ludzi, wyglądających na małżeństwo. Mąż schował się za laminowany egzemplarz *Sports Illustrated*. Żona miała zbolałą minę. Usiłowała się do mnie uśmiechnąć, lecz najwyraźniej ten wysiłek sprawiał jej przykrość. Nagle zdałem sobie sprawę z tego, jak wyglądam. Wciąż miałem na sobie szpitalne ubranie. Byłem nieogolony. Oczy z pewnością były przekrwione z niewyspania. Włosy niewątpliwie sterczały mi na wszystkie strony, jakbym dopiero co wstał z barłogu.

Recepcjonistka siedziała za jednym z tych okienek z przesuwaną szybą, które zwykle kojarzą mi się z gabinetem dentystycznym. Kobieta — niewielka plakietka na jej piersi głosiła AGNES WEISS — uśmiechnęła się do mnie słodko.

— W czym mogę pomóc?

— Chcę zobaczyć się z panem Bacardem.

— Jest pan umówiony? — spytała wciąż słodkim głosikiem, w którym usłyszałem retoryczną nutę. Już znała odpowiedź.

— To nagła sprawa.

— Rozumiem. Czy jest pan naszym klientem, panie...

— Doktorze — warknąłem odruchowo. — Proszę mu powiedzieć, że doktor Marc Seidman chce się natychmiast z nim widzieć. I że to nagła sprawa.

Młoda para przyglądała się nam uważnie. Słodki uśmiech zaczął gasnąć na ustach recepcjonistki

— Pan Bacard jest dziś bardzo zajęty. — Otworzyła terminarz. — Zaraz zobaczę, kiedy będzie mógł znaleźć chwilę czasu, dobrze?

— Agnes, spójrz na mnie.

Zrobiła to.

Obrzuciłem ją moim najgroźniejszym spojrzeniem, zapowiadającym rychłą i nieuniknioną śmierć, jeśli nie okaże chęci do współpracy.

— Powiedz mu, że przyszedł doktor Seidman. Powiedz, że to pilna sprawa. I że jeśli natychmiast się ze mną nie zobaczy, pójdę na policję.

356

Młodzi ludzie popatrzyli po sobie. Agnes wierciła się w fotelu.

— Jeśli zechce pan usiąść...

— Przekaż mu to.

— Proszę pana, jeśli się pan nie odsunie, wezwę ochronę.

Cofnąłem się o krok. W każdej chwili mogłem przysunąć się z powrotem. Agnes nie podniosła słuchawki. Cofnąłem się jeszcze o krok. Zasunęła szybę. Para patrzyła na mnie. Mężczyzna powiedział:

— Ona go kryje.

— Jack! — zaprotestowała jego żona.

Zignorował ją.

— Bacard wybiegł z biura pół godziny temu. Recepcjonistka wciąż powtarza, że szef zaraz wróci.

Już wcześniej zauważyłem wiszące na ścianie fotografie. Teraz przyjrzałem im się uważniej. Na każdej był ten sam człowiek w towarzystwie różnych polityków, przebrzmiałych sław, byłych sportowców. Założyłem, że to Steve Bacard. Zapamiętałem jego twarz — nalaną, z cofniętym podbródkiem i rumieńcem członka wiejskiego klubu.

Podziękowałem mężczyźnie imieniem Jack i ruszyłem do drzwi. Biuro Bacarda znajdowało się na parterze, więc postanowiłem czekać na niego przy wejściu. W ten sposób zaskoczę go na neutralnym terenie i zanim Agnes zdąży go ostrzec. Minęło pięć minut. Kilku urzędników weszło lub wyszło, wszyscy udręczeni zmaganiami z tonerami do drukarek i przyciskami do papieru, uginając się pod ciężarem dyplomatek wielkości bagażnika małego samochodu. Przechadzałem się po korytarzu.

Weszła następna para. Od razu poznałem po ostrożnych krokach i smutnych spojrzeniach, że oni również przyszli do Bacarda. Patrzyłem na nich i zastanawiałem się, jak się tu znaleźli. Oczami duszy widziałem, jak się pobrali, trzymali za ręce, całowali, kochali rankiem. Jak robili kariery zawodowe. Widziałem lekki smutek i zniecierpliwienie po pierwszych nieudanych próbach poczęcia dziecka i to wzruszenie ramion „zaczekajmy do przyszłego miesiąca", jakim kwitowali negatywne wyniki testów, a potem rosnący niepokój. Mijał rok. Wciąż nic. Ich znajomi mają już dzieci i bez przerwy o nich mówią. Rodzice pytają, kiedy doczekają się wnuków. Idą do lekarza „specjalisty"; niekończące się badania ginekologiczne, upokarzające masturbowanie się do pojemnika na spermę, osobiste pytania, analizy krwi i moczu. Mijają lata. Przyjaciele odsuwają się. Seks ma na celu tylko prokreację. Jest wykalkulowany. I naznaczony smutkiem. On już nie trzyma jej za rękę. Ona w nocy odwraca się do niego tyłem, chyba że jest w płodnym okresie. Widziałem lekarstwa, pergonal, potwornie kosztowne sztuczne zapłodnienie, urlop wzięty z pracy, nerwowe sprawdzanie kalendarzyka, te same domowe testy ciążowe i druzgocące rozczarowanie.

A teraz byli tu.

Nie, nie wiedziałem, czy w ich przypadku naprawdę tak było. Mimo to podejrzewałem, że niewiele się pomyliłem. Jak daleko, zadawałem sobie pytanie, byli gotowi się posunąć ci smutni ludzie? Ile zapłacić?

— O mój Boże! O mój Boże!

Gwałtownie odwróciłem głowę w kierunku, z którego dochodził ten głos. Jakiś mężczyzna wpadł do budynku.

— Dzwońcie na dziewięćset jedenaście!

Podbiegłem do niego.

— Co się stało?

Znowu usłyszałem krzyk. Wybiegłem na zewnątrz. Kolejny krzyk, tym razem bardziej piskliwy. Skręciłem w prawo. Dwie kobiety wybiegły z parkingu w podziemiu. Zbiegłem po pochylni. Prześlizgnąłem się obok bramki, gdzie odbiera się kwit parkingowy. Znów ktoś wzywał pomocy, nawołując, aby zadzwonić pod 911.

Nieco dalej zobaczyłem ochroniarza, mówiącego coś do krótkofalówki. On też pomknął galopem. Ja za nim. Kiedy minęliśmy zakręt, ochroniarz stanął jak wryty. Przed nim poja-

358

wiła się jakaś kobieta. Przyciskała obie dłonie do policzków i wrzeszczała. Podbiegłem do nich i spojrzałem.

Ciało było wciśnięte między dwa samochody. Otwarte oczy spoglądały w pustkę. Jego twarz wciąż była nalana, z cofniętym podbródkiem i rumiana jak u członka wiejskiego klubu. Z rany na skroni płynęła krew. Moje nadzieje znów rozsypały się w gruzy.

Steven Bacard, który mógł być moją ostatnią szansą, nie żył.

40

Rachel zadzwoniła do drzwi. Denise Vanech miała jeden z tych pretensjonalnych dzwonków, które wygrywają najpierw coraz głośniejszą, a potem cichnącą melodię. Słońce stało wysoko. Niebo było błękitne i czyste. Ulicą przebiegły dwie sportsmenki, trzymające małe ciężarki. Skinęły głowami Rachel, nie wypadając z rytmu. Rachel odkłoniła im się.

Domofon zatrzeszczał.

— Tak?

— Denise Vanech?

— Można wiedzieć, kto mówi?

— Nazywam się Rachel Mills. Pracowałam w FBI.

— Ale już pani nie pracuje?

— Nie.

— Czego pani chce?

— Musimy porozmawiać, pani Vanech.

— O czym?

Rachel westchnęła.

— Mogłaby pani otworzyć drzwi?

— Nie, dopóki nie dowiem się, o co chodzi.

— Na przykład o tę młodą dziewczynę, którą właśnie odwiedziła pani w Union City. To na początek.

— Przykro mi. Nie rozmawiam o moich pacjentkach.

— Powiedziałam „na początek".

— A właściwie dlaczego interesuje się tym była agentka FBI?

— Wolałaby pani, żebym wezwała agenta, który obecnie zajmuje się tą sprawą?

— Nie obchodzi mnie, co pani zrobi, pani Mills. Nie mam pani nic do powiedzenia. Jeśli FBI ma jakieś pytania, mogą zadzwonić do mojego prawnika.

— Rozumiem — powiedziała Rachel. — Czy tym prawnikiem jest może Steven Bacard?

Zapadła cisza. Rachel spojrzała na samochód.

— Pani Vanech?

— Nie muszę z panią rozmawiać.

— To prawda, nie musi pani. Może zacznę chodzić od domu do domu. I rozmawiać z pani sąsiadami.

— O czym?

— Zapytam ich, czy wiedzą coś o przemycie dzieci, którym zajmuje się mieszkanka tego domu.

Drzwi natychmiast się otworzyły. Denise Vanech wystawiła głowę. Rachel zobaczyła jej opalone ramiona i białe włosy.

— Zaskarżę panią o zniesławienie.

— Oszczerstwo — poprawiła ją Rachel.

— Słucham?

— O oszczerstwo. Zniesławienie ma formę pisemną. Oszczerstwo ustną. Mówi pani o oszczerstwie. Tylko że w obu przypadkach musiałaby pani dowieść, że to, co powiedziałam, nie jest prawdą. A obie wiemy, że to się pani nie uda.

— Nie ma pani żadnych dowodów.

— Ależ mam.

— Pomagałam kobiecie, która twierdziła, że cierpi. To wszystko.

Rachel wskazała na chodnik. Katarina wysiadła z samochodu.

— A co z byłą pacjentką?

Denise Vanech przycisnęła dłoń do ust.

— Zaświadczy, że zapłaciła jej pani za dziecko.

— Nie zrobi tego. Aresztowaliby ją.

— Och tak, pewnie, FBI rzuci się na biedną serbską kobietę, zamiast rozbić gang przemycający dzieci. A to dobre.

Denise Vanech milczała. Rachel pchnęła drzwi.

— Pozwoli pani, że wejdę?

— Pani się myli — wyszeptała Denise.

— Świetnie. — Rachel była już w środku. — Może wyjaśni mi pani w czym.

Denise Vanech nagle zabrakło słów. Jeszcze raz spojrzawszy na Katarinę, powoli zamknęła frontowe drzwi. Rachel już kierowała się do salonu. Ten był biały. Zupełnie biały. Obite na biało fotele i biały dywan. Białe porcelanowe figurki nagich kobiet na białych koniach. Biały stolik do kawy i stoliki pod ścianą, jak również dwa ergonomiczne krzesła bez oparć. Denise przyszła za Rachel. Jej biały strój stapiał się z tłem niczym kombinezon maskujący, tak że jej twarz i ręce wydawały się unosić w powietrzu.

— Czego pani chce?

— Szukam pewnego dziecka.

Denise odruchowo zerknęła w kierunku drzwi.

— Jej?

Mówiła o Katarinie.

— Nie.

— To i tak bez znaczenia. Nie mam pojęcia, gdzie je umieszczano.

— Jest pani akuszerką, prawda?

Założyła gładkie, muskularne ręce na piersi.

— Nie zamierzam odpowiadać na żadne z tych pytań.

— Widzisz, Denise, ja wiem prawie wszystko. Chcę tylko, żebyś uzupełniła kilka luk. — Rachel usiadła na obitej skajem kanapie. Denise Vanech nie ruszyła się z miejsca. — Macie ludzi za granicą. Pewnie w niejednym kraju, ale tego nie wiem. Jednak wiem o Serbii. Tak więc zacznijmy od tego. Macie tam ludzi, którzy werbują dziewczyny. Te zachodzą w ciążę, ale nie wspominają o tym na granicy. Ty odbierasz porody. Może tutaj, może w innym miejscu, tego nie wiem.

362

— Nie wiesz wielu rzeczy.

Rachel uśmiechnęła się.

— Wiem dość.

Denise podparła się teraz pod boki. Te jej pozy wyglądały tak nienaturalnie, jakby ćwiczyła je przed lustrem.

— No cóż, dziewczęta rodzą dzieci. Ty za nie płacisz. Oddajesz dzieci Stevenowi Bacardowi. On pracuje dla zdesperowanych małżeństw, które są gotowe trochę przymknąć oko na nieprawidłowości. Adoptują te dzieci.

— Ciekawa historyjka.

— Chcesz powiedzieć, że nieprawdziwa?

Denise uśmiechnęła się.

— Wyssana z palca.

— Świetnie, doskonale. — Rachel wyjęła telefon komórkowy. — No, to zadzwonię do federalnych. Przedstawię im Katarinę. Pojadą do Union City i wezmą w obroty Tatianę. Potem zaczną sprawdzać wykazy rozmów telefonicznych, rachunki bankowe...

Denise machnęła ręką.

— Dobrze, dobrze, mów, czego chcesz. Przecież powiedziałaś, że już nie pracujesz w FBI. Czego więc ode mnie chcesz?

— Chcę wiedzieć, jak to robicie.

— Zamierzasz wkręcić się do interesu?

— Nie.

Denise odczekała chwilę.

— Mówiłaś, że szukasz konkretnego dziecka.

— Tak.

— A zatem pracujesz dla kogoś?

Rachel potrząsnęła głową.

— Posłuchaj, Denise, nie masz wielkiego wyboru. Albo powiesz mi prawdę, albo pójdziesz do więzienia na ładne kilka lat.

— A jeśli ci powiem?

— To zostawię cię w spokoju — odparła Rachel. Skłamała.

Jednak zrobiła to bez wyrzutów sumienia. Ta kobieta była zamieszana w handel dziećmi. Rachel nie mogła jej tego darować.

Denise usiadła. Jej opalona twarz zbladła. Nagle postarzała się o kilka lat. Bruzdy wokół ust i oczu pogłębiły się.

— Nie jest tak, jak myślisz — zaczęła.

Rachel czekała.

— Nikomu nie robimy krzywdy. Tak naprawdę to pomagamy ludziom.

Denise Vanech wzięła torebkę — białą, oczywiście — i wyjęła papierosy. Poczęstowała Rachel. Ta odmówiła.

— Czy wiesz coś o sierocińcach w biednych krajach? — zapytała Denise.

— Tylko tyle, ile widzę w telewizji.

Denise zapaliła papierosa i zaciągnęła się.

— Są przeraźliwe. Na jedną pielęgniarkę przypada i czterdzieścioro niemowląt. Pielęgniarki bez żadnych kwalifikacji. Często zatrudniane dzięki politycznym koneksjom. Niektóre dzieci są molestowane. Wiele z nich rodzi się z uzależnieniem. Opieka medyczna...

— Rozumiem — przerwała jej Rachel. — Tam jest źle.

— Właśnie.

— I?

— I my znaleźliśmy sposób, żeby uratować niektóre z tych dzieci.

Rachel usiadła wygodnie i założyła nogę na nogę. Domyślała się, do czego zmierza ta rozmowa.

— Płacicie ciężarnym kobietom, żeby przyleciały tutaj i sprzedały wam swoje dzieci?

— To zbyt duże uproszczenie.

Rachel wzruszyła ramionami.

— A jakbyś to nazwała?

— Postaw się na ich miejscu. Jesteś biedna — naprawdę biedna. Może jesteś prostytutką, a może wykorzystują cię w inny sposób. W każdym razie jesteś śmieciem. Nie masz nic. Jakiś facet robi ci dziecko. Możesz przerwać ciążę, a jeśli religia ci tego zabrania, możesz oddać dziecko do nędznego sierocińca.

— Albo — dodała Rachel — jeśli mają szczęście, trafiają do was?

— Tak. My zapewniamy im przyzwoitą opiekę medyczną. Wspieramy finansowo. A najważniejsze jest to, że staramy się znaleźć ich dzieciom kochających i dobrze sytuowanych rodziców oraz spokojny dom.

— Dobrze sytuowanych — powtórzyła Rachel. — Masz na myśli bogatych?

— To kosztowna usługa — przyznała Denise. — Pozwól jednak, że o coś cię zapytam. Weźmy na przykład twoją znajomą. Mówiłaś, że ma na imię Katarina?

Rachel milczała.

— Jak wyglądałoby teraz jej życie, gdybyśmy jej tu nie sprowadzili? Jakie byłoby życie jej dziecka?

— Nie wiem. Nie mam pojęcia, co zrobiliście z jej dzieckiem.

Denise uśmiechnęła się.

— Świetnie, możesz się spierać. Mimo to wiesz, co chcę powiedzieć. Uważasz, że dziecku byłoby lepiej z matką prostytutką w zrujnowanym wojną kraju, czy też u kochającej rodziny w Stanach Zjednoczonych?

— Rozumiem — powiedziała Rachel, skrywając odrazę. — To coś w rodzaju cudownej opieki społecznej. Pracujesz charytatywnie?

Denise zachichotała.

— Rozejrzyj się wokół. Mam wyrafinowany gust. Mieszkam w ekskluzywnej dzielnicy. Moje dziecko uczy się w college'u. Lubię spędzać wakacje w Europie. Mamy dom w Hamptons. Robię to, ponieważ to bardzo intratne zajęcie. No i co z tego? Kogo obchodzą moje motywy? Moje motywy w niczym nie wpływają na warunki panujące w tych sierocińcach.

— Nadal nie rozumiem — powiedziała Rachel. — Te kobiety sprzedają swoje dzieci.

— Oddają nam swoje dzieci — poprawiła ją Denise. — W zamian my zapewniamy im finansowe wsparcie...

— Tak, tak, nazywaj to, jak chcesz. Dostajecie dziecko. One pieniądze. I co potem? Przecież dziecko musi mieć dokumenty, inaczej wkroczyłby w to rząd. Nie pozwoliliby Bacardowi na prowadzenie takich adopcji.

— Racja.

— Jak to robicie?

Uśmiechnęła się.

— Chcesz mnie wsadzić, co?

— Jeszcze nie wiem, co zrobię.

Tamta wciąż się uśmiechała.

— Pamiętaj, że ci pomogłam, dobrze?

— Jasne.

Denise Vanech złączyła dłonie i zamknęła oczy. Wyglądało to tak, jakby się modliła.

— Wynajmujemy amerykańskie matki.

Rachel skrzywiła się.

— Przepraszam?

— Na przykład powiedzmy, że Tatiana spodziewa się dziecka. Możemy zapłacić tobie, Rachel, żebyś udawała matkę. Poszłabyś do wydziału ewidencji ludności w twoim miasteczku. Powiedziałabyś, że jesteś w ciąży i zamierzasz urodzić w domu, nie będzie więc dokumentów ze szpitala. Daliby ci formularze do wypełnienia. Nie sprawdzaliby, czy naprawdę jesteś w ciąży. No bo jak? Przecież nie mogą nakazać badania ginekologicznego.

Rachel zrozumiała.

— Jezu.

— To bardzo proste, jeśli się nad tym zastanowić. Nie ma żadnych dowodów na to, że Tatiana jest w ciąży. Natomiast są dokumenty świadczące o tym, że ty masz urodzić dziecko. Ja odbieram poród. Zaświadczam swoim podpisem, że ty je urodziłaś. Zostajesz matką. Bacard przygotowuje wszystkie potrzebne dokumenty adopcyjne...

Wzruszyła ramionami.

— Zatem przyszli rodzice nie znają prawdy?

— Nie, ale też wcale nie próbują jej dociekać. Są zdesperowani. Nic nie chcą wiedzieć.

Rachel nagle poczuła obezwładniające zmęczenie.

— I zanim nas wydasz — ciągnęła Denise — weź pod uwagę jeszcze coś. Robimy to już prawie dziesięć lat. A to oznacza, że są dzieci, które już tak dawno temu zostały zaadoptowane. Dziesiątki dzieci. Wszystkie te adopcje zostaną uznane za nielegalne i unieważnione. Biologiczne matki będą mogły przyjechać tutaj i zażądać zwrotu dzieci. Albo odszkodowania. Zniszczysz wiele szczęśliwych rodzin.

Rachel pokręciła głową. W tym momencie nie była w stanie ogarnąć wszystkich konsekwencji. Może później. Nie wolno się rozpraszać. Trzeba skupić się na najważniejszym. Obróciła się i wyprostowała. Spojrzała Denise w oczy.

— A jak wyjaśnisz to, co stało się z Tarą Seidman?

— Z kim?

— Z Tarą Seidman.

Teraz Denise wyglądała na zdumioną.

— Chwileczkę. Czy to nie ta mała dziewczynka, którą porwano w Kasselton?

Zadzwonił telefon komórkowy Rachel. Sprawdziła numer dzwoniącego — to był Marc. Już miała odebrać, kiedy w jej polu widzenia pojawił się ten mężczyzna. Zaparło jej dech. Wyczuwając coś, Denise odwróciła się i drgnęła na widok przybysza.

To był mężczyzna, który napadł Rachel w parku.

Wycelowany w nią pistolet w jego ogromnych łapskach wyglądał jak zabawka. Pokiwał palcem.

— Daj mi ten telefon.

Rachel oddała mu komórkę, starając się nie dotykać jego palców. Mężczyzna przyłożył lufę do jej głowy.

— A teraz oddaj mi broń.

Rachel sięgnęła do torebki. Kazał jej wyjąć broń dwoma palcami. Usłuchała. Telefon zadzwonił po raz czwarty.

Mężczyzna odebrał i powiedział:

— Doktor Seidman?

Rachel wyraźnie usłyszała głos Marca:

— Kto mówi?

— Jesteśmy wszyscy w domu Denise Vanech. Ma pan tu przyjść bez broni i sam. Wtedy powiem panu, gdzie jest pańska córka.

— Gdzie jest Rachel?

— Jest tutaj. Ma pan pół godziny. Powiem panu to, co chce pan wiedzieć. Wiem, że w takich sytuacjach usiłuje pan być sprytny. Tym razem niech pan nie próbuje, inaczej pana przyjaciółka umrze pierwsza. Rozumie pan?

— Rozumiem.

Mężczyzna rozłączył się. Spojrzał na Rachel. Jego oczy były piwne ze złotymi cętkami. Wydawały się niemal łagodne, jak ślepia sarny. Potem przeniósł spojrzenie na Denise Vanech. Ta drgnęła. Mężczyzna uśmiechnął się.

Rachel pojęła, co się zaraz stanie.

Krzyknęła „Nie!" w tej samej chwili, gdy wycelował broń w pierś Denise Vanech i trzykrotnie nacisnął spust. Wszystkie trzy pociski trafiły w cel. Ciało Denise bezwładnie zsunęło się z kanapy na podłogę. Zanim Rachel zdążyła się zerwać na nogi, morderca już trzymał ją na muszce.

— Nie ruszaj się.

Rachel usłuchała. Denise Vanech niewątpliwie nie żyła. Leżała z szeroko otwartymi oczami w poszerzającej się kałuży krwi, rażąco czerwonej na tle morza bieli.

41

Co robić?

Zadzwoniłem do Rachel, by jej powiedzieć, że ktoś zastrzelił Bacarda. Okazało się, że wpadła w ręce porywaczy. No dobrze, co powinienem zrobić? Usiłowałem zebrać myśli, starannie rozważyć sytuację, ale nie było na to czasu. Mężczyzna, z którym rozmawiałem przez telefon, miał rację. W przeszłości próbowałem być sprytny. Kiedy pierwszy raz zażądali okupu, zawiadomiłem policję i FBI. Za drugim razem poprosiłem o pomoc byłą agentkę. Przez długi czas winiłem siebie, uważając, że pierwsza próba wykupienia Tary zakończyła się niepowodzeniem z mojej winy. Zmieniłem zdanie. To prawda, że ryzykowałem za pierwszym i drugim razem, ale teraz byłem przekonany, że przeciwnicy od początku oszukiwali w tej grze. Nigdy nie zamierzali oddać mi córki. Nie półtora roku temu. Nie zeszłej nocy.

I nie teraz.

Może szukałem odpowiedzi, którą znałem przez cały czas. Verne zrozumiał to i podsumował jednym zwięzłym stwierdzeniem: „Jeśli człowiek sam się nie oszukuje...". Może właśnie tak było. Nawet teraz, kiedy odkryliśmy ten szwindel z przemycaniem dzieci, pozwoliłem sobie żywić nadzieję. Może moja córka żyje. Może stała się ofiarą tych handlarzy dzieci. Czy to byłoby okropne? Tak. Jednak inna alternatywa — to, że Tara nie żyje — była jeszcze straszniejsza.

Już nie wiedziałem, w co wierzyć.

Spojrzałem na zegarek. Minęło dwadzieścia minut. Zastanawiałem się, jak to rozegrać. Po kolei. Zadzwoniłem do biura Lenny'ego, na jego prywatny numer.

— Niejaki Steven Bacard został właśnie zastrzelony w East Rutherford — powiedziałem.

— Ten prawnik?

— Znasz go?

— Kilka lat temu pracowaliśmy nad pewną sprawą — rzekł Lenny. I zaraz dodał: — Do licha!

— Co?

— Niedawno pytałeś mnie o Stacy i adopcję. Nie widziałem związku. Teraz jednak, kiedy wymieniłeś nazwisko Bacarda... Stacy pytała mnie o niego jakieś trzy lub cztery lata temu.

— O co konkretnie?

— Nie pamiętam. Chyba coś wspomniała o macierzyństwie.

— Co to oznacza?

— Nie wiem. Nie zwróciłem na to uwagi. Po prostu powiedziałem, żeby niczego nie podpisywała bez porozumienia ze mną. — Nagle Lenny zapytał: — Skąd wiesz, że został zamordowany?

— Dopiero widziałem jego zwłoki.

— No to nie mów nic więcej. Ta linia może być na podsłuchu.

— Potrzebuję twojej pomocy. Zadzwoń na policję. Muszą sprawdzić akta Bacarda. On robił szwindle adopcyjne. Być może miał coś wspólnego z porwaniem Tary.

— Jak to?

— Nie mam czasu na wyjaśnienia.

— Taak, w porządku, zadzwonię do Ticknera i Regana. Ten ostatni wciąż cię szuka, wiesz?

— Domyślam się.

Rozłączyłem się, zanim zdążył zadać mi więcej pytań. Sam

nie wiem, czego się spodziewałem. Co mogli znaleźć w tych aktach? Nie wierzyłem, że odpowiedź na pytanie o los Tary kryje się w szafce nieuczciwego prawnika. Może jednak. A poza tym, jeśli coś mi się stanie — a z pewnością mogło się stać — chciałem, żeby ktoś poprowadził dalej śledztwo.

Byłem już w Ridgewood. Ani przez chwilę nie wierzyłem w to, co powiedział mi ten facet. Ci ludzie nie handlowali informacjami. Przyjechali tu, żeby zatrzeć ślady. Rachel i ja wiedzieliśmy zbyt wiele. Chcieli mnie zwabić, a potem zabić nas oboje.

Co powinienem zrobić?

Zostało mi niewiele czasu. Jeśli będę zwlekał — jeśli nie pojawię się tam w ciągu pół godziny — mężczyzna, z którym rozmawiałem przez telefon, zacznie się denerwować. A to może być groźne. Ponownie zastanowiłem się, czy powinienem we-zwać policję, ale pamiętałem o jego ostrzeżeniu i nadal oba-wiałem się przecieku. Miałem broń. Umiałem się nią posłużyć. Strzelam bardzo dobrze, ale na strzelnicy. Zakładałem, że strzelanie do ludzi to inna sprawa. A może nie. Gdybym musiał zabić tych ludzi, to teraz zrobiłbym to bez żadnych skrupułów. Jeśli kiedykolwiek je miałem.

Zaparkowałem samochód przecznicę przed domem Denise Vanech, wziąłem broń i poszedłem ulicą.

On nazywał ją Lydią. Ona jego Heshym.

Kobieta przybyła przed pięcioma minutami. Była mała i ład-na, o niebieskich oczach lalki, szeroko otwartych z podniecenia. Stanęła nad ciałem Denise Vanech i spojrzała na wciąż sączącą się z ran krew. Rachel obserwowała ją uważnie. Ręce miała skrępowane na plecach taśmą izolacyjną. Kobieta imieniem Lydia odwróciła się do Rachel.

— Cholernie ciężko będzie wywabić tę plamę.

Rachel spojrzała na nią ze zdumieniem. Lydia uśmiechnęła się.

— Nie uważasz, że to zabawne?

— W duchu — odparła Rachel — pękam ze śmiechu.

— Odwiedziłaś dziś młodą dziewczynę imieniem Tatiana, prawda?

Rachel nie odpowiedziała. Wielkolud Heshy zaczął zaciągać zasłony.

— Ona nie żyje. Pomyślałam, że chciałabyś o tym wiedzieć. — Lydia usiadła obok Rachel. — Pamiętasz serial telewizyjny *Rodzinne wpadki*?

Rachel zastanawiała się, jak to rozegrać. Ta Lydia była wariatką, co do tego nie było cienia wątpliwości. Ostrożnie odpowiedziała:

— Tak.

— Lubiłaś go?

— Był idiotyczny.

Lydia parsknęła śmiechem.

— Grałam Trixie.

Uśmiechnęła się do Rachel. Ta powiedziała:

— Musisz być z tego bardzo dumna.

— Och, jestem. Jestem. — Lydia zamilkła, przechyliła głowę na bok i przysunęła się bliżej Rachel. — Oczywiście wiesz, że wkrótce umrzesz.

Rachel nawet nie mrugnęła okiem.

— Zatem może mi powiesz, co zrobiliście z Tarą Seidman?

— Och, daj spokój. — Lydia wstała. — Byłam aktorką, pamiętasz? Występowałam w telewizji. Co to jest, film w którym zaczynamy opowiadać wszystko widzom, żeby twój bohater podkradł się i zaskoczył nas? Nic z tego, moja droga. — Obróciła się do Heshy'ego. — Zaknebluj ją, Misiaczku.

Heshy taśmą izolacyjną zalepił Rachel usta. Potem wrócił pod okno. Lydia pochyliła się i szepnęła Rachel do ucha:

— Powiem ci, bo to zabawne. — Nachyliła się jeszcze bliżej. — Nie mam pojęcia, co się stało z Tarą Seidman.

W porządku, nie miałem zamiaru podejść do domu i zadzwonić do drzwi.

Spójrzmy prawdzie w oczy. Zamierzali nas zabić. Moją jedyną szansą było zaskoczenie. Nie znałem rozkładu domu, ale pomyślałem, że znajdę boczne okno i spróbuję wślizgnąć się do środka. Miałem broń. Byłem przekonany, że potrafię strzelać bez wahania. Chciałbym mieć lepszy plan, ale wątpię, czy zdołałbym coś wymyślić, nawet gdybym miał więcej czasu.

Zia mówi o moim lekarskim ego. Przyznaję, że trochę mnie to przeraża. Naprawdę byłem przekonany, że może mi się udać. Jestem sprytny. I ostrożny. Poczekam na odpowiedni moment. Jeśli się nie doczekam, zaproponuję im wymianę — siebie za Rachel. Nie dam się zwieść gadaniem o Tarze. Owszem, chciałbym wierzyć, że nadal żyje. Tak, bardzo chciałbym wierzyć, że oni wiedzą, gdzie jest. Jednak nie mogłem ryzykować życia Rachel dla złudzenia. Moje życie? Oczywiście. Jednak nie życie Rachel.

Zbliżałem się do domu Denise Vanech, starając się kryć za drzewami, a jednocześnie nie wyglądać podejrzanie. W tej ekskluzywnej podmiejskiej dzielnicy było to niewykonalne. Tutaj ludzie się nie skradają. Wyobrażałem sobie, jak sąsiedzi obserwują mnie zza zasłonek, jednocześnie dzwoniąc na dziewięćset jedenaście. Wcale się tym nie przejmowałem. Cokolwiek się stanie, tak czy inaczej, wydarzy się, zanim zdąży przybyć tu policja.

Kiedy zadzwonił mój telefon komórkowy, o mało nie wyskoczyłem ze skóry. Znajdowałem się zaledwie trzy domy od celu. Zakląłem pod nosem. Doktor Spoko, doktor Twardziel, zapomniał przełączyć komórkę na wibracje. Nagle zdałem sobie sprawę z tego, że sam się oszukuję. Nie jestem fachowcem od mokrej roboty. A gdyby telefon zadzwonił w chwili, kiedy byłbym pod samym domem? Co wtedy?

Uskoczyłem za krzak i odebrałem telefon.

— Musisz się jeszcze wiele nauczyć o skradaniu — szepnął Verne. — Robisz to beznadziejnie.

— Gdzie jesteś?

— Spójrz w okno na piętrze.

Popatrzyłem na dom Denise Vanech. Zobaczyłem Verne'a. Pomachał do mnie.

— Tylne drzwi nie były zamknięte — szepnął Verne. — Wszedłem do środka.

— Co się tam dzieje?

— To mordercy. Słyszałem, jak mówili, że zabili tę dziewczynę z motelu. Załatwili tę całą Denise. Leży martwa pół metra od Rachel.

Zamknąłem oczy.

— To pułapka, Marc.

— Tak, domyśliłem się tego.

— Jest ich dwoje — mężczyzna i kobieta. Chcę, żebyś wrócił do samochodu. Podjedź tu i zaparkuj na ulicy. Będziesz dostatecznie daleko, żeby nie mogli cię trafić. Zostań tam. Nie podchodź bliżej. Chcę, żebyś odwrócił ich uwagę, rozumiesz?

— Tak.

— Spróbuję zostawić jedno z nich przy życiu, ale nie mogę niczego obiecać.

Rozłączył się. Pospiesznie wróciłem do samochodu i zrobiłem to, co mi kazał. Serce waliło mi jak młotem. Jednak teraz była nadzieja. Verne był w środku. Dostał się do tego domu i miał broń. Zatrzymałem wóz przed domem Denise Vanech. Zasłony i rolety były zaciągnięte. Zaczerpnąłem tchu. Otworzyłem drzwiczki samochodu i wysiadłem.

Cisza.

Spodziewałem się wystrzałów. Najpierw jednak usłyszałem inny dźwięk. Brzęk rozbijanego szkła. Zobaczyłem wypadającą z okna Rachel.

— Jego samochód właśnie podjechał — zameldował Heshy.

Rachel nadal miała ręce związane na plecach i usta zakneblowane taśmą izolacyjną. Wiedziała, że musi coś zrobić. Marc zaraz podejdzie do drzwi. Oni wpuszczą go do środka, ta zmutowana odmiana Bonnie i Clyde'a, a potem zabiją ich oboje. Tatiana już nie żyła. Denise Vanech też. Nie mogli rozegrać tego inaczej. Heshy i Lydia nie mogli pozostawić ich przy życiu. Rachel miała nadzieję, że Marc to zrozumie i zawiadomi policję. Liczyła na to, że wcale się tu nie zjawi, ale przecież to nie wchodziło w grę. Tak więc przyjechał. Pewnie zamierza coś zrobić, a może tak zaślepiła go nadzieja, że wejdzie prosto w zasadzkę.

Tak czy inaczej, Rachel musiała go powstrzymać.

Jej jedyną szansą było zaskoczyć przeciwników. A nawet wtedy, nawet jeśli jej się to uda, w najlepszym razie mogła liczyć na to, że uratuje Marca. Nie miała złudzeń.

Trzeba działać.

Nie skrępowali jej nóg. Ze związanymi rękami i zakneblowanymi ustami, cóż mogła im zrobić? Próba zaatakowania ich byłaby samobójstwem. Rachel byłaby łatwym celem.

I właśnie na to liczyła.

Wstała. Lydia odwróciła się i wycelowała w nią broń.

— Siadaj.

Nie usłuchała. Teraz Lydia miała problem. Gdyby strzeliła, Marc by to usłyszał. Zorientowałby się, że to pułapka. Patowa sytuacja. Jednak to nie potrwa długo. Nagle Rachel wpadła na nowy, zupełnie szalony, pomysł. Pobiegła. Lydia będzie musiała strzelać albo pogonić za nią i...

Okno.

Lydia zorientowała się, co zamierza Rachel, ale nie mogła jej powstrzymać. Rachel opuściła głowę i całym ciałem rzuciła się na panoramiczne okno. Lydia próbowała wycelować pistolet. Rachel napięła wszystkie mięśnie. Wiedziała, że to będzie bolało. Szyba rozleciała się na tysiąc kawałków. Rachel wypadła na zewnątrz, ale nie wzięła pod uwagę tego, że okno znajduje się wysoko nad ziemią. Mając ręce związane na plecach, nie mogła zamortyzować upadku.

Obróciła się bokiem i przyjęła impet uderzenia na ramię.

Usłyszała chrupnięcie kości. Poczuła przeszywający ból nogi. Z uda sterczał jej odłamek szkła. Ten hałas niewątpliwie ostrzegł Marca. A przynajmniej powinien. Jednak tocząc się po trawniku, Rachel z przerażeniem pojęła prawdę. Owszem, ostrzegła Marca. Na pewno widział, jak wyskoczyła przez okno.

I teraz, nie zważając na niebezpieczeństwo, biegł jej na pomoc.

Verne czaił się na schodach.

Właśnie miał wskoczyć do pokoju, kiedy Rachel nagle wstała z kanapy. Oszalała? Nie, zrozumiał natychmiast, po prostu była dzielną kobietą. Przecież nie miała pojęcia, że Verne dostał się do środka. Nie zamierzała siedzieć bezczynnie i pozwolić na to, żeby Marc wpadł w pułapkę. To nie leżało w jej charakterze.

— Siadaj.

Kobiecy głos. To ta mała kobietka imieniem Lydia. Zaczęła unosić broń. Verne przeraził się. Jeszcze nie zajął dogodnej pozycji. Z tej nie zdoła oddać czystego strzału. Jednak Lydia nie pociągnęła za spust. Verne ze zdumieniem zobaczył, jak Rachel pędzi przez pokój i wyskakuje przez zamknięte okno.

To się nazywa odwrócić uwagę przeciwnika.

Natychmiast zaczął działać. Niezliczoną ilość razy słyszał o tym, że w takich sytuacjach czas wydaje się zwalniać i sekundy zmieniają się w minuty, tak że wszystko widzisz z krystaliczną jasnością. W rzeczywistości jest zupełnie inaczej. Kiedy potem przypominasz sobie wszystko, kiedy bezpieczny i spokojny odtwarzasz sytuację, wtedy masz wrażenie, że działo się to powoli. Lecz na polu walki, gdy razem z trzema kolegami prowadził wymianę ognia z żołnierzami „elitarnych" oddziałów Saddama, czas wręcz przyspieszył. Tak też stało się tutaj.

Verne wyskoczył zza rogu.

— Rzucić broń!

Wielkolud skierował broń w okno, przez które wyskoczyła Rachel. Nie było czasu na następne ostrzeżenie. Verne posłał mu dwie kule. Heshy padł. Lydia wrzasnęła. Verne przetoczył się po podłodze i znikł za kanapą. Lydia znów wrzasnęła.

— Heshy!

Verne ostrożnie wyjrzał, spodziewając się zobaczyć celującą w niego Lydię. Ona jednak wypuściła broń z ręki. Z krzykiem osunęła się na kolana i delikatnie uniosła głowę Heshy'ego.

— Nie! Nie umieraj. Proszę, Heshy, proszę, nie zostawiaj mnie.

Verne kopniakiem odsunął jej pistolet pod ścianę. Swój trzymał wycelowany w Lydię. Mówiła cicho i łagodnie, macierzyńskim tonem:

— Proszę, Heshy. Proszę, nie umieraj. O Boże, nie opuszczaj mnie.

Heshy wykrztusił:

— Nigdy cię nie opuszczę.

Lydia błagalnie spojrzała na Verne'a. Nie fatygował się wzywaniem policji. Już słyszał syreny. Heshy uścisnął dłoń Lydii.

— Wiesz, co musisz zrobić — powiedział.

— Nie — odparła cichutko.

— Lydio, przecież się umówiliśmy.

— Nie umrzesz.

Heshy zamknął oczy. Oddychał z trudem.

— Będą cię uważali za potwora — powiedziała.

— Obchodzi mnie tylko to, co ty myślisz. Obiecaj mi, Lydio.

— Nic ci nie będzie.

— Obiecaj.

Lydia potrząsnęła głową. Łzy płynęły jej po policzkach.

— Nie mogę.

— Możesz. — Heshy zdołał się uśmiechnąć. — Jesteś wielką aktorką, pamiętasz?

— Kocham cię — powiedziała.

On jednak już nie otworzył oczu. Lydia szlochała. Błagała go, żeby jej nie opuszczał. Syreny wyły coraz głośniej. Verne odsunął się pod ścianę. Przyjechała policja. Policjanci weszli do domu i otoczyli klęczącą Lydię. Ona nagle podniosła głowę.

— Dzięki Bogu — powiedziała do nich i znów zaczęła ronić łzy. — Mój koszmar wreszcie się skończył.

Rachel na sygnale odwieziono do szpitala. Chciałem jechać z nią, ale policja mi nie pozwoliła. Zadzwoniłem do Zii. Poprosiłem, żeby w moim imieniu zajęła się Rachel. Policja przesłuchiwała nas godzinami. Przesłuchiwali Verne'a, Katarinę i mnie osobno, a potem razem. Sądzę, że nam uwierzyli. Lenny był obecny. Regan i Tickner też się pokazali, chociaż nie od razu. Po telefonie Lenny'ego przeglądali akta Bacarda.

Regan przejął pałeczkę.

— Długi dzień, co, Marc?

Usiadłem naprzeciw niego.

— Czy ja wyglądam na człowieka w nastroju do pogawędek, detektywie?

— Ta kobieta podawała się za Lydię Davis. Naprawdę nazywa się Larissa Dane.

Skrzywiłem się.

— Dlaczego to nazwisko brzmi znajomo?

— Jako dziecko była aktorką.

— Trixie — przypomniałem sobie. — Z *Rodzinnych wpadek*.

— Taak, to ona. A przynajmniej tak utrzymuje. Poza tym twierdzi, że ten facet — wiemy o nim tylko tyle, że miał na imię Heshy — więził ją i wykorzystywał seksualnie. Twierdzi, że zmuszał ją do różnych rzeczy. Twój przyjaciel Verne uważa, że to bujdy na resorach. To jednak nie ma teraz znaczenia. Ona twierdzi, że nic nie wie o twojej córce.

— Jak to możliwe?

— Mówi, że zostali wynajęci przez Bacarda. To on przyszedł do Heshy'ego z planem wyłudzenia okupu za dziecko, którego nie porwali. Heshy'emu bardzo spodobał się ten pomysł. Mnóstwo forsy i żadnego ryzyka, ponieważ nie mieli dziecka.

— Ona twierdzi, że nie mieli nic wspólnego ze strzelaniną w moim domu?

— Właśnie.

Spojrzałem na Lenny'ego. On też dostrzegł niekonsekwencję.

— Przecież mieli moją broń. Tę, z której zastrzelili brata Katariny.

— Taak, wiemy. Ona twierdzi, że Bacard dał ją Heshy'emu. Żeby obciążyć ciebie. Heshy zastrzelił Pavla i podrzucił broń, aby skierować podejrzenia na ciebie i Rachel.

— A skąd mieli włosy Tary, które przysłali z żądaniem okupu? Jak zdobyli jej ubranie?

— Ta Dane twierdzi, że dostarczył je Bacard.

Potrząsnąłem głową.

— A więc to Bacard porwał Tarę?

— Ona mówi, że nie wie kto.

— A moja siostra? Jak ona została w to wplątana?

— Podobno i to była robota Bacarda. On podsunął im Stacy jako kozła ofiarnego. Heshy dał jej pieniądze i kazał pójść z nimi do banku. Potem ją zabił.

Spojrzałem na Ticknera, a potem znów na Regana.

— To nie trzyma się kupy.

— Nadal nad tym pracujemy.

— Mam pytanie — powiedział Lenny. — Dlaczego po półtora roku spróbowali ponownie?

— Pani Dane mówi, że nie jest pewna, ale podejrzewa, że ze zwykłej chciwości. Mówi, że Bacard zadzwonił i zapytał, czy Heshy chce zarobić następny milion. Heshy powiedział, że chce. Z papierów Bacarda wynika, że miał poważne kłopoty finansowe. Sądzimy, że ona ma rację. Bacard postanowił wyciągnąć jeszcze trochę forsy.

Przetarłem twarz. Bolały mnie żebra.

— Znaleźliście dokumenty prowadzonych przez Bacarda adopcji?

Regan zerknął na Ticknera.

— Jeszcze nie.

— Jak to możliwe?

— Posłuchaj, dopiero się tym zajęliśmy. Znajdziemy je. Zamierzamy sprawdzić każdą taką sprawę, jaką prowadził, szczególnie te sprzed osiemnastu miesięcy. Jeśli Bacard oddał Tarę do adopcji, znajdziemy ją.

Ponownie pokręciłem głowa.

— O co chodzi, Marc?

— To nie ma sensu. Ten facet prowadził dochodowy interes z lewymi adopcjami. Po co miałby strzelać do mnie i Moniki, pakować się w morderstwo i porwanie?

— Nie mamy pojęcia — odparł Regan. — Chyba wszyscy zgadzamy się co do tego, że w tej historii kryje się coś więcej. Mimo to na razie najbardziej prawdopodobny scenariusz wygląda tak, że to twoja siostra i jej wspólnik strzelali do ciebie i Moniki, a potem zabrali dziecko. Później oddali je Bacardowi.

Zamknąłem oczy i zastanowiłem się nad tym. Czy Stacy naprawdę była do tego zdolna? Czy potrafiłaby włamać się do mojego domu i strzelić do mnie? Wciąż nie mogłem w to uwierzyć. Nagle coś sobie przypomniałem.

Dlaczego nie słyszałem brzęku rozbijanej szyby?

Jak to możliwe, że zanim padły strzały nie usłyszałem niczego? Skrzypienia okna, brzęku dzwonka, odgłosu otwieranych drzwi. Dlaczego nie słyszałem żadnego z tych dźwięków? Według Regana mój umysł po prostu zablokował to wspomnienie. Teraz jednak zrozumiałem, że wcale nie.

— Batonik z muesli — powiedziałem.

— Przepraszam?

Spojrzałem na niego.

— Według twojej teorii zapomniałem o czymś, prawda? Stacy i jej wspólnik wybili okno albo — sam nie wiem — zadzwonili do drzwi. Powinienem słyszeć te dźwięki. Tymczasem nie słyszałem. Pamiętam, że jadłem batonik z muesli, a potem straciłem przytomność.

— Zgadza się.

— A przecież mówiłem, że trzymałem w ręku batonik. Kiedy mnie znaleźliście, leżał na podłodze. Ile zjadłem?

— Kęs lub dwa — powiedział Tickner.

— Zatem wasza teoria o amnezji jest błędna. Stałem przy zlewie i jadłem batonik. Pamiętam to. Fakt, że znaleźliście go przy mnie, dowodzi, że nie było żadnej luki czasowej. A poza tym, jeśli zrobiła to moja siostra, to po co rozbierała Monicę...?

Zamilkłem.

— Marc? — powiedział Lenny.

„Kochałeś ją?".

Zapatrzyłem się w przestrzeń.

„Ty wiesz, kto cię postrzelił, prawda, Marc?".

Dina Levinsky. Przypomniałem sobie jej dziwne wizyty w domu, w którym się wychowała. I o dwóch rewolwerach — z których jeden był mój. Pomyślałem o schowanym w piwnicy kompakcie, o którym powiedziała mi Dina. I o tych zdjęciach zrobionych przed szpitalem. Przypomniałem sobie słowa Edgara, który mówił mi, że Monica chodziła do psychiatry.

Nagle z głębi podświadomości zaczęła wyłaniać się zupełnie nowa myśl, tak przerażająca, że mój umysł istotnie mógł zablokować takie wspomnienie.

42

Udałem, że źle się czuję, i przeprosiłem na chwilę. Poszedłem do ubikacji i zadzwoniłem do Edgara. Mój teść odebrał osobiście, co trochę mnie zdziwiło.

— Halo?

— Mówiłeś, że Monica chodziła do psychiatry?

— Marc? To ty? — Edgar odchrząknął. — Właśnie dostałem wiadomość z policji. Ci durnie przekonali mnie, że to ty stałeś za tym wszystkim...

— Teraz nie pora na wyjaśnienia. Wciąż próbuję odnaleźć Tarę.

— Czego ci potrzeba? — zapytał.

— Czy znasz nazwisko jej psychiatry?

— Nie.

Zastanowiłem się.

— Jest tam Carson?

— Tak.

— Daj mi go.

Czekałem chwilę, nerwowo przytupując nogą. W końcu usłyszałem w słuchawce głęboki głos wuja Carsona.

— Marc?

— Wiedziałeś o tych zdjęciach, prawda?

Nie odpowiedział.

— Sprawdziłem nasze rachunki. Nie zapłacono za nie z naszego konta. To ty opłaciłeś prywatnego detektywa.

— To nie miało nic wspólnego z morderstwem czy porwaniem — rzekł Carson.

— Sądzę, że miało. Monica powiedziała ci, jak nazywał się ten psychiatra, prawda? Kto to był?

Znów nie odpowiedział.

— Usiłuję dojść do tego, co się stało z Tarą.

— Widziała się z nim tylko dwa razy — powiedział Carson. — Jak może ci pomóc?

— Nie on. Jego nazwisko.

— Co?

— Po prostu odpowiedz mi, tak czy nie. Czy to był Stanley Radio?

Słyszałem jego oddech.

— Carson?

— Już z nim rozmawiałem. On nic nie wie...

Natychmiast się rozłączyłem. Carson nic więcej nie mógł mi powiedzieć.

Jednak mogła to zrobić Dina Levinsky.

Zapytałem Regana i Ticknera, czy jestem aresztowany. Zaprzeczyli. Spytałem Verne'a, czy mogę jeszcze pożyczyć jego camaro.

— *No problemo* — odparł. Potem zmrużył oczy i dodał: — Potrzebujesz mojej pomocy?

Przecząco pokręciłem głową.

— Ty i Katarina nie macie z tym już nic wspólnego. Dla was sprawa się skończyła.

— Wiesz, gdzie mnie szukać, gdybyś mnie potrzebował.

— Jasne. Wracaj do domu, Verne.

Zaskoczył mnie, ściskając z całej siły. Katarina pocałowała mnie w policzek. Stałem i patrzyłem, jak odjeżdżają pikapem.

Potem ruszyłem w kierunku miasta. W tunelu Lincolna był korek. Dopiero po godzinie minąłem kasy. Wykorzystałem ten czas, żeby wykonać kilka rozmów telefonicznych. Dowiedziałem się, że Dina Levinsky wynajmuje z przyjaciółką mieszkanie w Greenwich Village.

Dwadzieścia minut później zadzwoniłem do jej drzwi.

Kiedy Eleanor Russell wróciła z lunchu, znalazła na biurku dużą brązową kopertę. Była zaadresowana do jej szefa, Lenny'ego Marcusa, i opatrzona napisami: DO RĄK WŁASNYCH oraz POUFNE.

Eleanor pracowała dla Lenny'ego od ośmiu lat. Szczerze go kochała. Nie mając własnej rodziny — bo ją i jej męża Saula, który umarł przed ośmioma laty, los nie pobłogosławił dziećmi — stała się kimś w rodzaju zastępczej babci dla Marcusów. Nawet trzymała na biurku zdjęcia żony Lenny'ego, Cheryl, oraz ich czworga dzieci.

Obejrzała kopertę i zmarszczyła brwi. Jak ta przesyłka znalazła się w biurze? Zajrzała do gabinetu Lenny'ego. Wyglądał na roztrzęsionego. To dlatego, że niedawno wrócił z miejsca zbrodni. Sprawa, w którą zamieszany był jego najlepszy przyjaciel, doktor Seidman, znowu znalazła się na pierwszych stronach gazet. Zwykle Eleanor nie przeszkadzałaby szefowi w takiej chwili. Jednak adres nadawcy... No cóż, uznała, że powinien to zobaczyć.

Lenny rozmawiał przez telefon. Na jej widok zakrył dłonią słuchawkę.

— Jestem trochę zajęty — rzekł.

— To do ciebie.

Eleanor podała mu kopertę. Lenny o mało jej nie zignorował. Zaraz jednak zauważył adres zwrotny. Obrócił kopertę w rękach.

Zamiast adresu nadawcy ktoś napisał po prostu: Od przyjaciela Stacy Seidman.

Lenny odłożył słuchawkę i rozdarł kopertę.

Nie sądzę, żeby Dina Levinsky zdziwiła się na mój widok. Wpuściła mnie, nie mówiąc słowa. Ścian nie było widać spod jej obrazów; niektóre z nich wisiały dziwacznie przekrzywione. To nadawało mieszkaniu wygląd pracowni Salvadora Dali. Usiedliśmy w kuchni. Dina zaproponowała mi herbatę. Odmówiłem. Położyła dłonie na stole. Zauważyłem, że paznokcie miała ogryzione do żywego ciała. Czy były w takim stanie, kiedy mnie odwiedziła? Teraz wydawała się inna, jakby smutniejsza. Włosy miała prostsze. Nieobecne spojrzenie. Jakby znowu zmieniła się w tę żałosną ofiarę, jaką znałem w szkole podstawowej.

— Znalazłeś zdjęcia? — zapytała.

— Tak.

Dina zamknęła oczy.

— Nie powinnam ci o nich mówić.

— Dlaczego powiedziałaś?

— Okłamałam cię.

Skinąłem głową.

— Nie jestem mężatką. Nie lubię seksu. Mam problemy z nawiązywaniem kontaktów międzyludzkich. — Wzruszyła ramionami. — A nawet z mówieniem prawdy.

Spróbowała się uśmiechnąć. Ja także.

— Na sesjach terapeutycznych uczono nas stawiać czoło naszym lękom. Jedyny sposób ich pokonania to zaakceptować prawdę, obojętnie jak bolesną. Tylko że ja nawet nie jestem pewna, co jest prawdą. Dlatego próbowałam naprowadzić cię na ślad.

— Byłaś w naszym domu wcześniej, a nie dopiero tej nocy, kiedy cię zobaczyłem, prawda?

Skinęła głową.

— I wtedy poznałaś Monicę?

— Tak.

Nie przestawałem.

— Zaprzyjaźniłyście się?

— Coś nas łączyło.

— Co?

Dina spojrzała na mnie i w jej oczach zobaczyłem ból.

— Molestowanie? — zapytałem.

Kiwnęła głową.

— Edgar molestował ją seksualnie?

— Nie, nie Edgar. Jej matka. I nie seksualnie. Raczej psychicznie i emocjonalnie. Ta kobieta była bardzo chora. Wiedziałeś o tym, prawda?

— Chyba tak.

— Monica potrzebowała pomocy.

— Dlatego przedstawiłaś ją swojemu psychiatrze?

— Próbowałam. Umówiłam ją na spotkanie z doktorem Radio. Jednak nic z tego nie wyszło.

— Jak to?

— Monica nie była kobietą, która wierzyłaby w terapię. Uważała, że sama najlepiej poradzi sobie ze swoimi problemami.

Kiwnąłem głową. Wiedziałem o tym.

— W moim domu — powiedziałem — zapytałaś mnie, czy kochałem Monicę.

— Tak.

— Dlaczego?

— Ona myślała, że nie. — Dina wsunęła palec do ust, szukając kawałeczka paznokcia, który mogłaby obgryźć. Nie znalazła. — Oczywiście, uważała się za niegodną miłości. Tak jak ja. Była jednak różnica.

— Jaka?

— Monica czuła, że ma jedną bliską osobę, która zawsze będzie ją kochała.

Znałem odpowiedź.

— Tarę.

— Tak. Oszukała cię, Marc. Pewnie zdajesz sobie z tego sprawę. To nie był przypadek. Chciała zajść w ciążę.

To smutne, ale wcale nie byłem zdziwiony. Znów spróbowałem połączyć poszarpane fragmenty, jak na sali operacyjnej.

— A zatem Monica uważała, że już jej nie kocham. Obawiała się, że chcę rozwodu. Wpadła w depresję. Płakała po nocach. — Zamilkłem. Mówiłem to nie tylko do Diny, ale i do siebie. Chociaż nie miałem ochoty rozwijać tego tematu, w żaden sposób nie potrafiłem się powstrzymać. — Była zrozpaczona. Zagubiona. I wtedy usłyszała wiadomość, jaką na automatycznej sekretarce zostawiła mi Rachel.

— Twoja była dziewczyna?

— Tak.

— Nadal trzymasz jej zdjęcie w szufladzie biurka. Monica o tym też wiedziała. Zachowałeś pamiątki po niej.

Zamknąłem oczy, przypomniawszy sobie płytkę kompaktową Steely'ego Dana, którą znalazłem w samochodzie Moniki. Muzyka z czasów college'u. Płyta, której słuchałem z Rachel. Powiedziałem:

— Tak więc wynajęła prywatnego detektywa, żeby sprawdził, czy mam romans. On zrobił te zdjęcia.

Dina skinęła głową.

— Teraz miała dowód. Zamierzałem opuścić ją dla innej kobiety. Twierdzić, że Monica jest niezrównoważona. Powiedzieć, że nie nadaje się na matkę. Jestem szanowanym lekarzem, a Rachel ma kontakty wśród pracowników wymiaru sprawiedliwości. Sąd przyznałby nam prawo do tego, na czym naprawdę zależało Monice. Do Tary.

Dina wstała od stołu. Przepłukała szklankę nad zlewem i napełniła ją wodą. Ponownie zacząłem się zastanawiać, co się stało tamtego ranka. Dlaczego nie usłyszałem brzęku rozbijanej szyby? Dlaczego nie słyszałem dzwonka do drzwi? Wdzierającego się do domu intruza?

To proste. Ponieważ nie było żadnego intruza.

Łzy stanęły mi w oczach.

— I co zrobiła, Dino?

— Przecież wiesz, Marc.

Mocno zacisnąłem powieki.

— Nie sądziłam, że naprawdę to zrobi — dodała Dina. —

Myślałam, że tylko tak mówi, wiesz? Monica była taka przygnębiona. Kiedy spytała mnie, czy wiem, jak zdobyć broń, pomyślałam, że chce się zastrzelić. Nigdy nie przypuszczałam...

— ...że strzeli do mnie?

Nagle w pomieszczeniu zrobiło się duszno. Ogarnęła mnie fala obezwładniającego zmęczenia. Byłem tak wyczerpany, że już nie miałem siły płakać. Jednak musiałem odkryć całą prawdę.

— Powiedziałaś, że chciała, żebyś pomogła jej zdobyć broń? Dina otarła oczy i skinęła głową.

— Zrobiłaś to?

— Nie. Nie wiedziałam, jak ją zdobyć. Monica powiedziała, że trzymasz w domu rewolwer, ale nie chciała broni, której pochodzenie można ustalić. Dlatego zwróciła się do jedynej znanej jej osoby, która mogła mieć takie podejrzane kontakty.

Teraz zrozumiałem.

— Do mojej siostry.

— Tak.

— Czy Stacy załatwiła jej broń?

— Nie, nie sądzę.

— Dlaczego tak twierdzisz?

— Tamtego ranka Stacy przyszła się ze mną zobaczyć. Widzisz, Monica i ja wpadłyśmy na pomysł, że pójdziemy do niej razem. Tak więc Monica wspomniała jej o mnie. Stacy przyszła zapytać, po co Monice broń. Nie powiedziałam jej, bo sama nie byłam pewna. Stacy wybiegła. Wpadłam w panikę. Chciałam zapytać doktora Radio, co mam robić, ale po południu miałam z nim umówione spotkanie. Pomyślałam, że spytam go wtedy.

— A potem?

— Nadal nie wiem, co właściwie się stało, Marc. To prawda. Wiem jednak, że to do ciebie Monica strzeliła.

— Skąd wiesz?

— Bałam się. Zadzwoniłam do twojego domu. Odebrała Monica. Płakała. Powiedziała mi, że nie żyjesz. Wciąż powtarzała: „Co ja zrobiłam, co ja zrobiłam?"". A potem nagle się rozłączyła. Zadzwoniłam ponownie. Nikt nie podnosił słuchawki. Nie miałam pojęcia, co robić. Potem zobaczyłam wiadomość w telewizji. Kiedy powiedzieli, że wasza córka zaginęła... Nie mogłam tego zrozumieć. Myślałam, że zaraz ją znajdą. Tak się jednak nie stało. I nic nie wspominano o tych zdjęciach. Miałam nadzieję... sama nie wiem, chyba liczyłam na to, że jeśli wskażę ci miejsce ukrycia tych fotografii, może to rzuci odrobinę światła na to, co naprawdę się stało. Wprawdzie to niewiele mogło wam pomóc, ale pomogłoby waszej córce.

— Dlaczego tak długo zwlekałaś?

Na chwilę zamknęła oczy i pomyślałem, że się modli.

— Miałam zły okres, Marc. Dwa tygodnie po tym jak zostałeś postrzelony, wylądowałam w szpitalu z załamaniem nerwowym. Byłam w takim stanie, że zupełnie o tym zapomniałam. A może chciałam zapomnieć, sama nie wiem.

Zadzwonił mój telefon komórkowy. Lenny. Odebrałam.

— Gdzie jesteś? — zapytał.

— U Diny Levinsky.

— Przyjedź na lotnisko Newark. Terminal C. Natychmiast.

— Co się dzieje?

— Myślę... — zaczął Lenny. Potem zamilkł i zaczerpnął tchu. — Myślę, że chyba wiem, gdzie możemy znaleźć Tarę.

43

Zanim znalazłem się w terminalu C, Lenny już stał przy stanowisku linii Continental. Była szósta wieczór. Na lotnisku roiło się od zmęczonych podróżnych. Wręczył mi anonimową wiadomość, którą podrzucono mu do biura. Brzmiała następująco:

Abe i Lorraine Tansmore
26 Marsh Lane
Hanley Hills, MO

To wszystko. Tylko adres. Nic więcej.

— To przedmieście St. Louis — wyjaśnił Lenny. — Już to sprawdziłem.

Wciąż wpatrywałem się w nazwisko i adres.

— Marc?

Spojrzałem na niego.

— Ci ludzie półtora roku temu adoptowali córeczkę. Miała wtedy sześć miesięcy.

Za jego plecami urzędniczka linii Continental powiedziała:

— Następny proszę!

Jakaś kobieta przecisnęła się obok mnie. Może powiedziała przepraszam, ale nie jestem pewien.

— Zarezerwowałem bilety na następny lot do St. Louis. Odlatujemy za godzinę.

Kiedy dotarliśmy do sali odlotów, opowiedziałem mu o moim spotkaniu z Diną Levinsky. Potem usiedliśmy tak jak zwykle, bokiem do siebie. Gdy skończyłem, rzekł:

— Teraz masz już teorię.

— Tak.

Patrzyliśmy, jak startuje jakiś samolot. Para staruszków siedząca naprzeciw nas dzieliła się puszką solonych orzeszków.

— Jestem cynikiem. Wiem o tym. Nie mam żadnych złudzeń co do narkomanów. Jeśli już, to przeceniam głębię ich demoralizacji. I myślę, że właśnie na tym polegał mój błąd.

— Jak to?

— Stacy by do mnie nie strzeliła. Nie zastrzeliłaby Moniki. I nigdy nie skrzywdziłaby bratanicy. Była narkomanką. Mimo to kochała mnie.

— Sądzę — rzekł Lenny — że masz rację.

— Przemyślałem to. Byłem tak zamknięty w swoim świecie, że nie zauważyłem... — Pokręciłem głową. Teraz nie czas na to. — Monica była zrozpaczona. Nie mogła zdobyć broni i być może doszła do wniosku, że wcale nie musi.

— Użyła twojego rewolweru — powiedział Lenny.

— Tak.

— A potem?

— Stacy pewnie się domyśliła, co zamierza Monica. Przybiegła do naszego domu. Zobaczyła, co zrobiła Monica. Nie wiem, co dokładnie się wydarzyło. Może Monica chciała zastrzelić i ją. To wyjaśniałoby dziurę po kuli w ścianie obok schodów. A może Stacy wpadła w szał. Kochała mnie. Leżałem zakrwawiony. Zapewne pomyślała, że nie żyję. Nie wiem, jak było, w każdym razie jest pewne, że Stacy miała broń. I zastrzeliła Monicę.

Stewardesa oznajmiła, że wkrótce pasażerowie zostaną wpuszczeni na pokład, a teraz mogą wejść osoby wymagające specjalnej troski oraz posiadacze złotych i platynowych kart.

— Mówiłeś przez telefon, że Stacy znała Bacarda?

Lenny skinął głową.

— Owszem, wymieniła jego nazwisko.

— Tego też nie jestem pewien, ale pomyśl. Ja nie żyję. Monica także. Stacy pewnie wpadła w panikę. Tara płakała. Stacy nie mogła jej tak zostawić. Zabrała Tarę ze sobą. Potem zrozumiała, że nie może jej wychowywać. Za daleko zabrnęła. Dlatego oddała małą Bacardowi i powiedziała, żeby znalazł jej dobrą rodzinę. A może, jeśli mam być cyniczny, może oddała Tarę za pieniądze. Nigdy się tego nie dowiemy.

Lenny kiwał głową.

— No cóż, dalej już wszystko potoczyło się znanym nam torem. Bacard postanowił zgarnąć dodatkową sumkę, pozorując porwanie. Wynajął tę parę świrów. Mógł zdobyć ten kosmyk włosów. I wykiwał Stacy. Zrobił z niej kozła ofiarnego.

Na twarzy Lenny'ego pojawił się przelotny grymas.

— Co? — zapytałem.

— Nic — odparł.

Wzywali nas do wyjścia. Lenny wstał.

— Wsiadajmy — powiedział.

Samolot był spóźniony. Przylecieliśmy do St. Louis dopiero po północy miejscowego czasu. Było za późno, żeby coś zrobić. Lenny zarezerwował dla nas pokój w Marriotcie przy lotnisku. W ich całodobowym sklepiku kupiłem ubranie na zmianę. Kiedy znaleźliśmy się w pokoju, wziąłem bardzo długi i bardzo gorący prysznic. Potem położyłem się i patrzyłem w sufit.

Rano zadzwoniłem do szpitala i zapytałem o Rachel. Jeszcze spała. Zia była w jej pokoju. Zapewniła mnie, że Rachel czuje się dobrze. Potem próbowaliśmy z Lennym zjeść śniadanie w hotelowym bufecie. Nie nadawało się do niczego. Wynajęty samochód już na nas czekał. Lenny dowiedział się od recepcjonisty, jak dojechać do Hanley Hills.

Nie pamiętam, co widziałem podczas jazdy. Oprócz łuku w oddali, miasto nie wyróżniało się niczym szczególnym. Stany Zjednoczone wyglądają teraz jak jeden wielki ciąg handlowy.

Łatwo to krytykować i często to robię, lecz może powodem jest fakt, że wszyscy lubimy to, co dobrze znamy. Twierdzimy, że potrzebujemy odmiany, a mimo to często, szczególnie w dzisiejszych czasach, najbardziej pociąga nas to, co znajome.

Kiedy dojechaliśmy do granicy miasta, poczułem mrowienie w nogach.

— I co zrobimy, Lenny?

Nie odpowiedział.

— Mam po prostu zadzwonić do drzwi i powiedzieć: „Przepraszam, ale myślę, że to moja córka?".

— Możemy wezwać policję — rzekł. — Niech oni się tym zajmą.

To rozwiązanie też mi się nie podobało. Byliśmy już tak blisko. Kazałem mu jechać dalej. Skręciliśmy w prawo, w Marsh Lane. Drżałem. Lenny próbował podtrzymać mnie na duchu, ale sam też zbladł. Ulica wyglądała skromniej, niż się spodziewałem. Zakładałem, że wszyscy klienci Bacarda byli bogaci. Ta para na pewno nie.

— Abe Tansmore pracuje jako nauczyciel — rzekł Lenny, jak zwykle czytając w moich myślach. — Uczy szóstoklasistów. Lorraine Tansmore trzy dni w tygodniu pracuje w przedszkolu. Oboje mają po trzydzieści dziewięć lat. Od siedemnastu są małżeństwem.

Przed nami zobaczyłem dom z wiśniową tabliczką, na której widniał napis „26 — A.L. Tansmore". Był mały i parterowy, jeden z tych, które nazywają bungalowami. Inne domy przy tej ulicy wyglądały smutnie. Ten nie. Świeżo malowany, wydawał się uśmiechać. Otaczały go kolorowe kępy roślin, kwiatów i krzewów, wszystkie starannie zaprojektowane i utrzymane. Dostrzegłem wycieraczkę z powitalnym napisem. Frontowe podwórko otaczał niski płotek. Na podjeździe stało duże kilkuletnie volvo. A także trójkołowy rowerek i jedno z tych jaskrawych plastikowych Big Wheels.

Przed domem zobaczyłem kobietę.

Lenny zaparkował samochód przed niezabudowaną parcelą.

Prawie nie zwróciłem na to uwagi. Kobieta klęczała przy rabacie. Kopała małą łopatką. Włosy miała związane czerwoną chustką. Co chwilę ocierała rękawem pot z czoła.

— Mówisz, że pracuje jako przedszkolanka?

— Trzy dni w tygodniu. Zabiera córeczkę ze sobą.

— Jak dali jej na imię?

— Natasha.

Kiwnąłem głową. Sam nie wiem dlaczego. Czekaliśmy. Ta kobieta, Lorraine, ciężko pracowała, ale widziałem, że sprawia jej to przyjemność. To rzucało się w oczy. Opuściłem boczną szybę. Usłyszałem, jak kobieta pogwizduje pod nosem. Nie wiem, ile minęło czasu. Przed domkiem pojawiła się sąsiadka. Lorraine wstała i przywitała ją. Sąsiadka wskazała ręką na ogródek. Lorraine uśmiechnęła się. Nie była piękna, ale miała wspaniały uśmiech. Sąsiadka odeszła. Lorraine pomachała jej na pożegnanie i znów zajęła się ogródkiem.

Frontowe drzwi się otworzyły.

Zobaczyłem Abe'a. Był wysokim, chudym i żylastym, lekko łysawym mężczyzną. Miał starannie przyciętą brodę. Lorraine wstała i spojrzała na niego. Pomachała mu ręką.

A wtedy z domu wybiegła Tara.

Zaparło mi dech. Miałem wrażenie, że serce przestało mi bić. Obok mnie Lenny wymamrotał:

— O mój Boże.

W ciągu ostatnich osiemnastu miesięcy niemal przestałem wierzyć, że taka chwila jest możliwa. Usilnie wmawiałem sobie, oszukując się, że może Tara jakimś cudem jest nadal cała i zdrowa. Jednak w głębi duszy wiedziałem, że się łudzę. Moja podświadomość mrugała do mnie. Szturchała mnie we śnie. Przypominała mi, że już nigdy nie ujrzę mojej córeczki.

To jednak była moja córka. Żywa.

Zdziwiło mnie to, jak mało się zmieniła. Och, urosła, oczywiście. Już stała. A nawet, co zaraz zobaczyłem, potrafiła biegać. Jednak jej twarzyczka... Nie było mowy o pomyłce. Ani o złudzeniu. To była Tara. Moja mała dziewczynka.

Z radosnym uśmiechem, nie zważając na nic, pobiegła do Lorraine. Ta pochyliła się i jej twarz rozjaśniła się tak, jak potrafi jaśnieć tylko twarz matki. Chwyciła moją małą w ramiona. Usłyszałem melodyjny śmiech Tary. Ten dźwięk ranił mi serce. Łzy płynęły mi po policzkach. Lenny położył dłoń na moim ramieniu. Usłyszałem, że pociąga nosem. Zobaczyłem, że mąż Lorraine, Abe, podchodzi do nich. On też się uśmiechał.

Przez całe wieki obserwowałem ich na tym małym, ślicznym podwórku. Widziałem, jak Lorraine cierpliwie pokazuje małej kwiatki, wyjaśniając, jak nazywa się każdy z nich. Patrzyłem, jak Abe nosi Tarę na barana. Jak Lorraine uczy ją uklepywać rączką ziemię. Przyszła do nich inna para małżeńska. Przyprowadzili dziewczynkę mniej więcej w wieku Tary. Abe i drugi tatuś posadzili dziewczynki na metalowej huśtawce, która znajdowała się na podwórku za domem. Słyszałem radosny śmiech obu dziewczynek. W końcu wszyscy weszli do środka. Abe i Lorraine na końcu. Przeszli przez próg, obejmując się.

Lenny obrócił się do mnie. Oparłem się o zagłówek. Miałem nadzieję, że ten dzień będzie końcem mojej podróży. Tak się nie stało.

Po chwili powiedziałem:

— Jedźmy.

44

Kiedy wróciliśmy do Marriotta przy lotnisku, kazałem Lenny'emu jechać do domu. Powiedział, że zostanie. Mówiłem, że sam mogę sobie poradzić — że chcę zrobić to sam. Niechętnie ustąpił.

Zadzwoniłem do Rachel. Czuła się dobrze. Opowiedziałem jej, co się stało.

— Zadzwoń do Harolda Fishera — poprosiłem — żeby dokładnie sprawdził Abe'a i Lorraine Tansmore'ów. Chcę wiedzieć, czy są czyści.

— W porządku — powiedziała cicho. — Żałuję, że nie jestem tam z tobą.

— Ja też.

Usiadłem na łóżku. Objąłem rękami głowę. Chyba nie płakałem. Już sam nie wiedziałem, co czuję. Było po wszystkim. Dowiedziałem się tego, czego mogłem się dowiedzieć. Kiedy Rachel zadzwoniła do mnie dwie godziny później, nie powiedziała mi niczego nowego. Abe i Lorraine byli porządnymi ludźmi. Abe jako pierwszy w swojej rodzinie ukończył studia. Miał dwie młodsze siostry, które mieszkały w pobliżu. Obie miały po trójce dzieci. Poznał Lorraine podczas pierwszego roku studiów na Washington University w St. Louis.

Zapadła noc. Stałem i patrzyłem w lustro. Moja żona próbowała mnie zabić. Tak, była niezrównoważona. Teraz to wiedziałem. Do diabła, chyba wiedziałem o tym już wtedy. Pewnie

nie obchodziło mnie to. Naprawiam zniszczone dziecięce twarze. Potrafię dokonać cudów w sali operacyjnej. Jednak kiedy rozpadła się moja rodzina, nie zrobiłem nic, tylko patrzyłem.

Teraz zastanawiałem się, jaki powinien być ojciec. Kochałem moją córkę. Bardzo. Kiedy jednak zobaczyłem dziś Abe'a, a wcześniej Lenny'ego w roli trenera piłki nożnej, zacząłem się zastanawiać. Myśleć o tym, czy nadaję się do tej roli. Powątpiewać w moje oddanie. I zastanawiać, czy jestem godny.

A może już znałem odpowiedź?

Tak bardzo pragnąłem odzyskać moją małą córeczkę. A zarazem bardzo nie chciałem być samolubny.

Tara wyglądała na bardzo szczęśliwą.

Dochodziła północ. Ponownie popatrzyłem w lustro. A jeśli powinienem pozostawić ją u Abe'a i Lorraine? Czy jestem dostatecznie odważny i silny, żeby odejść? Wciąż spoglądałem w lustro, rzucając sobie wyzwanie. Jestem?

Położyłem się. Chyba zasnąłem. Obudziło mnie pukanie do drzwi. Zerknąłem na elektroniczny zegar obok mojego łóżka. Pokazywał 5:19.

— Śpię — powiedziałem.

— Doktorze Seidman?

Męski głos.

— Doktorze Seidman, mówi Abe Tansmore.

Otworzyłem drzwi. Z bliska był przystojny, trochę podobny do Jamesa Taylora. Miał na sobie dżinsy i brązową koszulę. Spojrzałem mu w oczy. Były niebieskie i przekrwione. Wiedziałem, że moje też. Przez długą chwilę tylko patrzyliśmy na siebie. Próbowałem coś powiedzieć, ale nie zdołałem. Cofnąłem się, wpuszczając go do środka.

— Odwiedził nas pana adwokat. On... — Abe zamilkł i przełknął ślinę. — Opowiedział nam wszystko. Lorraine i ja nie spaliśmy przez całą noc. Dyskutowaliśmy. Płakaliśmy. Myślę jednak, że od początku wiedzieliśmy, że decyzja może być tylko jedna. — Abe Tansmore usiłował się trzymać, ale mu

397

się to nie udawało. Zamknął oczy. — Musimy oddać panu córeczkę.

Nie wiedziałem, co powiedzieć. Potrząsnąłem głową.

— Musimy zrobić to, co będzie dla niej najlepsze.

— Właśnie to robię, doktorze Seidman.

— Mów mi Marc. Proszę. — Wiedziałem, że głupio się zachowuję. Nie byłem przygotowany na taką sytuację. — Jeśli obawiacie się długiej i zażartej walki w sądzie, Lenny nie powinien...

— Nie, nie o to chodzi.

Staliśmy jeszcze chwilę. W końcu wskazałem mu fotel. Przecząco pokręcił głową. Popatrzył na mnie.

— Przez całą noc usiłowałem wyobrazić sobie taką udrękę. Chyba nie potrafię. Myślę, że pewnych cierpień człowiek nie jest w stanie pojąć, jeśli sam ich nie dozna. Może to jeden z takich przypadków. Jednak pański ból, choć na pewno przerażający, nie jest najważniejszym powodem naszej decyzji. I nie podjęliśmy jej z powodu wyrzutów sumienia. Chociaż patrząc wstecz, może powinniśmy wykazać więcej rozwagi. Zwróciliśmy się do pana Bacarda. Jednak wszystkie opłaty wyniosłyby ponad sto tysięcy dolarów. Nie jestem bogaty. Nie było mnie na to stać. Nagle, kilka tygodni później, pan Bacard zadzwonił do nas. Powiedział, że ma dziecko, które natychmiast trzeba adoptować. To nie jest niemowlę, powiedział. Właśnie zostało porzucone przez matkę. Wiedzieliśmy, że coś jest nie tak, ale powiedział nam, że jeśli się zgadzamy, nie możemy o nic pytać.

Odwrócił wzrok. Obserwowałem jego twarz.

— Sądzę, że w głębi serca chyba zawsze wiedzieliśmy. Tylko nie potrafiliśmy spojrzeć prawdzie w oczy. Jednak nie z tego powodu podjęliśmy taką decyzję.

Przełknąłem ślinę.

— A z jakiego?

Znowu na mnie spojrzał.

— Cel nie uświęca środków. — Chyba miałem zdziwioną

minę. — Gdybyśmy z Lorraine postąpili inaczej, nie bylibyśmy godni wychowywać Natashy. Pragniemy, żeby była szczęśliwa. Chcemy, żeby wyrosła na dobrego człowieka.

— Być może najlepiej nadajecie się na jej rodziców.

Potrząsnął głową.

— To nie tak. Nie przydziela się dzieci tym, którzy wychowają je najlepiej. Ta decyzja nie należy do nas. Nie ma pan pojęcia, jakie to dla nas trudne. A może pan ma.

Odwróciłem się. Ujrzałem własne odbicie w lustrze. Zaledwie przez sekundę. Może krócej. To jednak wystarczyło. Zobaczyłem człowieka, którym byłem. I tego, którym chciałem być. Zwróciłem się do niego:

— Chcę, żebyśmy wychowali ją razem.

Zaskoczyłem go. Siebie też.

— Nie wiem, czy rozumiem — wyjąkał.

— Ja też. Mimo to tak właśnie zrobimy.

— Jak?

— Nie wiem.

Abe pokręcił głową.

— To niemożliwe. Przecież wiesz.

— Nie, Abe, nie wiem. Przyleciałem tutaj, żeby zabrać córkę do domu, i przekonałem się, że może już go ma. Czy mam prawo jej go pozbawiać? Chcę, żebyście oboje pozostali w jej życiu. Wcale nie twierdzę, że to będzie łatwe. Jednak dzieci są wychowywane przez samotnych ojców i matki, przybranych rodziców, w sierocińcach. Są rozwody, separacje i Bóg wie co jeszcze. Wszyscy troje kochamy tę małą. Uda się nam.

Zauważyłem, że w jego oczach pojawiła się nadzieja. Przez chwilę się nie odzywał. Potem rzekł:

— Lorraine jest w holu. Mogę z nią porozmawiać?

— Oczywiście.

To nie trwało długo. Znów usłyszałem pukanie do drzwi. Kiedy je otworzyłem, Lorraine chwyciła mnie w objęcia. Uściskałem ją, tę kobietę, której nigdy wcześniej nie spotkałem. Jej włosy pachniały truskawkami. Za nią do pokoju wszedł Abe. W ramionach trzymał śpiącą Tarę. Lorraine puściła mnie i odsunęła się. Abe podszedł bliżej. Ostrożnie przekazał mi córeczkę. Wziąłem ją na ręce i o mało nie pękło mi serce. Tara poruszyła się. Zaczęła marudzić. Przytuliłem ją. Kołysałem na rękach i mruczałem uspokajająco.

Po chwili wtuliła się we mnie i znowu zasnęła.

45

Wszystko znów zaczęło źle wyglądać, kiedy spojrzałem w kalendarz.

Ludzki mózg to zdumiewający twór. Przedziwny zestaw reakcji elektrochemicznych, dających po prostu niezwykłe rezultaty. Więcej wiemy o prawach rządzących kosmosem niż o procesach zachodzących w mózgu, móżdżku, przysadce, rdzeniu przedłużonym i innych jego częściach. I tak jak w przypadku każdego skomplikowanego środowiska, nigdy nie mamy pewności, jak zareaguje na dany katalizator.

Miałem kilka powodów do zastanowienia. Przede wszystkim kwestia przecieków. Przypuszczaliśmy z Rachel, że ktoś z FBI lub policji informował Bacarda i jego ludzi o tym, co się dzieje. To jednak zupełnie nie pasowało do mojej teorii, zgodnie z którą Monicę zastrzeliła Stacy. Ponadto Monicę znaleziono rozebraną. Teraz wydawało mi się, że wiem dlaczego, ale Stacy nigdy by tego nie zrobiła.

Sądzę jednak, że wszystko zrozumiałem w chwili, gdy spojrzałem w kalendarz i uświadomiłem sobie, że jest środa.

Do strzelaniny oraz porwania Tary doszło w środę. Oczywiście, w ciągu minionych osiemnastu miesięcy było wiele śród. Ten dzień tygodnia nie ma w sobie niczego szczególnego. Tylko że teraz, kiedy dowiedzieliśmy się już tak wiele i mój mózg wchłonął tyle nowych danych, coś zaiskrzyło. Wszystkie pytania i wątpliwości, podejrzenia, wszystkie fakty, które uznałem za pewniki i nigdy ich nie analizowałem... Fragmenty łamigłówki nagle wskoczyły na swoje miejsca. Pojawił się obraz, który był znacznie gorszy od tego, co sobie wyobrażałem.

Znowu byłem w Kasselton, w moim domu, gdzie wszystko się zaczęło. Zadzwoniłem do Ticknera, chcąc się upewnić.

— Do mnie i mojej żony strzelano z trzydziestki ósemki, prawda? — zapytałem.

— Tak.

— I jesteście pewni, że to były dwa rewolwery?

— Całkowicie.

— A jednym z nich był mój smith & wesson?

— Przecież wiesz, Marc.

— Macie wszystkie wyniki badań balistycznych?

— Większość.

Oblizałem wargi i przygotowałem się na najgorsze. Miałem nadzieję, że się mylę.

— Do kogo strzelano z mojej broni — do mnie czy do Moniki?

Obudziłem jego czujność.

— Dlaczego pytasz?

— Z ciekawości.

— No tak. Zaczekaj chwilę. — Słyszałem, jak przekłada kartki. Ściskało mnie w gardle. O mało nie rzuciłem słuchawki. — Do twojej żony.

Kiedy usłyszałem podjeżdżający samochód, odłożyłem słuchawkę na widełki. Lenny nacisnął klamkę i otworzył drzwi. Nie pukał. W końcu on nigdy nie pukał, prawda?

Siedziałem na kanapie. W domu było cicho, wszystkie duchy poszły spać. W rękach miał kubki coli, a na ustach szeroki uśmiech. Zastanawiałem się, ile razy widziałem ten uśmiech. Pamiętałem nieco bardziej krzywy. I błyszczący metalowymi klamerkami na zębach. Zakrwawiony po uderzeniu w drzewo, kiedy zjeżdżaliśmy na sankach za domem Goretów. Znowu pomyślałem o tym, jak Tony Merruno zaatakował mnie w trzeciej klasie i Lenny skoczył mu na plecy. Teraz przypomniało mi się, że Tony Merruno zbił mu okulary. Lenny wcale się tym nie przejął.

Znałem go tak dobrze. A może nie znałem go wcale.

Kiedy Lenny zobaczył moją minę, uśmiech zgasł mu na wargach.

— Tamtego ranka mieliśmy grać w squasha, Lenny. Pamiętasz?

Opuścił ręce i postawił kubki na stole.

— Nigdy nie pukasz. Po prostu otwierasz drzwi. Tak jak dziś. Co się stało, Lenny? Przyjechałeś po mnie i otworzyłeś drzwi.

Zaczął potrząsać głową, ale ja już wiedziałem.

— Dwa rewolwery. One zdradziły prawdę.

— Nie wiem, o czym mówisz — powiedział, ale bez przekonania.

— Myśleliśmy, że Stacy nie załatwiła Monice broni, więc Monica posłużyła się moją. Wcale nie. Właśnie sprawdziłem wyniki badań balistycznych. Zabawne. Nigdy nie mówiłeś mi, że Monica została zastrzelona z mojego rewolweru. A mnie postrzelono z drugiego.

— A więc? — spytał Lenny, znów wchodząc w rolę prawnika. — To nic nie znaczy. Może Stacy jednak załatwiła jej rewolwer.

— Załatwiła — przytaknąłem.

— No i widzisz, wszystko się zgadza.

— Powiedz mi w jaki sposób.

Szurnął nogami.

— Może Stacy pomogła Monice zdobyć broń. Monica strzeliła z niej do ciebie. Kiedy Stacy przybyła kilka minut później, Monica próbowała ją zastrzelić. — Lenny podszedł do schodów, jakby chciał to zademonstrować. — Stacy biegła na górę. Monica strzeliła — to wyjaśniłoby dziurę po kuli. — Wskazał na zagipsowany otwór. — Stacy wzięła z sypialni twój rewolwer, wróciła na dół i zastrzeliła Monicę.

Popatrzyłem na niego.

— Czy właśnie tak było, Lenny?

— Nie wiem. Tak mogło być.

Odczekałem chwilę. Odwrócił się.

— Jest jeden problem — powiedziałem.

— Jaki?

— Stacy nie wiedziała, gdzie chowam broń. I nie znała szyfru otwierającego zamek kasetki. — Zrobiłem krok w jego kierunku. — Ty go znałeś, Lenny. Trzymam w niej wszystkie ważne dokumenty. Zaufałem ci. Teraz chcę poznać prawdę. Monica strzeliła do mnie. Wszedłeś do domu. Zobaczyłeś mnie leżącego na podłodze. Pomyślałeś, że nie żyję?

Lenny zamknął oczy.

— Chcę to zrozumieć, Lenny.

Powoli pokręcił głową.

— Myślisz, że kochasz swoją córkę — powiedział — ale nie wiesz, jak to jest. To uczucie rośnie z każdym dniem. Im dłużej masz dziecko, tym bardziej jesteś do niego przywiązany. Pewnego wieczoru wróciłem z pracy. Marianne płakała, ponieważ dzieci dokuczały jej w szkole. Położyłem się do łóżka i nie mogłem zasnąć. Wtedy coś sobie uświadomiłem. Mogę być tylko tak szczęśliwy, jak najsmutniejsze z moich dzieci. Rozumiesz, co mówię?

— Powiedz mi, co się stało — odparłem.

— Było tak, jak powiedziałeś. Tamtego ranka przyszedłem do waszego domu. Otworzyłem drzwi. Monica rozmawiała przez telefon. W ręku wciąż trzymała rewolwer. Podbiegłem do ciebie. Nie mogłem uwierzyć własnym oczom. Szukałem pulsu, ale... — Potrząsnął głową. — Monica zaczęła wrzeszczeć, że nie pozwoli, żeby ktoś odebrał jej dziecko. Wycelowała we mnie. Jezu Chryste. Myślałem, że zaraz umrę. Przeturlałem się po podłodze i pobiegłem po schodach. Pamiętałem, że trzymasz tam broń. Monica strzeliła do mnie. — Znów wskazał biały ślad. — To dziura po kuli.

Zamilkł. Przez chwilę ciężko oddychał. Czekałem.

— Wyjąłem z kasetki twój rewolwer.

— Czy Monica wbiegła za tobą po schodach?

Odpowiedział cicho:

— Nie. — Zamrugał. — Może powinienem spróbować zadzwonić. Może należało spróbować uciec. Nie wiem. Odtwarzałem to w myślach setki razy. Wciąż się zastanawiam, co powinienem zrobić. Ty, mój najlepszy przyjaciel, leżałeś tam martwy. Ta zwariowana suka krzyczała coś o ucieczce z twoją córką — moją chrześnicą. Już do mnie strzeliła. Nie wiedziałem, co chce zrobić.

Umknął spojrzeniem.

— Lenny?

— Nie wiem, co się stało, Marc. Naprawdę nie wiem. Zacząłem skradać się po schodach na dół. Ona wciąż miała broń...

Zamilkł.

— Więc ją zastrzeliłeś.

Kiwnął głową.

— Nie chciałem. A przynajmniej tak mi się wydaje. Jednak nagle oboje leżeliście tam martwi. Zamierzałem zadzwonić na policję. Tylko że nagle zaczęło to wyglądać bardzo niewyraźnie. Strzeliłem do Moniki pod dziwnym kątem. Mogli twierdzić, że była odwrócona plecami.

— Pomyślałeś, że mogą cię aresztować?

— Oczywiście. Gliniarze mnie nienawidzą. Jestem dobrym adwokatem. Jak myślisz, co by się stało?

Nie odpowiedziałem.

— Ty rozbiłeś okno?

— Od zewnątrz — odparł. — Chciałem upozorować włamanie.

— I ty rozebrałeś Monicę?

— Tak.

— Z tego samego powodu?

— Wiedziałem, że na ubraniu zostały ślady prochu. Dowiedzieliby się, że strzelała. Próbowałem upozorować morderstwo popełnione przez zaskoczonego włamywacza. Dlatego zniszczyłem jej ubranie. Pieluszką wytarłem jej dłoń.

Rozwiała się kolejna z dręczących mnie wątpliwości. Brak ubrania Moniki. Wprawdzie Stacy mogła ją rozebrać, żeby zmylić policję, ale jakoś nie mogłem sobie wyobrazić, by wymyśliła coś takiego. Lenny był adwokatem. Do niego to pasowało.

Teraz dochodziliśmy do sedna sprawy. Obaj o tym wiedzieliśmy. Założyłem ręce na piersi.

— Powiedz mi o Tarze.

— Jest moją chrześnicą. Musiałem ją chronić.

— Nie rozumiem.

Lenny rozłożył ręce.

— Ile razy prosiłem cię, żebyś spisał testament?

Zbił mnie z tropu.

— Co to ma wspólnego...?

— Zastanów się chwilę. Przez cały ten czas, kiedy byłeś w tarapatach, odwoływałeś się do swego zawodowego spokoju, prawda?

— Chyba tak.

— Jestem adwokatem, Marc. Ja zrobiłem to samo. Oboje leżeliście martwi. Tara płakała w sąsiednim pokoju. Wtedy ja, Lenny prawnik, natychmiast zrozumiałem, co się stanie.

— Co?

— Nie sporządziłeś testamentu. Nie wyznaczyłeś prawnych opiekunów dziecka. Nie rozumiesz? To oznaczało, że Edgar dostanie twoją córkę.

Spojrzałem mu w oczy. O tym nie pomyślałem.

— Twoja matka próbowałaby walczyć, ale przy jego finansowych możliwościach nie miałaby szans. Musi opiekować się twoim ojcem. Sześć lat temu dostała wyrok w zawieszeniu za jazdę po pijanemu. Edgar zostałby prawnym opiekunem dziecka.

Teraz zrozumiałem.

— A na to nie mogłeś pozwolić.

— Jestem chrzestnym Tary. Powinienem ją chronić.

— I nienawidzisz Edgara.

Potrząsnął głową.

— Czy to, co zrobił ojcu, wpłynęło na moją ocenę sytuacji? Taak, może w jakimś stopniu, podświadomie. Jednak Edgar Portman jest złym człowiekiem. Wiesz o tym. Spójrz, co się stało z Monicą. Nie mogłem pozwolić, żeby zniszczył twoją córkę tak jak własną.

— Dlatego ją zabrałeś.

Skinął głową.

— I oddałeś Bacardowi.

— Był moim klientem. Wiedziałem co robił, chociaż nie miałem pojęcia, że na taką skalę. I wiedziałem, że zachowa to w tajemnicy. Powiedziałem mu, żeby znalazł jej najlepszą rodzinę, jaką ma. Nieważne pieniądze czy pozycja. Chciałem porządnych ludzi.

— I oddał ją Tansmore'om.

— Tak. Musisz zrozumieć. Myślałem, że nie żyjesz. Wszyscy tak myśleli. Potem długo wyglądało na to, że zostaniesz rośliną. Kiedy zbudziłeś się ze śpiączki, było już za późno. Nie mogłem nikomu powiedzieć. Z pewnością poszedłbym do więzienia. Czy wiesz, co wtedy stałoby się z moją rodziną?

— O rany, nie mam pojęcia.

— Jesteś niesprawiedliwy, Marc.

— Nie muszę być.

— Do diabła, wcale się o to nie prosiłem! — krzyknął. — Znalazłem się w okropnej sytuacji. Zrobiłem to, co uważałem za najlepsze dla twojej córki. Uważasz, że powinienem poświęcić moją rodzinę?

— Nie, lepiej poświęcić moją.

— Chcesz prawdy? Tak, oczywiście. Zrobiłbym wszystko, żeby ochronić moje dzieci. Wszystko. A ty nie?

Teraz to ja nie odpowiedziałem. Mówiłem już wcześniej: bez wahania oddałbym życie za moje dziecko. I jeśli mam być szczery, gdybym został do tego zmuszony, poświęciłbym również cudze życie.

— Wierz mi lub nie, próbowałem rozegrać to na zimno —

powiedział Lenny. — Rozważyć zyski i straty. Gdybym wyjawił prawdę, skrzywdziłbym moją żonę i czworo dzieci, a ty zabrałbyś swoją córkę kochającym przybranym rodzicom. Milcząc... — Wzruszył ramionami. — Taak, cierpiałeś. Nie chciałem tego. Przykro mi było na to patrzeć. A co ty zrobiłbyś na moim miejscu?

Wolałem się nad tym nie zastanawiać.

— Zapomniałeś o czymś — powiedziałem.

Zamknął oczy i wymamrotał coś pod nosem.

— Co się stało ze Stacy?

— Nic nie powinno jej się stać. Było tak, jak przypuszczałeś. Sprzedała Monice broń, a kiedy domyśliła się po co, przybiegła tutaj, żeby ją powstrzymać.

— Tylko że przybyła za późno?

— Tak.

— Widziała cię?

Kiwnął głową.

— Posłuchaj, opowiedziałem jej wszystko. Chciała pomóc, Marc. Chciała zachować się uczciwie. Jednak w końcu nałóg okazał się silniejszy.

— Szantażowała cię?

— Poprosiła o pieniądze. Dałem jej. Pieniądze nie były ważne. Jednak była na miejscu zbrodni. I kiedy byłem u Bacarda, opowiedziałem mu, co się stało. Musisz zrozumieć. Myślałem, że umrzesz. Kiedy do tego nie doszło, zrozumiałem, że oszalejesz, jeśli ta sprawa nie zostanie zamknięta. Powinieneś pogodzić się ze stratą córki. Porozmawiałem o tym z Bacardem. To on wymyślił sfingowane porwanie. Wszyscy mieliśmy zarobić mnóstwo forsy.

— Wziąłeś za to pieniądze?

Lenny gwałtownie odchylił głowę, jakbym go spoliczkował.

— Oczywiście, że nie. Mój udział przekazałem na fundusz powierniczy z przeznaczeniem na studia Tary. Jednak pomysł upozorowania porwania przemówił mi do przekonania. Mieli to zrobić tak, żebyś w końcu uwierzył, że Tara nie żyje. Sprawa

byłaby zamknięta. Ponadto oskubalibyśmy Edgara i przynajmniej część tych pieniędzy dostałaby Tara. Plan wydawał się
doskonały.

— Tylko że...?

— Tylko że kiedy dowiedzieli się o Stacy, doszli do wniosku,
iż nie można liczyć na to, że narkomanka dochowa tajemnicy.
Resztę wiesz. Skusili ją pieniędzmi. Postarali się, żeby została
sfilmowana. A potem, nie uprzedzając mnie, zabili ją.

Pomyślałem o tym. Pomyślałem o ostatnich chwilach życia
Stacy. Czy wiedziała, że umrze? A może po prostu odpłynęła,
myśląc, że to kolejny zastrzyk?

— To ty byłeś ich informatorem, prawda?

Nie odpowiedział.

— Powiedziałeś im, że zawiadomiłem policję.

— Nie rozumiesz? To nie miało żadnego znaczenia. I tak
nie zamierzali oddać ci Tary. Ona była już u Tansmore'ów. Po
przekazaniu okupu sądziłem, że już po wszystkim. Z czasem
wszystko by się ułożyło.

— I co się stało?

— Bacard postanowił ponownie zażądać okupu.

— Brałeś w tym udział?

— Nie, zrobił to bez mojej wiedzy.

— Kiedy się dowiedziałeś?

— Od ciebie, w szpitalu. Byłem wściekły. Zadzwoniłem do
niego. Powiedział, żebym się nie denerwował, że nikt nie
wpadnie na nasz ślad.

— Mylił się.

Lenny pokiwał głową.

— I wiedziałeś, że jestem na jego tropie. Powiedziałem ci
o tym przez telefon.

— Tak.

— Zaczekaj chwilkę. — Zimny dreszcz znów przebiegł mi
po plecach. — W końcu Bacard postanowił zatrzeć ślady.
Wezwał tych dwoje świrów. Ta kobieta, Lydia, pojechała i zabiła
Tatianę. Heshy miał zabić Denise Vanech. Tylko że... — za-

stanawiałem się głośno — zobaczyłem Stevena Bacarda zaraz po tym, jak został zastrzelony. Jeszcze krwawił. Tak więc żadne z tych dwojga nie mogło go zabić.

Spojrzałem na niego.

— To ty go zabiłeś, Lenny.

W jego głosie usłyszałem gniew.

— Myślisz, że tego chciałem?

— No to dlaczego?

— Jak to dlaczego? Ja byłem kartą przetargową Bacarda. Kiedy wszystko zaczęło się sypać, zagroził, że zostanie świadkiem koronnym przeciwko mnie. Powiedziałby, że to ja zastrzeliłem Monicę, po czym przyniosłem mu Tarę. Jak już mówiłem, gliny mnie nienawidzą. Wyciągnąłem z opałów zbyt wielu złych facetów. W mgnieniu oka zawarliby z nim ugodę.

— I poszedłbyś do więzienia?

Lenny był bliski łez.

— Twoje dzieci byłyby załamane?

Kiwnął głową.

— Dlatego z zimną krwią zabiłeś człowieka.

— A co miałem zrobić? Patrzysz tak na mnie, ale w głębi serca znasz prawdę. To był twój bałagan. Wpadłem po uszy, bo próbowałem go uprzątnąć. Ponieważ byliśmy przyjaciółmi. Chciałem pomóc twojemu dziecku. — Zamilkł, zamknął oczy i dodał: — I wiedziałem, że jeśli zabiję Bacarda, może zdołam uratować i ciebie.

— Mnie?

— Następna chłodna analiza zysków i strat, Marc.

— O czym ty mówisz?

— Sprawa była zamknięta. Bacard nie żył i można było go obwinić. O wszystko. Byłem czysty.

Lenny podszedł i stanął przede mną. Przez moment miałem wrażenie, że chce mnie objąć. Jednak tylko tak stał.

— Chciałem, żebyś wreszcie zaznał spokoju, Marc. Jednak ty nigdy byś się z tym nie pogodził. Zrozumiałem to. Nie przestałbyś szukać, dopóki nie odnalazłbyś córki. Kiedy Bacard umarł, moja rodzina była bezpieczna. Mogłem wyjawić ci prawdę.

— Dlatego napisałeś ten anonimowy list i zostawiłeś go na biurku Eleanor.

— Tak.

Skinąłem głową i przypomniały mi się słowa Abe'a.

— Uważałeś, że cel uświęca środki.

— Postaw się w mojej sytuacji. Jak ty byś postąpił?

— Nie wiem — odparłem.

— Zrobiłem to dla ciebie.

I najsmutniejsze było to, że mówił prawdę. Spojrzałem na niego.

— Byłeś moim najlepszym przyjacielem, Lenny. Kocham cię. I twoją żonę. I dzieci.

— Co zamierzasz zrobić?

— Jeśli powiem, że pójdę na policję, mnie też zabijesz?

— Nigdy bym tego nie zrobił.

Lecz chociaż tak bardzo go kochałem, a on mnie, nie byłem pewien, czy mu wierzę.

Epilog

Minął rok.

Przez pierwsze dwa miesiące zbierałem punkty premiowe, na każdy weekend lecąc do St. Louis i usiłując wymyślić razem z Abe'em i Lorraine, co robić dalej. Nie spieszyliśmy się. Podczas kilku pierwszych wizyt prosiłem Abe'a i Lorraine, żeby zostali w pokoju. Potem zaczęliśmy z Tarą chodzić sami do parku, do zoo, na spacery po sklepach, ale często oglądała się przez ramię. Dopiero po jakimś czasie córka przyzwyczaiła się do mnie. Rozumiałem to.

Ojciec umarł we śnie przed dziesięcioma miesiącami. Po pogrzebie kupiłem dom na Marsh Lane, dwa budynki od Abe'a i Lorraine, po czym zamieszkałem w nim na stałe. Tansmore'owie to wspaniali ludzie. Wiecie co? Nazwaliśmy „naszą" córkę Tasha. Pomyślcie. Zdrobnienie od Natasha i trochę podobne do Tara. Jako chirurg plastyczny aprobuję taką rekonstrukcję. Wciąż czekam, że coś zacznie się psuć. Jednak tak się nie dzieje. To niesamowite, ale nie kwestionuję mojego szczęścia.

Moja matka kupiła sobie mieszkanie i też się tu przeprowadziła. Kiedy ojciec odszedł, nie miała powodu dłużej pozostawać w Kasselton Po tych wszystkich tragicznych wydarzeniach — chorobie ojca, śmierci Stacy i Moniki, napadzie i porwaniu — oboje potrzebowaliśmy wytchnienia. Cieszę się, że jest blisko nas. Mama ma nowego chłopaka, faceta zwanego Cy. Jest szczęśliwa. Lubię go i nie tylko dlatego, że potrafi załatwić bilety na mecze Ramsów. On i mama często się śmieją. Prawie zapomniałem, że moja mama umie się śmiać.

Często rozmawiam z Verne'em. Na wiosnę przyjechał do mnie z Katariną, Verne'em Juniorem i Perrym. Spędziliśmy wspaniały tydzień. Verne zabrał mnie na ryby, które łowiłem po raz pierwszy w życiu. Spodobało mi się to. Następnym razem chce ze mną polować. Powiedziałem, że nie ma mowy, ale Verne potrafi być bardzo przekonujący.

Rzadko rozmawiam z Edgarem Portmanem. Przysyła prezenty na urodziny Tashy. Dzwonił dwa razy. Mam nadzieję, że wkrótce przyjedzie zobaczyć wnuczkę. Jednak obu nam ciąży zbyt wielkie poczucie winy. Jak już powiedziałem, może Monica była niezrównoważona. Może wszystko to można wytłumaczyć zaburzeniami równowagi chemicznej. Zdaję sobie sprawę z tego, że większość problemów psychiatrycznych ma podłoże fizjologiczne, jest rezultatem zaburzeń hormonalnych, a nie życiowych doświadczeń. Być może niczego nie mogliśmy zrobić. Jednak tak czy inaczej, obaj nie potrafiliśmy pomóc Monice.

Zia z początku bardzo przeżywała moją decyzję, ale w końcu uznała to za swoją szansę. Przyjęła do spółki nowego lekarza. Słyszę, że jest bardzo dobry. Ja otworzyłem filię One World Wrap w St. Louis. Na razie idzie mi całkiem nieźle.

Lydia — albo jeśli wolicie, Larissa Dane — wykręci się sianem. Wywinęła się od zarzutu podwójnego zabójstwa i uparcie twierdzi, że była „zmuszana". Znowu stała się sławna, jako tajemniczo powracająca „Pixie-Trixie". Wystąpiła w programie Ophry, podczas którego sprzedawała łzawą bajeczkę o latach udręk, jakich doznawała z rąk Heshy'ego. Nawet pokazali jego zdjęcie. Widowni zaparło dech. Heshy był odrażający. Lydia jest piękna. Tak więc świat jej uwierzył. Krążą plotki, że telewizja chce nakręcić film o jej życiu.

Jeśli chodzi o handel dziećmi, to FBI mówiła o „ukaraniu

wszystkich winnych", co naiwni mogliby uznać za obietnicę postawienia przestępców przed sądem. Winnymi byli Steven Bacard i Denise Vanech. Oboje nie żyją. Oficjalnie nadal szuka się dokumentów adopcyjnych, ale w rzeczywistości nikt nie chce dociekać, komu i gdzie oddano które dziecko. Myślę, że tak jest najlepiej.

Rachel w pełni wyzdrowiała. W końcu sam zrekonstruowałem to przestrzelone ucho. Media szeroko komentowały jej odwagę. Przypadła jej cała zasługa rozbicia gangu handlarzy dziećmi. FBI ponownie ją zatrudniło. Poprosiła o przydział do St. Louis i otrzymała go. Mieszkamy razem. Kocham ją. Kocham ją bardziej, niż możecie sobie wyobrazić. Jeśli jednak oczekujecie happy endu, to nie wiem, czy tak można to nazwać.

Na razie Rachel i ja nadal jesteśmy razem. Na myśl o tym, że mógłbym ją stracić, robi mi się niedobrze. Jednak nie jestem pewien, czy to wystarczy. Dźwigamy ogromny bagaż przykrych doświadczeń. On trochę nam ciąży. Rozumiem, dlaczego zadzwoniła wtedy do mnie i pojawiła się przed moim szpitalem, a mimo to wiem, że następstwem tego była śmierć i cierpienie. Oczywiście, nie winię o to Rachel. Mimo to coś w tym jest. Śmierć Moniki dała nam drugą szansę. To trochę dziwne. Próbowałem wyjaśnić to Verne'emu, kiedy nas odwiedził. Powiedział mi, że jestem dupkiem. Myślę, że chyba ma rację.

Ktoś dzwoni do drzwi. Ktoś pociągnął mnie za nogawkę. Tak, to Tasha. Już przyzwyczaiła się, że jestem częścią jej życia. Dzieci zawsze przystosowują się lepiej niż dorośli. Po drugiej stronie pokoju Rachel siedzi na kanapie. Jak zwykle, na podwiniętych nogach. Patrzę na nią, a potem na Tashę, i czuję cudowną mieszaninę radości i lęku. Te uczucia — radość i lęk — są nierozłącznymi towarzyszami. Rzadko jedno nie towarzyszy drugiemu.

— Chwileczkę, maleńka — mówię do niej. — Otwórzmy drzwi, dobrze?

— Dobrze.

To doręczyciel. Z paczkami. Wnoszę je do środka. Kiedy

spoglądam na adres nadawcy, czuję znajome ukłucie żalu. Mała naklejka głosi, że są od Lenny'ego i Cheryl Marcusów z Kasselton w stanie New Jersey.

Tasha spogląda na mnie.

— Mój prezent?

Nie powiedziałem policji o tym, co zrobił Lenny. I tak nie mieliby przeciw niemu żadnych dowodów — tylko moje zeznanie. To nie wystarczyłoby przed sądem. Nie dlatego jednak postanowiłem milczeć.

Podejrzewam, że Cheryl zna prawdę. Myślę, że chyba znała ją od początku. Przypominam sobie jej minę na schodach, jaka była opryskliwa, kiedy tamtej nocy przyjechałem z Rachel do ich domu. Teraz zastanawiam się, czy powodem był gniew, czy też strach. Podejrzewam to drugie.

Rzecz w tym, że Lenny miał rację. Zrobił to dla mnie. Co by się stało, gdyby po prostu wyszedł? Nie wiem. Może byłoby jeszcze gorzej. Lenny pytał mnie, czy gdybym znalazł się na jego miejscu, postąpiłbym tak samo. Wtedy chyba nie. Ponieważ może nie jestem tak dobrym człowiekiem. Założę się, że Verne by to zrobił. Lenny usiłował ochronić moją córkę, nie poświęcając swojej rodziny. Tylko pogorszył sytuację.

Mimo wszystko bardzo mi go brak. Myślę o tym, jak wiele razem przeszliśmy. Czasem podnoszę słuchawkę i zaczynam wybierać jego numer. Jednak nigdy nie kończę. Już nie odezwę się do Lenny'ego. Nigdy. Wiem o tym. I bardzo mnie to boli.

Myślę również o dociekliwej minie małego Connera, wtedy na meczu. Myślę o Kevinie grającym w piłkę i włosach Marianne, pachnących chlorem po porannej lekcji pływania. Myślę o tym, jak wypiękniała Cheryl, kiedy została matką.

Patrzę na moją córkę, bezpieczną i bliską. Tasha wciąż czeka. To rzeczywiście jest prezent od jej chrzestnego. Pamiętam, jak poznaliśmy się z Abe'em tamtego ranka, w hotelu Marriott przy lotnisku. Powiedział mi, że cel nie może uświęcać środków. Wiele o tym myślałem, zanim zdecydowałem, jak postąpić z Lennym.

W końcu, no cóż, możecie to uznać z przejaw pragmatyzmu. Czasem sam nie wiem. Czy chodzi o cel uświęcający środki, czy też środki do celu? A może to jedno i to samo? Monica chciała być kochana, oszukała mnie więc i zaszła w ciążę. Od tego wszystko się zaczęło. Gdyby jednak tego nie zrobiła, nie spoglądałbym teraz na najcudowniejsze stworzenie na ziemi. Dobre pobudki? Złe? Kto to wie?

Tasha przechyla główkę i kręci noskiem.

— Tatusiu?

— To nic takiego, dziecinko — mówię łagodnie.

Tasha odpowiada dziecinnym, energicznym wzruszeniem ramion. Rachel podnosi głowę. Na jej twarzy widzę troskę. Kładę paczkę na najwyższą półkę szafy. Potem zamykam drzwi i biorę moją córeczkę na ręce.